Geld anlegen & investieren

Florian Gerber

https://www.meinegeldanlage.com/

Impressum

Bibliografische Information der Deutschen Nationalbibliothek:
Die Deutsche Nationalbibliothek verzeichnet diese Publikation
in der Deutschen Nationalbibliografie; detaillierte
bibliografische Daten sind im Internet über http://dnb.dnb.de
abrufbar.

Herstellung und Verlag: BoD – Books on Demand,
Norderstedt

ISBN: 978-3-7526-8806-1

Mit einer guten Anlagestrategie erntet man Zinsen, Dividenden, Kursgewinne, Verkaufserlöse und andere Erträge. Der Zweck einer Geldanlage besteht darin, das angelegte Kapital zu erhalten und es darüber hinaus zu vermehren und so dem Anleger bei der Erfüllung seiner Wünsche zu helfen. Dabei müssen Verbraucher die Balance zwischen hohen Gewinnen und der größtmöglichen Sicherheit für ihre Geldanlage finden. Je länger das Geld für Sie arbeitet, desto mehr profitieren Sie vom Zinseszinseffekt. Denn Zinsen und Ausschüttungen bringen nach ihrer Gutschrift auf dem Anlage- oder Depotkonto weitere Gewinne. Über viele Jahre zahlt sich das aus, auch kleine Beträge können zu einem Vermögen wachsen. Eine erfolgreiche Geldanlage setzt eine gute Vorbereitung und Disziplin voraus. Lassen Sie Ihr Geld also für sich arbeiten, aber vernachlässigen Sie es nicht. Wer Geld anlegen will, sollte nicht gleich zur Bank oder zum Finanzvermittler gehen. Zunächst einmal ist es wichtig, sich selbst Gedanken zur Strategie der Geldanlage zu machen. Das Ziel der Anlage sollte im Mittelpunkt dieser Überlegungen stehen. Am besten ist es, man hält seine Vorstellungen schriftlich fest. So ist es leichter, den Überblick zu behalten und man lässt sich dadurch im Beratungsgespräch nicht ohne weiteres von seinen Zielen abbringen.

Sparziele definieren

Das Ziel der Geldanlage beeinflusst die Entscheidung, in welche Anlageklassen und Finanzprodukte investiert wird, maßgeblich. Der Anleger bestimmt, ob das Geld kurz- oder langfristig investiert werden soll. Der Verwendungszweck des Kapitals ist ausschlaggebend für die Art und Weise der Investition. Ist es zum kurzfristigen Parken für einen baldigen Kauf gedacht oder soll es später zur Absicherung im Pflegefall verwendet werden? Weitere Motive zum Geld anlegen können die mittelfristige Ansammlung von Rücklagen, die Aufstockung der Rente, die Finanzierung der Ausbildung der Kinder, der Kauf eines Hauses oder die Schaffung einer Reserve für Notfälle sein. Dient es der Altersvorsorge, dem

Konsum oder Vermögensaufbau? Danach richtet sich, welche Geldanlage geeignet ist. Je konkreter das Sparziel benannt werden kann, desto besser können die Eigenschaften und Risiken der Finanzprodukte auf den Zweck des Sparens abgestimmt werden. Das betrifft Anlageform, Laufzeit, Verfügungsmöglichkeiten, die Sicherheit der Anlage und die Höhe und Sicherheit ihrer Erträge.

Geldanlagestrategie

Denken Sie jedoch über den eigentlichen Anlagezweck hinaus, passt die Geldanlage zu Ihren bisherigen Kapitalanlagen? Welche Streuung wird durch die neue Anlage erreicht? Beeinflusst die Geldanlage die Gewichtung der Erträge während einer bestimmten Zeit? Sobald Anleger über mehrere Anlageverträge verfügen, sollten sie Wert auf ein koordiniertes Vorgehen und eine geplante Herangehensweise legen. Daraus ergibt sich eine Anlagestruktur, die Risiken verteilt, Verlustmöglichkeiten minimiert und Ertragszeitpunkte optimiert. Die Altersvorsorge muss beispielsweise Schritt für Schritt mit verschiedenen Finanzprodukten aufgebaut werden.

Magisches Dreieck der Geldanlage

Das individuelle Ziel des Geldanlegers ist relativ leicht formuliert. Die Anlage soll dazu beitragen, etwas anzuschaffen, Rücklagen zu bilden oder einen angenehmen Lebensabend zu gewährleisten. Auch die Geldanlage selbst muss einer Zielsetzung genügen, damit sie zu den Lebensplänen des Anlegers passt. Drei Ziele kann man mit einer Geldanlage erreichen: Sicherheit, Liquidität und Rendite. Aber diese drei können niemals gleichzeitig und nebeneinander realisiert werden, sie schließen sich gegenseitig aus. Eine hohe Rendite bedingt weniger Sicherheit bei der Geldanlage. Wer eine große Sicherheit wünscht, muss auf Prozentpunkte bei der Rendite verzichten. Eine kurzfristig verfügbare Geldanlage, die gesetzlich abgesichert ist, kann keine exorbitanten Erträge abwerfen.

Unsichere Geldanlagen, die langfristig festgelegt sind, bringen immer die höchsten Renditen. Jeder Anleger muss deshalb wissen, welches der drei Ziele für ihn das Wichtigste bei seiner Anlage ist.

Wie viel Geld anlegen?

Im Vorfeld der Beratung legt man den Betrag fest, den es anzulegen gilt. Er wird ganz oder vorübergehend nicht für den Lebensunterhalt benötigt. Die Höhe des Anlagebetrages ist entscheidend für die Suche nach der passenden Anlageform. Soll der Anlagebetrag in einer Summe festgelegt oder gesplittet angelegt werden? Besteht die Absicht, den Einmalbetrag durch monatliches Sparen aufzustocken? Kann das Sparziel nur durch regelmäßige Einzahlungen erreicht werden? Es gilt, eine Antwort zu finden, ob der Betrag einmalig, unregelmäßig oder laufend investiert wird.

Mindestanlagesummen beachten

Für fest verzinste Anlagen sollte das Geld während der gesamten Vertragsdauer nicht benötigt werden. Bei schwankungsanfälligen Geldanlagen muss es dauerhaft zur Verfügung stehen, damit eventuelle Kursschwankungen nicht zu Kursverlusten führen, weil man sein Geld gerade im Börsentief braucht. Für Anlageformen wie zum Beispiel Festgelder oder Sparbriefe sind Mindesteinstiegssummen vorgesehen und teilweise hängen die Konditionen der Angebote von der Anlagesumme ab. Maximalanlagebeträge sind bei Geldanlagen selten, nur die vereinbarten Zinsen können bis zu einer Maximalsumme gelten. Der Anleger sollte sich darüber informieren, um nicht Zinserträge zu verschenken.

Risikobereitschaft bestimmen

In der Vorbereitung sollte sich der Geldanleger unbedingt mit seiner Einstellung zum Anlagerisiko beschäftigen. Diese setzt sich aus mehreren Komponenten zusammen. Als erstes geht es um die persönliche Risikobereitschaft. Wie viel Risiko möchte ich eingehen? Die Risikobereitschaft ergibt sich aus dem Leben, den Charaktereigenschaften und der Bildung des Anlegers. Jeder verfügt über andere Erfahrungen, Kenntnisse und Fähigkeiten, die er unterschiedlich zu seinen Gunsten nutzen kann. Wer bereits schlechte Erfahrungen hinsichtlich des Verlustes von Geldanlagen gemacht hat, wird vorsichtiger an die Auswahl seiner Finanzprodukte herangehen als jemand, der bisher nur das Glück hoher Gewinne kannte. Als nächstes muss sich der Anleger einen Überblick über seine Vermögensverhältnisse verschaffen und eine Bestandsaufnahme der vorhandenen Anlageverträge vornehmen. Wie viel Risiko kann ich aufgrund meiner finanziellen Verhältnisse tragen? Die individuelle Risikotragfähigkeit ist das Ergebnis dieser Überlegungen.

Risikowahrnehmung

Die am schwierigsten zu beantwortende Frage für den Anleger ist die, welches Risiko er aufgrund des empfohlenen Finanzinstrumentes eingehen muss. Diese Frage stellt sich meist erst im Laufe des Beratungsprozesses, wenn die Anlagevorschläge vorliegen. Trotzdem kann es nicht schaden, wenn sich ein Privatanleger bereits vorher über mögliche Anlageformen und deren produktspezifische Risiken Gedanken macht. Das Problem besteht darin, dass jeder Risiken anders wahrnimmt und bewertet. Das hängt von den individuellen Eigenschaften und den zuletzt aufgenommenen Ereignissen und Nachrichten ab. Eine gerade erlebte Finanzkrise lässt Risiken in einem anderen Licht erscheinen als in einer guten konjunkturellen Phase. Außerdem werden Risiken immer aus Vergangenheitssicht beurteilt, die Unsicherheit über den Eintritt künftiger negativer Ereignisse ist groß. Anleger müssen deshalb mit einem Restrisiko leben. Viele Verbraucher wünschen sich aber eine Geldanlage, die höchstmögliche Sicherheit und eine außergewöhnliche Rendite bietet sowie zu jeder Zeit ohne Verluste verfügbar ist. Eine solche Kapitalanlage gibt es nicht. Anleger müssen Kompromisse eingehen. Am besten für die Sicherheit der Geldanlage ist die Streuung aller Risiken.

Risiko auf mehrere Anlagen verteilen

Ein Risiko beinhaltet die Ungewissheit über die Erreichung des vorweg bestimmten Anlagezieles. Im schlimmsten Fall kann es durch Risiken bis zum Totalverlust der Geldanlage kommen. Da außerdem niemand vorhersagen kann, wie sich Chancen, Märkte und Risiken in der Zukunft entwickeln, ist es ratsam, seine Geldanlagen auf unterschiedliche Anlageklassen, Finanzinstrumente und einzelne Werte zu verteilen. Somit entsteht ein ausgewogenes Anlagekonzept und der Anleger erreicht eine breite Streuung der Risiken. Dieses wirkt ausgleichend bei Vermögensverlusten, begrenzt aber auch das Renditepotential.

Was bedeutet Risikostreuung?

Jeder Anleger sollte sich darüber im Klaren sein, dass sich Rendite und Risiko spiegelbildlich verhalten. Für eine hohe Rendite müssen überdurchschnittliche Risiken eingegangen werden. Mehr Sicherheit bei Geldanlagen bedeutet immer Verzicht auf Renditeprozente. Um Kursverluste zu verhindern, reicht es nicht, seine Geldanlagen auf verschiedene Finanzprodukte zu verteilen. Die Anlagen müssen über alle Anlageklassen, alle Laufzeiten und verschiedene Risiken aufgeteilt werden. Die Anlageinstrumente sollten so gestreut sein, dass sie sich in verschiedenen Marktphasen nicht gleichläufig entwickeln. Der Anleger muss wissen, wie die einzelnen Risiken wirken und sollte die höchstmöglichen Verluste kennen. Dabei müssen Verbraucher die Finanzprodukte den einzelnen Anlageklassen zuordnen können.

Hauptrisiken der Geldanlage

Das größte Risiko für den Anleger ist, dass sein Geld komplett verloren geht. Diese Möglichkeit widerspiegelt sich im Emittenten- oder Bonitätsrisiko. Der Herausgeber einer Geldanlage geht durch falsche geschäftliche Entscheidungen, fehlende Perspektiven, Krisen oder Betrug in die Insolvenz. Für Privatanleger bleiben dann nur noch geringe Summen oder gar nichts mehr von ihrem Einsatz übrig. Durch Preisschwankungen an den Kapitalmärkten können Kursverluste bei Wertpapieranlagen entstehen. Dieses wird als Kurs- oder Kursänderungsrisiko bezeichnet. Das Liquiditätsrisiko definiert die Gefahr, dass aufgrund von Liquiditätsschwierigkeiten oder fehlender marktgerechter Preise die Auszahlung des Anlagebetrages nicht erfolgen kann. Das Inflationsrisiko führt am Ende eines Sparprozesses zu einer verminderten Kaufkraft des angesparten Kapitals. Die Kosten schmälern den Anlagebetrag bzw. das Anlageergebnis erheblich. Kauft ein Anleger Wertpapiere auf Kredit, unterliegt er ebenfalls einem hohen Verlustrisiko, das sogar über seinen Kapitaleinsatz hinausgehen kann. Viele weitere Anlagerisiken sind charakteristisch für die verschiedenen Arten von Finanzinstrumenten. Somit kommt der Risikoverminderung eine große Bedeutung zu. Die umfassende Risikostreuung ist deshalb Bestandteil einer klugen Anlagestrategie.

Geldanlage bei Banken und Versicherungen

Es gibt viele Anbieter von Geldanlagen, Banken und Versicherungen sind die größten. Sie sind im Finanzsektor am besten beaufsichtigt und am meisten reguliert. Trotzdem sollte jeder Kunde die Interessenkonflikte kennen, die sich bei einer Bank- oder Versicherungsberatung auftun. Banken und Versicherungen verdienen mit dem Auflegen und Vermitteln von Geldanlagen einen Teil ihres Profites. Bankeinlagen und kapitalbildende Versicherungen weisen die größte Sicherheit unter den Geldanlagen auf. Bankeinlagen bringen feste Erträge, Versicherungserträge sind schwankend. Für Bankprodukte und Kapitalversicherungen gibt es gesetzliche Sicherheitsvorschriften und freiwillige Sicherungssysteme. Alle Bankeinlagen sind kostenlose Geldanlagen. Das Angebot an Bank- und Versicherungsprodukten ist breit gefächert und beginnt beim einfachen Girokonto.

Girokonto: Kein Anlagekonto

Das Girokonto bei einer Bank ist die Grundlage für die Nutzung vieler Dienstleistungen, zum Beispiel Bargeld abheben. Ein Girokonto ist aber keine Geldanlage im eigentlichen Sinn. Als solche kann es nur dienen, wenn es verzinst wird und dem Anleger einen messbaren Nutzen bringt. Ein Girokonto ist täglich verfügbar und dient als Grundlage für alle Buchungen, die Einnahmen und Ausgaben für den Kontoinhaber darstellen. Darüber wird der tägliche Zahlungsverkehr abgewickelt, es ist deshalb für jeden Verbraucher ein Basisprodukt. Größere Summen sollten nicht für längere Zeit auf einem unverzinsten Girokonto stehen bleiben. Denn es gibt nur wenige Kreditinstitute, die auf ihren Girokonten eine Verzinsung anbieten. Meist räumen Banken Kindern und Jugendlichen ansehnliche Girozinsen ein, um sie frühzeitig an die Bank zu binden.

Tagesgeldkonto: Kurzfristiges Zwischenparken

Für das Zwischenparken größerer Summen eignet sich ein Tagesgeldkonto viel besser. Tagesgeldkonten werden generell verzinst, am besten schneiden Onlinebanken im Konditionenvergleich ab. Tagesgeldkonten sind täglich liquide, sie unterliegen keinen Festlegungsfristen. Zuzahlungen sind ebenfalls jederzeit möglich. Sie eignen sich deshalb für die Notfallreserve, das Parken größerer Ausgabesummen, zur Überbrückung von Lücken bis zur Fälligkeit oder als Alternative zum Sparbuch. Im Unterschied zum Girokonto kann ein Tagesgeld aber nicht für Buchungen im täglichen Zahlungsverkehr genutzt werden. Ein Tagesgeldkonto ist eine gute Alternative zum unverzinsten Girokonto. Die Zinszahlung erfolgt entweder monatlich, vierteljährlich oder einmal im Jahr. Die Zinsen sind variabel gestaltet und richten sich nach der Entwicklung am internationalen Geldmarkt. Anleger sollten jedoch Beträge darauf nicht längerfristig parken, da Festgeldkonten häufig höher verzinst werden.

Festgeldkonto: Feste Laufzeit

Bei Festgeldkonten wird zwischen Bank und Kontoinhaber eine Vereinbarung getroffen, für wie lange der Vertragsinhaber der Bank sein Geld zur Verfügung stellt. Dafür bekommt er einen festen Zinssatz, der bis zum Laufzeitende gültig ist. Die Festlegungsfristen können von einem halben Jahr bis zu 10 Jahren reichen. Gebräuchlich sind jedoch Laufzeiten zwischen 1 und 5 Jahren. Die Gutschrift der Zinsen erfolgt jährlich bzw. am jeweiligen Laufzeitende. Das Geld auf dem Festgeldkonto sollte der Anleger möglichst bis zum Ende der Laufzeit liegen lassen, da die vorzeitige Auflösung eines Festgeldkontos kompliziert ist und zu Verlusten beim Zinsertrag führt. Festgelder eignen sich vor allem für mittelfristige Anlagen und falls man genau weiß, zu welchem Zeitpunkt das Guthaben wieder benötigt wird.

Sparkonto: Unrentable Anlage

Spareinlagen sind immer mit einer dreimonatigen Kündigungsfrist ausgestattet. Es gibt normale Spareinlagen, die umgangssprachlich als Sparbuch bezeichnet werden, Bonussparpläne und festgelegte Spareinlagen in Form von Festzinssparbüchern. Gemeinsam ist ihnen nicht nur die dreimonatige Kündigungsfrist, sondern auch eine Verfügungsrestriktion. Von allen Sparbüchern können im Monat jeweils nur 2.000 Euro abgehoben werden. Alle darüber hinausgehenden Beträge müssen drei Monate im Voraus gekündigt werden. Wird die Kündigungsfrist nicht eingehalten, fallen Vorschusszinsen an. Sparkonten sind meist nur sehr niedrig verzinst und werden immer weniger als Anlageform genutzt, weil sie umständlich zu handhaben sind. Das Sparbuch gilt als Urkunde und muss sicher verwahrt werden, da ansonsten unter Umständen ein Fremder vom Sparkonto Geld abheben kann. Einige Banken sind dazu übergegangen, statt Sparbüchern Sparkarten für Geldautomaten und Kontoauszugsdrucker auszugeben, diese ersetzen jedoch nicht die Sparurkunde. Sparbücher sind nicht zum Zahlungsverkehr freigegeben.

Sparbriefe: Unflexible Anlageform

Sparbriefe ähneln Festgeldkonten, sind aber Namensschuldverschreibungen. Die Sicherheit von Sparbriefen ist hoch. Sie unterliegen genau wie Bankeinlagen der gesetzlichen und freiwilligen deutschen Einlagensicherung. Es gibt allerdings Sparbriefangebote, bei denen der Kontoinhaber bei Bankinsolvenz nur als nachrangiger Gläubiger behandelt wird. Sparbriefe verfügen über eine feste Verzinsung für die gesamte Laufzeit. Diese ist meist längerfristiger als bei Festgeldkonten, häufig sind es zwischen 1 und 10 Jahren. Ein Sparbrief ist eine unflexible Einmalanlage. Er kann praktisch während der Laufzeit nicht aufgelöst werden. Braucht der Sparbriefinhaber sein Geld vorfristig zurück, kann der Sparbrief beliehen werden. Vorfristige Auflösungen sind Ausnahmen in Form von Einzelfallentscheidungen. Deshalb werden Sparbriefe höher verzinst als Spar- oder Festgeldkonten. Zuzahlungen sind auf Sparbriefkonten ausgeschlossen. Drei Arten von Sparbriefen sind in Banken erhältlich, der normale, abgezinste oder aufgezinste Sparbrief. In der normalen Variante erhält der Anleger den Sparbrief zum Nennwert und am Jahresende die Zinszahlung auf sein Referenzkonto. Das aufgezinste Sparbriefkonto sammelt die jährlichen Zinszahlungen an und erstattet am Laufzeitende dem Anleger den Gesamtbetrag einschließlich Zinseszins auf sein Konto. Bei der abgezinsten Variante zahlt der Sparbriefinhaber am Anfang weniger ein. Die Zinsen werden vom Nennwert abgezogen, so dass er am Ende mit Zinsen 100 Prozent des Nennwertes zurückerhält.

Währungskonto: Schwankende Erträge

Ein Währungskonto ist ein festverzinstes oder unverzinstes Konto, das auf eine fremde Währung lautet. Ob die Bank eine Verzinsung anbietet, hängt vom Zins- und Wirtschaftsniveau des Landes ab, in dessen Währung es geführt wird. Damit wird das Inflations- und Wechselkursrisiko des Landes ausgeglichen. Währungskonten sind täglich verfügbar. Anleger sollten der Versuchung eines hohen Zinssatzes widerstehen, wenn sie die Wechselkursschwankungen und ihre Auswirkungen auf den Endertrag nicht vollständig einschätzen können. Die Risiken von Währungsschwankungen sind groß, sie können den Zinsgewinn letztendlich vollständig aufzehren. Währungskonten unterliegen keiner gesetzlichen Einlagensicherung.

Bausparvertrag: Anlage mit Darlehensanspruch

Eine reine Einmalanlage ist das Bausparen nicht. Der Bausparvertrag eignet sich für Anleger und Sparer, die später einmal Wohneigentum erwerben oder finanzieren wollen. Auch für Renovierungs- oder Modernisierungsmaßnahmen im Eigenheim kann das Geld eingesetzt werden. Mit ihren Einzahlungen sichern sich Bausparer einen Anspruch auf ein Darlehen der Bausparkasse, das zu besonders niedrigen Zinsen ausgereicht wird. Sparer zahlen 40 oder 50 Prozent auf den Vertrag ein, der Rest bis zur Bausparsumme besteht aus dem günstigen Darlehen. Die Regelsparzeit beträgt 7 bis 10 Jahre. Das Bausparguthaben wird ebenfalls verzinst, jedoch meist sehr niedrig. Dieses Darlehen kann flexibel zurückgezahlt werden, es ist für wohnwirtschaftliche Zwecke vorgesehen. Die Gewährung der staatlichen Förderung, der Wohnungsbauprämie, ist ebenfalls an eine wohnwirtschaftliche Verwendung des Ersparten gebunden. Die Prämie beträgt 8,8 Prozent auf maximal 512 Euro Einzahlungen im Jahr.

Lebensversicherung: Garantierte Verzinsung

Sind Banksparprodukte in erster Linie dafür gedacht, das überschüssige Kapital zinsbringend für eine bestimmte Frist anzulegen, tragen Versicherungsprodukte eindeutig Vorsorge- und Absicherungscharakter. Mit einer Lebensversicherung kann man gleichzeitig Kapital ansparen und das

Todesfallrisiko für die Familie des Versicherungsnehmers absichern. Die Erträge von Lebensversicherungen setzen sich aus einem gesetzlich garantierten Zins, einer Beteiligung an den Überschüssen und ausgewählten Versicherungsreserven zusammen. Lebensversicherungen sind in den letzten Jahren zum Ansparen oder zur Geldanlage nicht mehr erste Wahl, da sie durch hohe Kosten und eine anhaltende Niedrigzinsphase unattraktiv geworden sind. Problematisch sind die langen Laufzeiten solcher Verträge. Kündigt der Versicherungsnehmer die Lebensversicherung weit vor Ablauf der Frist, erleidet er hohe Verluste, da Kosten und Provisionen am Anfang am stärksten sein Einzahlungskapital belasten. Verzinst wird ohnehin nur der Sparanteil, da Risiko- und Verwaltungskosten permanent anfallen. Braucht der Versicherte vorzeitig dringend Geld, sollte er vor der Kündigung die Möglichkeit der Beleihung oder des Verkaufes seiner Police prüfen.

Rentenversicherung: Aufstockung für Rente

Eine Rentenversicherung ist dafür gedacht, die gesetzliche oder betriebliche Rente durch eine private Altersvorsorge zu ergänzen und aufzustocken. Sie funktioniert ähnlich wie eine Lebensversicherung, sie kann regelmäßig bespart oder als Einmalbetrag zum Geld anlegen genutzt werden. Die Rentenversicherung enthält eine Option, sich zu Beginn des Rentenalters entweder den Einmalbetrag auszahlen oder diesen beispielsweise in eine monatliche Rente umwandeln zu lassen. Sie wird lebenslang gezahlt. Das ist der große Vorteil einer privaten Rentenvorsorge, die bei Auszahlung steuerlich privilegiert wird. Zum Ausgleich der Inflationsrate kann eine Dynamisierung der Beiträge eingebaut werden. Die Rentenversicherung eignet sich sowohl für sicherheitsorientierte als auch renditebewusste Sparer. Es gibt sie in zwei Varianten. Einmal als fest verzinste Sparform, bei der die Versicherung den Hauptteil der Einzahlungen in Anleihen anlegt. Die mit festen Erträgen ausgestattete Rentenversicherung ist mit einem Garantiezins versehen. Dies ist der Mindestzins, zu dem der Sparanteil des Kunden während der Policenlaufzeit verzinst werden muss. Neue Angebote sehen nur noch die Garantie der eingezahlten Beiträge oder eine Garantie erst ab Verrentungszeitpunkt vor. Die zweite Variante ist die fondsgebundene Rentenversicherung. Sie heißt deshalb so, weil die Versicherungsgesellschaft hier überwiegend in Investmentfonds, vor allem Aktienfonds, investiert. Diese Variante bringt höhere Renditechancen, ist aber mit keiner Garantie versehen. Der Versicherungskunde trägt selbst das Risiko von Kursschwankungen und Kursverlusten. Die erwirtschafteten Erträge hängen von der Börsensituation zu Rentenbeginn des Anlegers ab. Er kann sich die Einzahlungen und Gewinne der Versicherung im Rentenalter in einem Betrag auszahlen oder diese verrenten lassen oder eine Kombination aus beidem wählen. Allerdings enthalten fondsgebundene Versicherungen doppelte Gebühren für die Fonds und die Police, die die Rendite des Anlegers schmälern.

Direktversicherung: Betriebliche Vorsorge

Die Direktversicherung gehört zu den Durchführungswegen der betrieblichen Altersvorsorge. Der Arbeitgeber fungiert als Versicherungsnehmer für seine Angestellten. Er schließt für sie einen Rentenversicherungsvertrag mit Garantiezins oder auf fondsgebundener Basis zu Vorteilskonditionen ab. Teile des Brutto-Einkommens bzw. Zuschüsse des Arbeitgebers werden in Beitragszahlungen für die Direktversicherung umgewandelt. Der Arbeitnehmer spart dadurch Steuern und Sozialabgaben. Er muss im Verhältnis zu einer privaten Versicherung weniger Beiträge selbst aufwenden und profitiert ggf. von Einzahlungen seines Arbeitgebers. Er erwirbt als über 25-jähriger durch die Arbeitgeberzusage einen nach 5 Jahren unverfallbaren Anspruch auf eine Betriebsrente, der auch dann nicht verfällt, wenn der Angestellte aus dem Betrieb ausscheidet. Arbeitnehmer können die Direktversicherung zum nachfolgenden Arbeitgeber übertragen, sie beitragsfrei stellen lassen oder privat aus eigenen Mitteln weiterführen. Alternativ zur lebenslangen Rente kann sich der Arbeitnehmer am Rentenbeginn das gesamte angesparte Kapital oder eine Kombination aus beidem auszahlen lassen.

Investmentfonds als Geldanlage

Investmentfonds unterteilt man in zwei Kategorien, offene und geschlossene Fonds. Sie stellen einen mehr oder weniger ausgewogenen Mix von Anlageobjekten eines oder mehrerer Kapitalmärkte dar. Sie sind sowohl für konservative als auch spekulativ veranlagte Investoren interessant. Die größere Anzahl von Fonds, die für Privatanleger aufgelegt wurden, sind offene Investmentfonds.

Offene Investmentfonds: Breit gestreute Anlage

Der Anleger investiert sein Geld in Aktien-, Renten-, Immobilien-, Rohstoff-, Geldmarkt-, Garantie-, Altersvorsorge-, Laufzeit- oder Dachfonds. Der Fondsanleger erwirbt durch Kauf Anteilsscheine am Fondsvermögen. Die Fonds sind jederzeit offen für weitere Einzahlungen. Der Anleger kann im Allgemeinen immer über sein Geld verfügen, da börsentäglich Fondspreise ermittelt werden. Einmal am Tag werden die im Fonds enthaltenen Papiere bewertet und durch die umlaufenden Fondsanteile dividiert, so dass auf diese Weise der Fondspreis pro Anteil ermittelt wird. Die Fondsmanager unterliegen gesetzlichen Kapitalanlagerichtlinien und entscheiden auf professioneller Basis über Käufe und Verkäufe von Wertpapieren. Fonds können zur Einmalanlage oder zum regelmäßigen Sparen genutzt werden, die Einstiegshürden für Anlagen sind sehr gering. Um das Anlagerisiko breit zu streuen, sind offene Investmentfonds ideal. Sie stellen eine gebündelte Anlage dar, die von Experten gemanagt wird. Eine Position des Fonds darf nicht mehr als 5 Prozent des gesamten Sondervermögens ausmachen und die Fondsmanager dürfen sich nicht mit mehr als 10 Prozent des Fondsvermögens an einem Unternehmen beteiligen. Fonds beziehen sich auf

Anlageklassen, Branchen, Themen oder Laufzeiten. Fondsmanager investieren in verschiedene Finanzinstrumente, die zum Thema oder der Anlageklasse passen und überdurchschnittliche Erträge versprechen. Die Geldanlage in Fonds bringt variable Erträge, da die in ihnen enthaltenen Wertpapiere Kursschwankungen unterliegen. Dennoch zählen offene Investmentfonds zu den sichersten Wertpapieranlagen. Fonds werden als Sondervermögen geführt, das heißt, die Anteile werden getrennt vom sonstigen Vermögen der Kapitalanlagegesellschaft gehalten. Die Insolvenz der Fondsgesellschaft hat keine unmittelbaren Auswirkungen für die Anteilsinhaber. Die Gläubiger der Gesellschaft haben keinen Zugriff auf das Sondervermögen. Ebenso sind Anleger nicht von einer Pleite ihrer Bank betroffen. Die Anteile der Fonds kann der Anleger in ein Depot bei einer anderen Bank übertragen lassen. Für Fondsanleger existieren Verlustrisiken aufgrund schlechten Managements, der Abwicklung eines Fonds wegen mangelnder Liquidität oder der Fusion von Fonds in einer schlechten Börsenphase.

Geschlossene Fonds

Geschlossene Fonds werden aufgelegt, wenn einzelne Objekte oder Großprojekte finanziert werden sollen. Die Einsammlung von Anlegergeldern erfolgt ausschließlich zum Zweck der Projektfinanzierung. Sind die benötigten Gelder eingeworben, wird der Fonds für weitere Einzahlungen geschlossen. Im Gegensatz zu offenen Investmentfonds sind die geschlossenen Fonds nicht börsentäglich handelbar, es existiert kein funktionierender Markt dafür. Die Einstiegsbeträge liegen weit höher, meist bei 5.000 Euro. Anleger können in Immobilien, Flugzeuge, Schiffe, Container, Solar- oder Medienprojekte investieren. Auch Wagniskapital für junge Unternehmen wird auf diese Weise bereitgestellt. Die Laufzeit dieser Kapitalanlagen steht von vornherein fest, sie beträgt oft zehn und mehr Jahre. Eine vorzeitige Verfügung über das Geld des Anlegers ist im Allgemeinen nicht möglich, Angebote können über einen Zweitmarkt eingestellt werden. Die Investition in einen geschlossenen Fonds trägt den Charakter einer unternehmerischen Beteiligung und ist deshalb mit hohen Risiken behaftet. Es besteht nicht nur ein Totalverlustrisiko für den Kapitaleinsatz, sondern unter Umständen müssen zusätzliche Mittel bereitgestellt werden. Ein solcher Fonds kann schnell in Schieflage geraten, wenn sich die wirtschaftliche Lage und die Nachfragesituation seit seiner Auflegung grundlegend geändert haben.

Chancen und Risiken von Investmentfonds

Mit Investmentfonds hat man Chancen auf Renditen, die über der Entwicklung des Referenzmarktes liegen. Durch die breite Streuung bei offenen Investmentfonds in viele verschiedene Anlageobjekte und ihre Ausgewogenheit sind die Verlustmöglichkeiten reduziert. Entscheidet sich das Fondsmanagement für die richtigen Einzelwerte, ist es möglich, eine überdurchschnittliche Rendite zu erreichen. Transaktionen innerhalb von Fonds bleiben steuerfrei. Bei geschlossenen Fonds stehen theoretisch die höchsten Renditen in Aussicht.

Wiederanlage der Erträge

Fondsanleger können von der Art der Ertragsanlage profitieren. Es gibt ausschüttende und thesaurierende Fonds. Die vom Fonds erwirtschafteten Erträge werden bei ausschüttenden Fonds auf das Verrechnungskonto des Fondskäufers gebucht. Er erhält diese anteilig entsprechend seiner Fondsanteile. Gleichzeitig sinkt der Fondspreis um die Höhe der Ausschüttung pro Anteil. Es werden Dividenden, Zinsen, Mieten, andere Verkaufserlöse und Kursgewinne ausgeschüttet. Die Wiederanlage des Ausschüttungsbetrages in Anteile desselben Fonds erfolgt stets kostenlos. Bei thesaurierenden Fonds dagegen belässt man die Erträge im Fonds, die Erlöse widerspiegeln sich im Fondspreis. Der Fondsanleger realisiert die Gewinne über den höheren

Fondspreis erst, wenn er seine Anteile verkauft. Beide Fondsarten unterliegen auch einer unterschiedlichen steuerlichen Behandlung.

Risiken offener Fonds

Die Fondspreise von offenen Investmentfonds können wie Aktien- oder Anleihekurse schwanken. Wird die Preisfestsetzung aufgrund von Liquiditätsschwierigkeiten oder der Liquidation des Fonds ausgesetzt, kann der Anleger vorübergehend oder gar nicht mehr über seine Geldanlage verfügen. Dabei treten meist größere Kursverluste auf, weil Fondsvermögen unter Marktwert veräußert werden muss. Trifft das Fondsmanagement falsche Anlageentscheidungen, können unvermutete Kursrückgänge eintreten. Nicht zu unterschätzen ist der Einfluss der Fondskosten auf das Anlageergebnis. Vor allem die laufenden Kosten schmälern die Rendite des Fondsanlegers merklich. Offene Fonds sollten deshalb nur so viel wie nötig umgeschichtet werden.

Risiken geschlossener Beteiligungen

Geschlossene Fonds sind von vornherein illiquide. Das größte Risiko für den Investor ist jedoch, dass er als Anleger für den Erfolg der unternehmerischen Beteiligung mithaftet. Er kann also einen Totalverlust seiner Kapitalanlage erleiden und im ungünstigsten Fall sogar zusätzlich Geld nachschießen müssen. Deshalb sollte jeder Anleger das Kleingedruckte im Verkaufsprospekt des geschlossenen Fonds genau lesen. Die Fondsinitiatoren sollten idealerweise schon viele geschlossene Fonds erfolgreich aufgelegt haben. Anleger müssen wissen, in welche Projekte und Maßnahmen ihr Geld gesteckt wird. Das für das jeweilige Projekt eingesetzte Fremdkapital birgt weitere Risiken für den Ausfall der Anlage. Verstärkt müssen Investoren auch auf die Kosten achten, da diese bei geschlossenen Beteiligungen bereits einen Großteil des Kapitals aufzehren können. Privatanleger sollten sich nur dann an geschlossenen Fonds beteiligen, wenn sie sicher sind, dass sie im Falle des Scheiterns der Unternehmung ohne weiteres auf ihr Kapital verzichten könnten. Auch wer es sich leisten kann, sollte möglichst nicht mehr als 10 Prozent seines gesamten Kapitals in eine geschlossene Beteiligung investieren.

Gute Investmentfonds finden: Langfristige Wertentwicklung beachten

Vergleiche von offenen Investmentfonds beruhen immer auf Vergangenheitsbetrachtungen. Sie sind keine Garantie, dass der Fonds auch in Zukunft eine ertragreiche Entwicklung nimmt. Arbeitet das Fondsmanagement jedoch kontinuierlich über viele Jahre auf hohem Niveau, sind weiterhin gute Ergebnisse zu erwarten. Vergleichsportale im Internet helfen bei der Auswahl des richtigen Fonds, indem sie Wertentwicklungen beispielsweise über die letzten 3 Jahre veröffentlichen. Performancestatistiken über 1 oder 3 Jahre sind aufgrund der Börsenzyklen jedoch zu kurz. Privatanleger sollten älteren Fonds vertrauen, die sich bereits 10 Jahre oder länger erfolgreich am Markt behaupten und nicht kurzfristigen Trends folgen. Über die Fondsgesellschaft selbst sind Performancestatistiken für längere Zeiträume abrufbar. Der Anleger sollte den Inhalt des Fonds kennen und überprüfen, ob dieser zu seiner Anlagestrategie passt.

Aktienhandel an der Börse

Die Aktienanlage eignet sich besonders für die Altersvorsorge, weil Aktien die besten Renditechancen eröffnen. Langfristig sind Renditen von 5 bis 8 Prozent möglich, falls man einige Anlageregeln beachtet. Lukrative Einstiegschancen gibt es in jeder Börsenphase, sofern man sich gründlich mit den Unternehmenskennzahlen beschäftigt. Man sollte nur das Geld in Aktien investieren, auf das man längerfristig nicht angewiesen ist. Ein Aktienkauf auf Kredit verbietet sich wegen der Risiken für den Normalanleger. Aktien werden bei der Bank in einem Depot verwahrt.

Eröffnung eines Depots

Der künftige Aktienanleger muss die Depotkonditionen von unterschiedlichen Banken vergleichen. Er sollte dabei sein Anlageverhalten berücksichtigen. Braucht der Anleger keine Beratung zu Aktien, kann er ein Depot ohne Depotgebühren wählen. Depots sind bei fast allen Direktbanken und Onlinebrokern kostenlos. Will er seine Aktienanlagen häufig umschichten oder auf hohe Kursgewinne spekulieren, sind die Ordergebühren das wichtigere Entscheidungskriterium. Denn diese Gebühren fallen im Gegensatz zu den jährlichen Depotgebühren bei jeder Transaktion an. Die Vergleichstools im Internet helfen, die die Anzahl der Käufe und Verkäufe berücksichtigen. Das Depot kann auf einen Namen oder mehrere Depotinhaber lauten. Bei Onlinebanken erfolgt die Eröffnung zu Hause am Computer. Der Kunde druckt die Unterlagen selbst aus und lässt sich die Identität der Depotinhaber mittels des Postident-Verfahrens bestätigen. Dazu muss er sich mit Personalausweis oder Reisepass legitimieren. Ein Freistellungsauftrag für Kursgewinne und Dividenden darf nicht vergessen werden. Der Depotübertrag zu einer anderen Bank ist kostenlos. Anleger sollten Depots ohne Bestand löschen lassen, damit sie Leerdepotgebühren sparen.

Grundlagen zum Aktienhandel

Als Aktionär ist man Mitinhaber des jeweiligen Unternehmens. Man investiert in Sachwerte, die der Firma gehören. Fast alle Aktien sind ständig handelbar. Ein Investment in einzelne Aktien ist sehr kostengünstig. Der Aktienanleger zahlt nur die Börsenhandelsgebühr, eine Orderprovision und diverse Clearinggebühren. Oftmals hängen die Transaktionspreise vom Ordervolumen ab. Diese Kosten liegen aber weit unter denen, die für ein professionelles Fondsmanagement anfallen. Bei der Aktieninvestition entscheidet der Anleger in den allermeisten Fällen selbst, welche Werte er kauft. Steigt er zu einem niedrigen Kurs in eine Aktie ein, die zukünftig hohe Gewinne erwirtschaften kann, sind seine

Ertragsaussichten hervorragend. Anleger profitieren von Kursgewinnen, Dividenden und Bezugsrechtserlösen. Ein Aktieninvestor sollte jedoch niemals einen größeren Betrag in nur einen oder wenige Einzelwerte stecken, da Aktienkurse hohen Wertschwankungen unterliegen können.

Risiken durch Aktienkauf

Es gibt viele Faktoren, die den Kurs einer Aktie beeinflussen. Nicht alle kann ein Anleger mittels Analyse und Information durchschauen oder genau einschätzen, beispielsweise die Marktpsychologie. Die Kursentwicklung der Aktien folgt nicht streng dem Wachstum betriebswirtschaftlicher Kennziffern, Prognosen sind unmöglich. Aufgrund der konjunkturellen Entwicklung und unternehmerischen Entscheidungen besteht ein erhöhtes Risiko für Kursverluste. An erster Stelle ist bei Aktien das Insolvenzrisiko der Aktiengesellschaft zu nennen. Ein Aktionär ist Miteigentümer der Firma, in die er investiert hat. Geht diese Firma Pleite, ist sein angelegtes Geld überwiegend verloren. Markt- und Preisschwankungen können ebenso zu Kurseinbußen führen. Weitere Risiken sind der Dividendenausfall oder das Delisting von der Börse, der Widerruf der Börsenzulassung durch das Unternehmen.

Hinweise zum Börsenhandel

Die Auswahl von Aktien muss sehr sorgfältig vorgenommen werden. Privatanleger sollten nur Aktien handeln, die an einer offiziellen Börse zugelassen sind. Der Börsenhandel wird überwacht und die Aktiengesellschaften müssen regelmäßig standardisierte und international anerkannte Berichte und Kennziffern veröffentlichen. An der Börse wird immer die Zukunft gehandelt. Die Kursentwicklung beruht auf der Einschätzung künftiger Unternehmensgewinne und läuft der Gegenwart 6 bis 9 Monate voraus. Hilfreich ist beim Aktienverkauf der Einsatz von Limits, so dass sich eingetretene Verluste begrenzen lassen und Gewinne realisiert werden können. Ein Aktieninvestment sollten Anleger als langfristiges Engagement verstehen und dieses in festen Abständen überwachen, beispielsweise monatlich. Je öfter Anleger mit Aktien handeln, desto geringer sind die Erfolgsaussichten. Gewinnträchtige Aktien über Jahre zu behalten, verspricht für die Altersvorsorge die beste Rentabilität.

Kursbeeinflussende Faktoren

Die Börse bewertet bestimmte Vorgänge im Unternehmen. So wirkt sich beispielsweise der Austausch eines schlechten Managers kurserhöhend aus. Weitere positive Faktoren für den Aktienkurs sind übertroffene Gewinnprognosen, Aktienrückkäufe, Dividendenerhöhungen, Kostensenkungsprogramme, Übernahmen mit Synergieeffekten und Kapitalerhöhungen, die für sinnvolle Investitionen verwendet werden. Negativ können sich dagegen Dividendenstreichungen, enttäuschte Geschäftsprognosen, Kapitalerhöhungen zum Ausgleich von Verlusten, Aktienverkäufe von Unternehmensinsidern oder Kapitalherabsetzungen auswirken. Das Risiko für den Investor besteht darin, dass er nie genau einschätzen kann, ob und wie diese Faktoren den Aktienkurs beeinflussen.

Welche Aktien kaufen?

Die Auswahl der Einzelwerte beruht auf einer Aktienanalyse und der Beobachtung des internationalen Aktienmarktes. Anleger sollten sich Kennzahlen wie Umsätze, Cash-Flow, Gewinn, Verschuldungsgrad, Dividendenzahlungen und die Kursentwicklung der letzten Jahre ansehen. Kaufenswert sind Papiere von Unternehmen, die in ihrer Branche Weltmarktführer sind, zukunftsfähige Erzeugnisse und Absatzmärkte besitzen sowie über eine gewisse Preissetzungsmacht verfügen. Die Risiken sollten über Länder, Branchen und Währungen verteilt sein. Kaufen Unternehmensinsider diese Aktie ebenfalls, ist das eine Bestätigung der Kaufentscheidung. Durch kurzfristige Kursschwankungen und Nachrichten sollten sich Aktienanleger nicht aus der Ruhe bringen lassen. Sind der

Geschäftsverlauf der Aktiengesellschaft und ihre Zukunftsaussichten intakt, besteht kein Grund, an der Kaufentscheidung zu zweifeln. Verstehen Käufer, dass es unmöglich ist, nur die Gewinner zu identifizieren, und bringen diese Geduld bei der Beurteilung ihrer Investments mit, erwarten sie mit Aktien nach vielen Jahre hohe Renditen.

Börsengehandelte Fonds

Eine spezielle Art von Investmentfonds sind die ETFs (Exchange Traded Funds), die direkt an der Börse gehandelt werden. Es handelt sich um Indexfonds, die passiv einen Aktien-, Renten-, Rohstoff-, Währungs- oder anderen Index nachbilden. Durch den Verzicht auf ein aktives Fondsmanagement sind diese Fonds sehr kostengünstig. Sie haben keinen Ausgabeaufschlag und nur eine geringe Verwaltungsgebühr. Es gibt zwei Arten von Indexfonds, physische und synthetische.

Chancen von Indexfonds

Die börsengehandelten Indexfonds bilden die Wertentwicklung ihres zugrunde liegenden Index vollständig oder teilweise ab. Sind zu viele Einzelwerte in einem Index enthalten, was zu erhöhten Aufwendungen führen würde, werden die den Index am besten repräsentierenden Werte ausgewählt. Die Nachbildung geschieht bei physischen Indexfonds durch den Kauf der im Index enthaltenen Papiere und bei den synthetischen Fonds durch Tauschgeschäfte mittels Swaps auf der Grundlage anderer gleichartiger Finanzinstrumente. Der Anleger nimmt also in jedem Fall an den Renditechancen des jeweiligen Marktes teil. Er braucht sich keine Gedanken zu machen, welche Werte er kaufen soll, sondern nur, wann er in welchen Markt investieren will. ETFs sind als Sondervermögen unabhängig vom Geschäft der Investmentgesellschaft, also eine sehr sichere Anlage.

Risiken der ETFs

Die Risiken bei physischen ETFs liegen darin, dass die im Fonds enthaltenen Aktien verliehen werden, um zusätzliche

Gebühren einzunehmen. Falls der Fonds die Aktien nicht zurückerhält, ist mit Verlusten zu rechnen. Bei synthetischen Indexfonds sind die Swap-Geschäfte das eigentlich Riskante. Fällt ein Swap-Partner, eine Bank, wegen Insolvenz aus, kommt es ebenfalls zu Problemen. Deshalb gibt es Vorschriften, dass nur 10 Prozent des Fondsvermögens mit einem Swap-Partner abgewickelt werden dürfen und es gibt außerdem besicherte synthetische Fonds. Bildet ein Fonds einen sehr exotischen Wertpapiermarkt nach, sind die laufenden Kosten höher als normalerweise. ETFs sind aufgrund ihrer einfachen Handhabung, der hohen Transparenz und der geringen Kosten auch eine lukrative Möglichkeit für Kleinanleger, an Börsenerfolgen teilzuhaben. Indexfonds können ebenso für einen Sparplan genutzt werden. Sparer sollten sich jedoch über Abwicklungsgebührenzuschläge für Indexfondssparpläne durch die jeweilige Bank informieren.

Staatsanleihen

Kapitalanleger, die eine hohe Sicherheit suchen, können ebenso in Staatsanleihen investieren. Eine sorgfältige Auswahl vorausgesetzt, versprechen diese gute Renditen. Sie sind sowohl für kurz-, mittel- als auch langfristige Investoren geeignet. Es gibt Staatsanleihen, die nur für Großinvestoren emittiert werden, und Staatsanleihen, die in kleiner Stückelung auch für Privatanleger geeignet sind. Allerdings sollten sie nur eine Beimischung im Depot darstellen.

Wie funktionieren Staatsanleihen?

Bei Staatsanleihen ist der Staat der Schuldner, der Anleihen, Obligationen oder Schatzbriefe herausgibt, und diese am Ende der Laufzeit zu 100 Prozent zurückzahlt. Diese Bonds sind größtenteils mit einem festen Zinssatz ausgestattet und gelten als eine der sichersten Anlagen der Welt, weil Staaten selten ihren Zahlungsverpflichtungen nicht nachkommen. Sie sind also gut geeignet, ein Depot breit zu diversifizieren. Der Zins fungiert als Prämie für das Risiko, das die Anleihe nicht zurückgezahlt wird. Je höher die Verzinsung, desto größer die Wahrscheinlichkeit des Ausfalls einer Staatsanleihe. Deshalb ist es wichtig, zwischen sicheren und riskanten Anleihen zu unterscheiden. Während der Laufzeit schwanken die Kurse von Staatsanleihen, weil sie auf dem Markt als Wertpapier gehandelt werden. Steigt das allgemeine Zinsniveau, dann sinken die Kurse von den am Markt befindlichen niedriger verzinsten Staatsanleihen. Fallen die Zinsen dagegen, steigen die Kurse von festverzinslichen Wertpapieren. Die Kurse langlaufender Staatsanleihen reagieren wesentlich empfindlicher auf einen Zinsanstieg, deren Kurse fallen weit stärker als die kurzfristiger Staatspapiere. Diesem Kursrisiko ist jedoch nur der Privatanleger ausgesetzt, der die Anleihen vorzeitig veräußern möchte. Wegen des Devisenkursrisikos ist zu beachten, in welcher Währung die Staatsanleihen emittiert wurden.

Sichere Staatsanleihen: Geringe Risikoprämie
Sichere Anleihen kommen aus den Staaten, die eine geringe Verschuldung aufweisen, über eine langjährig wachsende Wirtschaft verfügen und die historisch betrachtet keine oder wenige Pleiten, die bereits viele Jahrzehnte zurückliegen sollten, aufweisen. Die Risikoprämie dieser Bonds ist minimal. Dafür braucht der Anleger wenig Bedenken haben, dass er sein Geld nicht wiederbekommt. Das Zinsniveau von sicheren Staatsanleihen unterschiedlicher Laufzeiten fungiert deshalb auch als Maßstab für den risikolosen Zins eines Landes. Als sicher gelten heute beispielsweise Staatsanleihen aus den USA oder Deutschland. Dazu gehören auch etwas höher verzinste staatsnahe Anleihen, deren Bonität von der emittierenden staatlichen Bank oder dem jeweiligen Bundesland abhängt. Diese weisen ein vertretbares Rendite-Risiko-Profil auf.

Riskante Staatsanleihen: Unsichere Rückzahlung
Als wesentlich riskanter werden Anleihen von Staaten bewertet, deren Rückzahlung unsicher ist. Deren Verzinsung

liegt weit über den Zinsen sicherer Staatsanleihen. Erklärt ein Staat, seinen Zahlungsverpflichtungen nicht mehr nachkommen zu können oder zu wollen, müssen die Anleger oft jahrelang warten, ehe sie einen mehr oder weniger geringen Teil ihrer Forderungen zurückerhalten. Als riskant eingestuft werden Anleihen von Krisen- oder Schwellenländern. Privatanleger sollten Staatsanleihen deshalb nach ihrer Bonität aussuchen und Spekulationen vermeiden. Es empfiehlt sich, als Anleger sichere Staatsanleihen bis zu ihrer Fälligkeit zu halten und damit einen ausgleichenden Baustein für deflationäre Wirtschaftsphasen im Depot zu haben.

Altersvorsorge mit staatlicher Förderung

Wer sein Geld langfristig mit dem Ziel Altersvorsorge anlegen möchte, hat die Qual der Wahl. Ein unentbehrlicher Bestandteil der privaten Altersvorsorge sind Anlagen mit staatlicher Förderung. Die staatlichen Fördermittel erhöhen die Rendite des Anlegers, insbesondere Rentenversicherungen werden vom Staat bezuschusst. Direkte Zuwendungen fließen in die Riester Produkte. Auf Antrag sind alle zertifizierten Verträge von Arbeitnehmern, Beamten, Richtern, rentenversicherungspflichtigen Selbständigen, Soldaten, Beziehern von Vorruhestandsgeld und Erwerbsminderungsrente sowie Arbeitslosen, die eine Mindestsumme von 60 Euro einzahlen, förderfähig.

Riester-Rente

Bei der Riester-Rente handelt es sich um einen Oberbegriff für Finanzprodukte, die zu einer zusätzlichen Rentenzahlung führen und nach dem ehemaligen Arbeitsminister Riester benannt wurden. Sein Geld kann man in Riester Fondssparpläne, Riester Banksparpläne und Riester Rentenversicherungen anlegen. Das geht mittels regelmäßiger monatlicher, quartalsweiser oder jährlicher Zahlungen. Wer mindestens 4 Prozent seines Brutto-Einkommens aus dem Vorjahr auf einen solchen Vertrag einzahlt, erhält die Höchstförderung vom Staat. Diese beträgt 154 Euro, dazu kommen noch Kinderzulagen für jedes Kind und eine einmalige Zulage für junge Berufseinsteiger unter 25. Außerdem erfolgt eine steuerliche Förderung bis zum Maximalbetrag von 2.100 Euro als Sonderausgabenabzug, wenn der steuerliche Vorteil die staatlichen Zulagen überschreitet. Die Riester Förderung zu beantragen, lohnt sich insbesondere für junge Familien, Geringverdiener mit Kindern und Gutverdiener. Während der Ansparphase sind die Guthaben vor Pfändung und der Streichung von Hartz IV sicher, sofern die Zuschüsse beantragt wurden. Zu beachten ist jedoch, dass sowohl Renten- als auch Teilauszahlungen im Alter komplett zu versteuern sind. Der Sparer kann sich alternativ zur Rente höchstens 30 Prozent seines Guthabens als Einmalsumme auszahlen lassen. Eine Kündigung vor Ende der Laufzeit führt prinzipiell dazu, dass die staatlichen Zulagen zurückgezahlt werden müssen.

Riester Fondssparpläne

Das Riestersparen mit Fonds verspricht gute Performancechancen. Es sollte sich über einen längeren Zeitraum vor allem für junge Sparer auszahlen, die die unvermeidlichen Kursschwankungen aussitzen können. Für Riester Fondssparpläne gilt eine Besonderheit. Sie garantieren dem Sparer am Ende die Auszahlung der eingezahlten Beträge plus der erhaltenen staatlichen Zuschüsse. Insbesondere mit Aktienfonds sollten überdurchschnittliche Renditen möglich sein, denn das Fondsmanagement schichtet rechtzeitig vor Rentenbeginn in weniger schwankungsanfällige Rentenfonds um. Die Auszahlung der Rente erfolgt mittels Fonds-Auszahlplan, der ab dem 85. Lebensjahr von einer Rentenversicherung abgelöst wird. Eine vorzeitige Vertragsauflösung ist wegen der Verlustmöglichkeiten und der hohen Kosten nicht zu empfehlen.

Riester Banksparpläne

Die Erträge von Riester Banksparplänen unterliegen dagegen keinen Kursschwankungen und der angesparte Betrag bleibt erhalten. Die Einzahlungen der Sparer werden mit variablen Zinsen vergütet, was sich besonders in Phasen steigender Zinsen lohnt. Außerdem erhalten die Kunden jährlich oder am Laufzeitende einen Bonus in Form einer prozentualen Gutschrift auf die Sparraten. Riester Banksparpläne eignen sich vor allem für sicherheitsorientierte Sparer und ältere Antragsteller, die bis zu ihrem Rentenbeginn nur noch wenig Zeit haben. Banksparpläne sind mit keinerlei Kosten verbunden. Leider gibt es bei Filialbanken ein spärliches Angebot, zertifizierte Banksparpläne sind meist nur im Internet zu finden. Die Gestaltung der Auszahlphase ist jedoch komplizierter und erfolgt mittels Bank-Auszahlplänen oder einer privaten Rentenversicherung.

Riester Rentenversicherungen

Die Riester Rentenversicherung ist eine klassische Rentenversicherung als fest verzinste Variante mit Garantiezins. Die Überschüsse, die nicht garantiert sind, können jedoch in Anleihen oder Aktienfonds fließen. Damit bestehen höhere Renditechancen als bei der Versicherung mit ausschließlich fester Verzinsung. Die Rentenzahlung sichert dem Vertragsinhaber lebenslang eine Aufstockung seiner gesetzlichen Rente. Riester Rentenversicherungen eignen sich für sicherheitsbewusste Sparer im jüngeren und mittleren Alter sowie für alle, die sich während der Laufzeit nicht um ihre Vorsorge kümmern wollen.

Rürup-Rente: Steuerliche Förderung

Eine andere Form der Altersvorsorge, die vom Staat gefördert wird, ist die Rürup-Rente. Es handelt sich dabei um eine private Rentenversicherung, die ähnlich wie die gesetzliche Rente ausgestaltet ist. Sie wurde vor allem für die vielen Freiberufler und Gewerbetreibenden konzipiert, die keine Möglichkeit haben, sich an der gesetzlichen

Rentenversicherung zu beteiligen oder zu wenig für ihre Altersvorsorge tun. Sie ist nach dem Wirtschaftsfachmann Prof. Dr. Dr. Bert Rürup benannt. Es kann regelmäßig in kleinen Raten oder mittels Jahresbeitrag gespart werden. Das angesparte Kapital kann nur in Form einer regelmäßigen Rentenzahlung entnommen werden. Diese Rente ist personengebunden, sie ist weder beleihbar, noch übertragbar, vererbbar oder verpfändbar. Für den Ehepartner kann eine Partner-Rente eingeschlossen werden. Die Einzahlungen werden steuerlich begünstigt. Insgesamt sind 20.000 Euro pro Person von der Steuer absetzbar, derzeit sind es davon 78 Prozent. Dieser Betrag steigt jedes Jahr um 2 Prozent, bis 2025 die vollen 20.000 Euro pro Jahr erreicht sind. Die Rürup-Rente ist vor allem für Selbständige und sehr gut verdienende Angestellte vorteilhaft.

Investitionen in Immobilien

Der Erwerb von Immobilien ist für Anleger, die nach sicheren Geldanlagen suchen, eine gute Gelegenheit, langfristig stabile Erträge zu erwirtschaften. Sie können ein Eigenheim oder eine Wohnung kaufen, um diese selbst zu nutzen und im Alter mietfrei zu wohnen. Genauso kann der Erwerb von Häusern, Grundstücken oder Eigentumswohnungen zur Vermietung oder Verpachtung als Renditeobjekt dienen. Immobilien sind wertstabile Anlagen, denen die Inflation wenig anhaben kann. Es kommt bei ihnen auf Lage, Preis und Nutzungsmöglichkeiten an. Allerdings sollte niemand sein ganzes Kapital in eine oder mehrere Immobilien stecken, denn damit wird eine schlechte Risikoverteilung erreicht.

Eigenheim finanzieren: Mietfreies Wohnen

Ein Eigenheim kann eine gute Altersvorsorge sein. Das Haus oder die Wohnung, die ihm selbst gehört, erspart dem Anleger über viele Jahre Mietzahlungen und er muss nicht damit rechnen, etwa im Alter wegen Eigenbedarf des Vermieters gekündigt zu werden. Man kann die Immobilie aus Eigenmitteln oder mithilfe von Krediten finanzieren. Der

Traum von den eigenen vier Wänden ist in Niedrigzinsphasen besonders schnell und günstig realisierbar. Die Finanzierung erfolgt in den meisten Fällen über ein Annuitätendarlehen. In Niedrigzinsphasen sollten künftige Eigenheimbesitzer eine lange Zinsbindung wählen. Die Rückzahlung eines Baufinanzierungsdarlehens erfolgt in monatlich gleichen Raten durch Zinszahlung und Tilgungsleistung. Die Zinszahlungen nehmen während der Kreditlaufzeit ab, während der Tilgungsanteil steigt. Außerdem besteht die Möglichkeit, ein endfälliges Darlehen zu beantragen, dass mittels der Ablaufleistung einer Lebensversicherung am Laufzeitende in einer Summe getilgt wird. Zu empfehlen ist, dass mindestens 20 bis 30 Prozent eigene Sparguthaben, Bausparmittel oder Wertpapieranlagen zur Finanzierung eingesetzt werden. Damit kann der Bauherr oder Käufer die Kosten seiner Baufinanzierung senken. Immobilienkäufer sollten aber nicht alle Eigenmittel bei der Finanzierung verbrauchen, sondern auch an die Bildung von Rücklagen für Instandhaltung und unvorhergesehene Ausgaben denken. Über einen Wohn-Riester-Vertrag können analog zur Riester-Rente staatliche Fördermittel genutzt werden, entweder zum Ansparen von Eigenmitteln auf einem Bausparvertrag oder zur schnelleren Tilgung bestehender Eigenheimkredite.

Mietwohnungen kaufen: Stabile Einnahmen
Auch als Geldanlage zur Erwirtschaftung einer kontinuierlichen Rendite macht der Kauf von Eigentumswohnungen Sinn. Doch nicht für jeden. Wer eine Immobilie vermieten möchte, sollte viel Zeit, Kenntnisse, Durchsetzungsvermögen und Geduld mitbringen. Eine Immobilieninvestition ist immer eine langfristige Kapitalanlage. Von angeblich hohen Renditen sollte sich daher kein Käufer verlocken lassen. Die Renditen von vermieteten Wohnungen liegen zwischen 3 und knapp 6 Prozent. Diese Erträge werden bei der Vermietung beständig wie monatliche Ausschüttungen erzielt. Das bringt eine große Sicherheit für einen entspannten Ruhestand. Die Risiken einer

vermieteten Immobilie sollte man jedoch nicht unterschätzen. Zuerst muss die Lage sehr genau ausgewählt werden. Ein guter Standort mit verkehrs- und versorgungstechnischer Anbindung, einem kulturellen Umfeld und städtebaulicher Beliebtheit eröffnet bessere Vermietungs- und Preissteigerungsmöglichkeiten. Ist die Umgebung familienfreundlich und bietet gute Arbeitsbedingungen gelingt es eher, neue Mieter zu finden. Die Wahrscheinlichkeit für eine schnelle Vermietung ist in größeren Städten wesentlich höher als in ländlichen Gegenden. Auch Alter, Bausubstanz und der Sanierungszustand beeinflussen die Vermietbarkeit. Den meisten Ärger gibt es für Vermieter jedoch oft mit den Mietern selbst und der Gestaltung bzw. Einhaltung des Mietvertrages. Ein Investor ist als Vermieter für Rücklagen, Instandhaltung, Modernisierung, Betriebskostenabrechnung, Mängelbeseitigung und vieles mehr zuständig. Wer sich bereits bei der Auswahl solventer Mieter schwer tut, sollte überlegen, ob die Immobilienvermietung für ihn die richtige Investition ist. Mietausfälle sind im Ergebnis nicht zu kompensieren und Preisrückgänge am Immobilienmarkt können das Renditeobjekt zu einem Minusgeschäft machen.

Fazit: Individuell planen

Die Geldanlage muss kein Buch mit sieben Siegeln bleiben. Rechtzeitige Information, gründliche Vorbereitung und eine objektive Beratung bei verschiedenen Anbietern sichern eine rentable und geeignete Anlageform. Auch wenn der Privatanleger nur über wenig Mittel verfügt, bringt eine solide, schrittweise Planung Erfolg. Mit einer Anlagestrategie lassen sich die Bausteine in der richtigen Reihenfolge und passend zum vorgesehenen Verwendungszweck aufbauen. Denn die Geldanlage für jedermann gibt es nicht.

Bestands- und Risikoanalyse

Analysieren Sie zunächst Ihre ganz persönliche Situation. Wie alt sind Sie? Welcher Beruf ist Ihre Verdienstgrundlage? Über wie viel Geld in welchen Verträgen verfügen Sie bereits? Wie viel Geld möchten Sie anlegen? Wofür ist dieses Geld gedacht? Was möchten Sie in 10 bis 20 Jahren erreicht haben? Über welche Kenntnisse und Erfahrungen mit Geldanlagen verfügen Sie? Wann müssen Sie über das Geld wieder verfügen? Wenn Sie sich diese und weitere Fragen beantwortet haben, ist es erforderlich, Ihre Risikoneigung zu ermitteln. Dazu reicht es nicht aus, festzulegen, ob Sie der konservative oder spekulative Anleger-Typ sind. Wie lange wollen Sie Ihr Geld anlegen? Sollen nur das Kapital oder auch die Erträge sicher sein? Wie gehen Sie mit Verlusten um? Bereiten Ihnen veränderte Situationen Kopfzerbrechen? Wie entscheidungsfreudig sind Sie? Welche Renditevorstellungen haben Sie von Ihrer Geldanlage? Das können Fragen sein, die Sie Ihrer eigenen Risikoeinstellung ein ganzes Stück näher bringen. Zum Schluss gleichen Sie die Ihnen empfohlenen Produkte mit Ihrer Risikobereitschaft ab. Welche Risiken müssen Sie für die ausgewählten Finanzinstrumente eingehen? Stimmen diese Risiken mit Ihrer persönlichen Risikobereitschaft überein? Oder müssen Sie dafür mehr und andere Gefahren in Kauf nehmen? Im letzten Schritt erst vergleichen Sie die Konditionen der einzelnen Finanzprodukte, um kostengünstige und ertragreiche Angebote auszuwählen.

Erfolgreiche Geldanlagestrategie

Das Sparbuch ist keine Lösung, um sein Kapital zu vermehren. Erfolgreiche Geldanlage bedeutet, sich langfristig ein Vermögen aufzubauen. Kurzfristige Einflüsse und Ereignisse sollten so wenig wie möglich in die Anlagestrategie einfließen. Krisen, Gesetzesänderungen und Konjunkturverläufe setzen die grundsätzlichen strategischen Überlegungen zur Geldanlage nicht außer Kraft. Nur persönliche Lebensveränderungen sollten zu Korrekturen der Überlegungen führen. Wichtig bei Ihrer Anlagestrategie ist es, die Risiken möglichst breit zu streuen, damit unvorhersehbare Ereignisse nicht gleich Ihre gesamte Altersvorsorge oder Ihr Sparziel in Frage stellen. Das bedeutet, nicht nur unterschiedliche Finanzprodukte auszuwählen, sondern möglichst alle Anlageklassen mit verschiedenen Anlagerichtungen und - gattungen sowie unterschiedlichen Einzelwerten einzubeziehen. Diversifizieren Sie auch bei den Laufzeiten.

Unabhängige Beratung

Ist der Anleger nicht in der Lage, eigene Entscheidungen beim Geld anlegen zu treffen, kann er sich bei mehreren Banken oder Finanzdienstleistern beraten lassen, um deren Aussagen zu vergleichen. Bedenken sollte er, dass sowohl Banken als auch Vermittler von Verkaufsprovisionen leben. Hinterfragen Sie Chancen, Wertentwicklungen, Funktionsweisen und Renditeversprechen von Produkten kritisch. Zu empfehlen ist deshalb, sich bei unabhängigen Institutionen wie der Verbraucherzentrale oder einem Honorarberater zu erkundigen. Angebote sollten überdacht und in aller Ruhe geprüft werden, damit große Kapitalverluste von vornherein ausgeschlossen sind. Internetvergleiche helfen, die günstigsten Angebote und Tarife herauszufinden.

Fazit

Geldanlageprodukte sind für vielfältige Bedürfnisse konzipiert. Die persönlichen Finanzen müssen stufenweise strukturiert und aufgebaut werden. Nachdem die existenzbedrohenden Risiken abgesichert und Schulden getilgt sind, ist es richtig, sich ein finanzielles Polster für kurzfristige Notfälle anzusparen. Anschließend kann Geld für mittelfristig notwendige Anschaffungen angelegt werden und danach steht eine ausreichende Altersvorsorge im Mittelpunkt. Wenn diese drei Aufgaben bewältigt sind, können Anleger daran denken, sich mit Renditechancen zu beschäftigen und ggf. zu spekulieren, um ihr finanzielles Polster zu vergrößern. Die besten Chancen, dieses zu erreichen, hat derjenige, der bereits in jungen Jahren beginnt, seine individuelle Anlagestrategie diszipliniert umzusetzen. "

KLUGE INVESTOREN STREUEN DAS RISIKO

Risikostreuung sollte bei jedweder Finanzstrategie mit Investments, bei denen Anleger Verluste erzielen könnten, oberste Priorität genießen. Investoren sollten niemals alles auf eine Karte setzen: Bei Aktien zum Beispiel kann theoretisch der Totalverlust drohen. Wer sein Geld ausschließlich in eine Aktiengesellschaft investiert und diese meldet Insolvenz an, verliert seine kompletten Ersparnisse. Hat ein Anleger aber nur einen kleinen Teil seines Vermögens für den Aktienerwerb aufgewendet, halten sich die Verluste in überschaubaren Grenzen.

Risiken begrenzen: Immer verschiedene Investments wählen

Jeder empfehlenswerten Finanzstrategie liegt das Prinzip der Risikostreuung zugrunde. Das bedeutet, dass Sparer in Geldanlagen mit einem unterschiedlichen Verhältnis von Sicherheit und Renditechance investieren. Tagesgeld und Festgelder bieten im Vergleich zu anderen Anlageformen zwar eine niedrigere Rendite, dafür aber ein Höchstmaß an Sicherheit. Bei einer Bankenpleite steht der Staat für eine Anlagesumme von bis zu 100.000 Euro in voller Höhe ein. Einen Teil des Vermögens sollten Anleger in solchen Kapitalanlagen sparen, so haben sie stets ein sicheres Fundament für den Notfall. Eine ähnlich hohe Sicherheit weisen Staatsanleihen von wirtschaftsstarken Staaten auf. Hier greift zwar nicht die eben genannte gesetzliche Einlagenversicherung, es ist aber unwahrscheinlich, dass zum Beispiel Deutschland seine Kredite nicht mehr bedienen kann.

Allerdings sollten Sparer nicht nur solche Kapitalanlagen in Betracht ziehen, sie werfen zu geringe Renditen ab. Sie sollten nur als Absicherung dienen. Darüber hinaus sollten Anleger Investments einbeziehen, die eine höhere Rendite versprechen. Dazu zählen Aktien, Immobilien, Edelmetalle, Unternehmensanleihen und Anleihen von nicht so wirtschaftsstarken Staaten wie Deutschland. Auch hier sollten sie an das Prinzip der Risikostreuung denken und in verschiedene Anlagenformen investieren. So kann es zum

Beispiel zu einem allgemeinen Kurssturz an der Börse kommen, weil Investoren eine Wirtschaftskrise befürchten. In einem solchen Fall wäre es klug, wenn Anleger in ihrem Portfolio wertstabile Immobilien oder Edelmetalle wie Gold und Silber besitzen. Gold und Co. gewinnen in krisenhaften Zeiten sogar stark an Wert, weil sich viele Investoren in diese klassische Krisenwährung flüchten. Zugleich empfiehlt es sich nicht, einseitig in solche Anlageformen zu investieren. Die Kurse von Edelmetallen können auch stark fallen, auf dem Immobilienmarkt können Spekulationsblasen platzen.

Auch innerhalb der Anlageformen sollten Sparer ihr Geld streuen. Einzelne Investments können sich immer als fatal erweisen, auch wenn sich der Gesamtmarkt positiv entwickelt. Das trifft etwa auf Aktien zu. An Börsen herrschen grundlegende Trends, denen aber nicht alle Aktienkurse folgen. Trotz guter Wirtschaftslage und optimistischer Investoren kann ein Kurs einbrechen, wenn ein Unternehmen in betriebswirtschaftliche Schwierigkeiten gerät. Eventuell wird es von einer Strafzahlung erschüttert, es verliert Marktanteile an Konkurrenten oder groß angelegte Investitionen floppen. So etwas lässt sich auch von Profis nicht jedes Mal vorhersagen. Bei Unternehmensanleihen bestehen dieselben Gefahren. Wird überraschend das Geld knapp, erhalten Anleger vielleicht nur noch einen Teil ihres Kapitals zurück. Auf dem Immobilienmarkt lauern ebenfalls Risiken. Wer ausschließlich in eine Stadt investiert, kann auf das falsche Pferd setzen. Eventuell sinkt die Nachfrage nach Wohnungen und Häusern an diesem Standort, die fest eingeplanten Einnahmen schwinden. Zudem existiert das Risiko von Mietausfällen. Beim Besitz einer oder weniger Wohneinheiten fallen diese schwer ins Gewicht.

Investitionen mit Bedacht auswählen: Beispiel Aktien

Eine nachhaltige Risikostreuung gelingt nur, wenn sich Investoren mit den grundsätzlichen Funktionsweisen jeder Anlageklasse auseinandersetzen. Bei Aktien heißt das zum

Beispiel, dass sie sich über die unterschiedlichen Branchen und deren möglichen Unsicherheiten informieren sollten. Viele Aktien aus dem Bereich Internet zeichnen sich etwa durch größere Verlustrisiken aus. Oftmals investieren diese Gesellschaften hohe Summen in eine Idee, verdienen damit aber noch kein Geld. Zeitigt das Konzept Erfolg, können sich Aktionäre über große Kurssprünge freuen. Schlägt es aber fehl, drohen enorme Verluste. Anleger sollten deshalb nur mit einem Teil ihres Geldes solche Wertpapiere kaufen.

Das Gleiche gilt für Aktien aus Staaten, die noch nicht zum Kreis der Industrienationen zählen. Mit Papieren aus Brasilien, Indien, Russland oder der Türkei lassen sich attraktive Gewinne erzielen, aber niemand kann unter anderem aufgrund politischer Turbulenzen Talfahrten ausschließen. Deshalb sollten Investoren auch sogenannte konservative Wertpapiere in ihr Portfolio aufnehmen. Dabei handelt es sich um bereits am Markt etablierte Aktiengesellschaften, die über umfangreiche Werte verfügen, hohe Umsätze tätigen, ansprechende Gewinne einfahren und meist hohe Dividenden ausschütten. Wer das Prinzip der Risikostreuung ernst nimmt, erwirbt solche Aktien aus verschiedenen Branchen. Infrage kommen beispielsweise die Auto- und die Maschinenbauindustrie, Energieversorger, Chemieunternehmen, Versicherungskonzerne und Lebensmittelhersteller.

Risikoverteilung mit Investmentfonds

Risikostreuung lässt sich in allen Anlageklassen auf einfache Weise mit Investmentfonds realisieren. Zwei Argumente sprechen für diese Anlageform: Erstens müssen Anleger nicht selbst mögliche Einzelinvestments analysieren. Das übernehmen die Fondsmanager jeweils im Rahmen des abgesteckten Anlagehorizonts. Zweitens können Sparer ihr Geld schon mit geringen Summen breit streuen. Investmentmondfonds können sie mit kleinen Beträgen erwerben, häufig ab 250 bis 500 Euro. Mit Fondssparplänen können sie mit wesentlich geringeren, regelmäßigen Summen Anteile erwerben. In beiden Varianten partizipieren sie an den Märkten und haben zugleich das Prinzip der Risikostreuung verwirklicht. Bei einzelnen Investitionen bräuchten sie dafür weit mehr Kapital. Am gravierendsten zeigt sich der Unterschied auf dem Immobilienmarkt: Mit einem Immobilienfonds beteiligen sich Besitzer von Anteilsscheinen an zahlreichen Projekten, meist an vielen verschiedenen Standorten. Alleine bräuchten sie dafür hohe Millionensummen. Auch bei Aktien erfordert Risikostreuung einen gewissen Grundstock an Kapital. Aufgrund der Gebühren beim Kauf und Verkauf von Aktien lohnen sich Investments meist erst ab rund 1.000 Euro.

Doch Vorsicht: Fonds gewährleisten nicht in allen Fällen eine optimale Risikostreuung. Es kommt jeweils auf den Anlagehorizont an. Investiert ein Fonds nur in Aktien einer bestimmten Branche in einem einzelnen Land, fassen die Manager ihre Auswahl sehr eng. Ein solcher Fonds sollte deshalb nur ein Bestandteil der Finanzstrategie sein. Wer mit nur einem Investmentfonds Risikostreuung umsetzen will, sollte im Fondsvergleich Produkte mit breiteren Ansätzen heraussuchen. Es empfehlen sich beispielsweise Fonds, die deutsche und europäische Schwergewichte aus unterschiedlichen Branchen einbeziehen. Indexfonds interessieren ebenfalls, wenn ihnen ein bedeutender Index und kein Spezialindex zugrunde liegt. Ein Indexfonds auf den DAX30 setzt sich zum Beispiel genauso wie dieser deutsche Leitindex zusammen und umfasst damit die bedeutendsten Unternehmen aus vielfältigen Sektoren.

RENDITE BERECHNEN: WICHTIGER FAKTOR DER GELDANLAGE

Die Attraktivität einer Kapitalanlage bemisst sich an der Rendite. Diese sagt aus, mit welchem prozentualen Wert sich das angelegte Geld mehrt. Bei Investments wie Termingeld lässt sich dieser Wert vorab bestimmen, da Banken einen festen Zinssatz gewähren. Bei Anlageformen wie Aktien lassen sich dagegen nur die Renditechancen schätzen, aufgrund einer nicht vorherzusehenden Kursentwicklung können Anleger die Renditen erst im Nachhinein ausrechnen.

Renditen bei festem Zinssatz und beim Tagesgeld

Kapitalanlagen wie Sparbriefe zeichnen sich durch ein hohes Maß an Planbarkeit aus, das trifft auch auf die Erträge zu. Banken garantieren über den Anlagezeitraum einen festen Zinssatz. Sparer wissen damit genau, welche Zahlungen sie erwarten können. Bei der Wahl von solchen Finanzprodukten sollten sie aber beachten, dass Zinssätze und Renditen nicht übereinstimmen müssen. Die Renditen können höher liegen, wenn es zu einem Zinseszinseffekt kommt. Dieser tritt ein, wenn Banken die Zinsen auf dem Sparvertrag verbuchen und fortan ebenfalls verzinsen. Wer mit dieser Funktionsweise 1000 Euro zu 3 Prozent anlegt, erhält im ersten Jahr 30 Euro Ertrag. Im zweiten Jahr fällt der Zinssatz auf 1030 Euro an, die Zahlung steigt demnach auf 30,90 Euro. In Bezug auf den ursprünglichen Anlagebetrag ergibt das dann eine Rendite von 3,09 Prozent bei einem gleichbleibenden nominalen Zinssatz von 3 Prozent. Überweisen Geldhäuser die Zinsen dagegen jährlich auf das Girokonto des Kunden, profitiert dieser nicht vom Zinseszinseffekt. Dann entspricht die Rendite dem Zinssatz.

Zinseszinseffekte können auch bei Tagesgeldkonten auftreten. Hier entscheidet die Häufigkeit der Zinszahlungen. Bei jährlichen Zinsbuchungen stimmen Renditen und Zinssatz überein. Bei mehrmaligen Zahlungen innerhalb des Jahres können sich Kunden über einen Zinseszinseffekt freuen. Bietet eine Bank beispielsweise eine monatliche Zinsgutschrift, bezieht sie die gutgeschriebenen Zinsen in den Folgemonaten bei der Berechnung mit ein.

Bei langfristigen Sparverträgen sollten Interessierte ebenfalls die Rendite berechnen, um die Attraktivität eines Angebots einordnen zu können. Bei diesen Anlageformen spielt nicht nur der Zinseszinseffekt eine Rolle, meist gesellen sich Zinsabstufungen hinzu. In der Regel belohnen Banken die Treue, indem sie während der Laufzeit immer höhere Zinsen gewähren. Das kann in Form steigender Zinssätze oder Bonuszahlungen erfolgen. Die Berechnung gestaltet sich noch schwieriger, weil es sich bei Sparverträgen nur selten um einen Einmalbetrag handelt. Stattdessen sparen die Anleger regelmäßige Beträge an. Es empfiehlt sich deshalb ein Zinsrechner im Internet, der auf Basis aller relevanten Eckdaten die exakte, durchschnittliche Rendite angibt. Mithilfe eines solchen Rechners können Sparer eine fundierte Entscheidung treffen.

Börseninvestments: Renditen bei Anleihen und Aktien

Bei an den Börsen gehandelten Wertpapieren lassen sich bessere Renditen als mit sicheren Anlagen erzielen. Prognostizieren lassen sich diese aber nur bei Anleihen, sofern Investoren diese bis zum Laufzeitende halten. Staats- und Unternehmensanleihen zeichnen sich durch einen festen Zinskupon aus. Die Emittenten zahlen beispielsweise jährlich 4 Prozent. Wer solche Anleihen bei der Ausgabe zum Nominalbetrag erworben hat und diese bis zur Rückzahlung dieser Summe im Depot belässt, bekommt 4 Prozent Rendite. Anders sieht es aus, wenn Anleger eine Anleihe während der Laufzeit kaufen oder verkaufen. Dann beeinflusst das aktuelle Kursniveau die Renditen. Ein Beispiel: Sparer entscheiden sich in der Zeichnungsfrist für eine Anleihe mit einem Nominalbetrag von 10.000 Euro und einem Zinssatz von 4 Prozent. Sie stoßen sie nach einem Jahr direkt nach der Zinszahlung zu einem Kurs von 101 wieder ab. Sie verbuchen in diesem Fall 400 Euro Zinsen plus 100 Euro Kursgewinn, also eine Rendite von 5 Prozent.

Bei Aktien und sämtlichen Investmentfonds gibt es dagegen keine festen Nominalbeträge, sie unterliegen ständigen Kursschwankungen. Anleger können keine festen Renditen einplanen. Sie können aber begutachten, wie sich die

Wertpapiere in der Vergangenheit entwickelt haben. Dazu müssen sie die Kursveränderung sowie mögliche Dividendenausschüttungen berücksichtigen. Das sollte insbesondere bei Aktien aber nicht das ausschließliche Kriterium für einen Kauf darstellen. Anleger sollten zugleich das weitere Kurspotential analysieren, das unter anderem vom aktuellen Kursniveau im Verhältnis zu den Gewinnen, von allgemeinen Markttrends und von den Zukunftsaussichten eines Unternehmens abhängt.

Investmentfonds mit einem gleichen oder ähnlichen Anlageschwerpunkt lassen sich mit einer Renditeberechnung aber gut einschätzen. Bei Fonds im Vergleich erkennen Anleger anhand der Renditen in den vergangenen Jahren, wie erfolgreich Manager das Vermögen verwalten. Überdurchschnittliche Kursgewinne garantieren zwar nicht, dass diese auch künftig anfallen. Sie sprechen aber für ein Management, dass im Vergleich zu Konkurrenten eine bessere Strategie verfolgt.

Aufmerksamkeit verdient bei Aktien und Investmentfonds auch die Dividendenrendite. Sie zeigt, wie viel die Unternehmen und Gesellschaften, prozentual am aktuellen Kurs gemessen, jährlich ausschütten. Bei einem hohen Prozentsatz streichen Anleger attraktive Einnahmen ein. Sie sollten aber wissen, dass die Verantwortlichen die Ausschüttungen jedes Jahr aufs Neue festlegen. Einen Anspruch auf diese Zahlungen gibt es nicht. Bestechen Wertpapiere aber durch stabile Zahlungen in den letzten Jahren, liegt die Wahrscheinlichkeit hoch, dass die Rendite auch künftig ansprechend ausfällt. Zugleich sollte sich aber auch der Kurs vernünftig entwickeln. Hohe Dividendenrenditen bringen nichts, wenn währenddessen die Kurse absacken und Anleger bei einem Verkauf Verluste realisieren.

Für verschiedene Geldanlagen zahlen Kunden Gebühren. Beim Kauf und Verkauf von Aktien und Anleihen verlangen die Banken Provisionen, eventuell kommen Depotführungsgebühren hinzu. Beim Fondserwerb tragen Kunden meist einen prozentual berechneten Ausgabeaufschlag plus jährlich anfallende Verwaltungsgebühren. Solche Kosten reduzieren die Renditen. Deshalb lohnt es sich, die Angebote der Banken und Fondsgesellschaften miteinander zu vergleichen. So herrschen bei den Gebühren für Aktiengeschäfte enorme Unterschiede.

Manche Geldhäuser fordern pro Transaktion einen hohen prozentualen Betrag und zugleich eine ordentliche Mindestgebühr. Bei anderen Instituten liegen beide Werte deutlich tiefer. Vor allem Mindestgebühren können Käufe und Verkäufe unattraktiv machen, wenn Anleger nur mit kleineren Summen handeln. Bei einem Anlagebetrag von eintausend Euro bedeuten Mindestkosten von 20 Euro immerhin zwei Prozent, beim Verkauf müssen Investoren diese nochmals tragen. Interessierte sollten deshalb genau überlegen, bei welcher Bank sie ein Depot eröffnen wollen. Dabei kommt es auch auf das individuelle Anlageverhalten an: Von manchen Angeboten profitieren Vieltrader durch Rabatte, von anderen dagegen Kunden mit wenigen Transaktionen im Jahr.

SPARBRIEF - DER BESSERE SPARSTRUMPF

Neben dem klassischen Sparbuch, dem Tagesgeldkonto oder einer Festgeldanlage zählen Sparbriefe zu den häufig gewählten Produkten, wenn es darum geht, Geld eine Zeit lang sicher anzulegen. Sie werden seit Mitte der 60er Jahre des letzten Jahrhunderts von Volksbanken und Sparkassen, aber auch von Privat- und Direktbanken angeboten. Im Unterschied zu einem Sparvertrag, bei dem man regelmäßig bestimmte Beträge auf ein Sparkonto einzahlt, und dadurch

Vermögen aufbaut, wird hier einmalig ein bestimmter Betrag angelegt. Laufzeit und Verzinsung des Briefes werden zu Beginn festgeschrieben. Beim Kauf fallen keine zusätzlichen Gebühren an und es steht am Anfang schon fest, wie viel Geld man am Ende erhält.

Normal, aufgezinst oder abgezinst

Jedes Wertpapier wird zu einem festen Nennwert verkauft. Dabei bieten die Kreditinstitute verschiedene Gestaltungsvarianten zur Verzinsung an: den normalen Sparbrief, den aufgezinsten und den abgezinsten. Normal bedeutet, dass der Kunde einen bestimmten Betrag anlegt und die Zinsen jährlich auf ein Referenzkonto ausgezahlt werden. Am Ende der Laufzeit bekommt er das eingesetzte Kapital zum Nennwert wieder zurück. In der aufgezinsten Variante werden die Zinsen zur Sparsumme selbst zugeschlagen. Am Ende erhält man den Nennwert zuzüglich der Zinsen und Zinseszinsen. Die abgezinste Form funktioniert genau umgekehrt. Die vorausberechneten Zinsen und Zinseszinsen werden beim Kauf vom Nennwert abgezogen. Man bezahlt am Anfang nur den sogenannten Barwert, und erhält am Ende das Kapital zum Nennwert des Briefes.

Die durch Sparbriefe erzielten Zinsen unterliegen der Einkommenssteuer, sofern sie den Freibetrag für Kapitalerträge (801 Euro für Alleinstehende, 1.602 Euro für Verheiratete) überschreiten. Bei der Variante mit jährlicher Zinsausschüttung, müssen diese auch jährlich versteuert werden. Sofern der Sparerpauschbetrag durch andere Kapitalerträge noch nicht voll ausgeschöpft ist, dürfte das steuerlich günstiger sein, da der Freibetrag jedes Jahr aufs neue angerechnet wird. Bei der auf- oder abgezinsten Variante wird der gesamte Zinsertrag im Jahr der Auszahlung besteuert. Die Sparerpauschale kann also nur einmal berücksichtigt werden. Wenn der Freibetrag bereits voll ausgeschöpft ist, kann eine Versteuerung bei der

Endausschüttung, also zum spätest möglichen Zeitpunkt, sinnvoll sein. Für Personen mit hohem persönlichem Steuersatz kann es zudem günstiger sein, vom Veranlagungswahlrecht Gebrauch zu machen. Dadurch können sie ihre Zinserträge pauschal mit der Abgeltungssteuer von 25 % zzgl. Solidaritätszuschlag versteuern lassen.

Rendite - abhängig von Laufzeit und Anlagebetrag

Sparbriefe werden mit Laufzeiten zwischen einem und zehn Jahren angeboten. Je länger die Laufzeit, desto höher ist auch die Verzinsung. Für die vereinbarte Laufzeit hat man auf das hier angelegte Geld allerdings keinen Zugriff, eine vorzeitige Kündigung ist praktisch unmöglich. Sie sollten darin also nur Summen anlegen, bei denen Sie sicher sind, sie in der vereinbarten Laufzeit nicht zu benötigen. Im Notfall können Sparbriefe aber zu 100 Prozent beliehen werden, d. h. um einen Kredit zu bekommen, kann die Geldanlage als Sicherheit hinterlegt werden.

Die Rendite von Sparbriefen hängt einerseits von der Laufzeit ab, andererseits aber auch von der Höhe der angelegten Geldsumme. Viele Sparkassen und Volksbanken bieten Produkte mit einem Mindestanlagebetrag von 500 EUR an. Diese werden allerdings meist nicht allzu attraktiv verzinst. Für Angebote, die eine höhere Rendite garantieren, werden oft Mindestbeträge von 2.500 EUR oder 5.000 EUR erwartet. Bei Angeboten, die in Online-Vergleichen aufgrund der attraktiven Verzinsung ganz oben stehen, finden sich auch schon mal Mindestanlagen von 10.000 Euro. Die Rendite ist vergleichbar mit der von Termingeld. Da die Konditionen dieser beiden Anlageformen auch sonst relativ ähnlich sind, werden sie in Internetportalen meist auch nebeneinander gelistet.

Sparbriefe werden in der Regel als Namensschuldverschreibungen verkauft. Das bedeutet, dass nur der im Dokument aufgeführte Besitzer berechtigt ist, das damit verbundene Recht geltend zu machen. In Folge dessen können sie nicht an der Börse gehandelt werden. Sie unterliegen in der Regel, genauso wie Sparbücher, Girokonten und Festgeldanlagen, der gesetzlichen Einlagensicherung. Seit 2011 schreibt diese in allen EU-Ländern vor, dass Einlagen mindestens bis zu einer Höhe von 100.000 Euro vollständig abgesichert sein müssen. Bei vielen Instituten liegt der Sicherungswert noch deutlich höher.

Allerdings bieten Banken auch immer wieder besonders attraktiv verzinste Sparbriefe mit Nachrangigkeitsabrede an. Das bedeutet, dass der Kunde im Falle einer Bankenpleite auf die Einlagensicherung verzichtet. Außerdem werden seine Ansprüche nachrangig behandelt, er steht auf der Gläubigerliste ganz unten und sieht im Insolvenzfall möglicherweise gar nichts mehr von seinem Kapital. Solche Vertragsdetails stehen oft im Kleingedruckten oder in Zusatzdokumenten und sind für Kunden häufig nicht direkt sichtbar. Wie groß das Verlustrisiko tatsächlich ist, hängt natürlich vom Einzelfall ab. Bei Banken, die sich zu einem Haftungsverbund zusammen geschlossen haben, wie das bei den Sparkassen der Fall ist, braucht man sich keine Sorgen zu machen. Eine tatsächliche Risikoeinschätzung ist für den Normalverbraucher aber kaum möglich. Darum sind solche Angebote mit Vorsicht zu genießen.

Wann ist der Sparbrief eine sinnvolle Geldanlage?

Sparbriefe sind meist eine sehr sichere, aber auch unflexible Form der Geldanlage. Die Rendite liegt je nach Laufzeit meist knapp über oder unter der Inflationsrate. Sie ist besser als die von Tagesgeldkonten oder Sparbüchern, und kann für einen überschaubaren Zeitraum, den Werterhalt des Kapitals einigermaßen sichern. In dieser Zeit kann man allerdings nicht darüber verfügen. Wenn Sie einen bestimmten Betrag übrig haben, den Sie absehbar nicht brauchen, Sie aber genau wissen, dass in einigen Jahren die Sanierung eines Daches oder Ähnliches ansteht, dann macht ein Sparbrief ebenfalls Sinn. Eine feste Summe steht zum geplanten Zeitpunkt zur Verfügung, unbeeinträchtigt von Kursschwankungen, die bei eventuell höher verzinsten Wertpapieren immer eine Rolle spielen können. Eine Rolle können Sparbriefe auch innerhalb eines Kapitaldepots spielen, wo es darum geht, durch die Anlage in unterschiedliche Produkte, eine möglichst große Risikostreuung zu erreichen.

Für eine Spanne von mehr als sechs oder sieben Jahren ist diese Anlage kaum zu empfehlen. Innerhalb eines solchen Zeitraumes kann sich das allgemeine Zinsniveau so stark verändern, dass die beim Kauf attraktive Rendite später ein Verlustgeschäft bedeuten könnte. Für Zeiträume von weniger als zwei Jahren ist der Zinsgewinn wiederum so gering, dass Sie zum Sparen auch fast genauso gut ein Tagesgeldkonto nutzen können. Ihr Geld steht dann wenigstens jederzeit zur Verfügung.

Eine besondere Rolle spielen Sparbriefe im Bereich ökologischer Geldanlagen. Zur Finanzierung einzelner nachhaltiger Projekte werden seit ein paar Jahren von Sparkassen und Banken sogenannte Klima- oder Ökosparbriefe aufgelegt. Die finanziellen Konditionen sind ähnlich wie bei anderen Sparbriefen auch, nur dass der Anleger weiß, was mit seinem Geld passiert. Das Kontingent ist meist begrenzt auf das zur Projektfinanzierung notwendige Kapital und oft relativ schnell vergriffen.

TERMINGELD - VERSCHIEDENE FORMEN DER FESTGELD-ANLAGEN

Als eine der sichersten Formn der Geldanlage kann das Termingeld eingestuft werden. Mit den zwei unterschiedlichen Varianten haben Sparer die Möglichkeit, die Flexibilität und damit die Verfügbarkeit zu beeinflussen, was sich natürlich auch im Zinssatz niederschlägt.

Termingeld in zwei Ausführungen

Bereits der Name ist Programm, denn diese Geldanlage ist auf eine bestimmte Zeit festgeschrieben, so dass die Auflösung erst am festgelegten Termin möglich ist. Die gängigste Form ist das Festgeld, das sich für die unterschiedlichsten Fristen, üblicherweise zwischen einem Monat und zehn Jahren, vereinbaren lässt. Der Sparer kann fest auf die zugesicherten Zinsen bauen, die sich während der Laufzeit nicht verändern. Je nach Vereinbarung werden die Zinsen in bestimmten Intervallen gutgeschrieben, sodass bei einem guten Angebot auch der Zinseszinseffekt genutzt werden kann. Abhängig vom konkreten Anbieter ist die fristgemäße Kündigung zum Ablauf notwendig. Wird diese nicht ausgesprochen, verlängert sich der Festgeld-Vertrag um eine weitere Periode. Die Kündigungsfrist ist abhängig von der gesamten Laufzeit festgelegt, so dass sie durchaus zwischen einigen Tagen und drei Monaten zum vereinbarten Termin betragen kann.

Termingeld kann aber auch als Kündigungsgeld angelegt werden. Da hier nicht von vornherein feststeht, wie lange der Sparer diese Geldanlage bestreiten wird, ähneln die Zinsen eher denen der Tagesgelder. Erst wenn die Kündigung ausgesprochen wird, kann der Zinssatz fixiert werden. Bei Eröffnung eines Termingeld-Kontos ist also immer auf die Details zu achten. Auch wenn diese Anlageform zunächst flexibler aussieht, müssen doch die Fristen berücksichtigt werden. Die Zinsunterschiede können durchaus ins Gewicht fallen, denn das in er Laufzeit variabel zu vereinbarende Festgeld erwirtschaftet eindeutig die bessere Rendite.

Sinnvoll ist daher ein cleveres Splittung der anzulegenden Beträge. Wenn Sie einen Vergleichsrechner nutzen, der die aktuellen Festgeld-Konditionen aufweist, spielen immer die Anlagebeträge und die Zeiträume die ausschlaggebenden Rollen. Beziehen Sie in die Erwägungen nicht nur Festgeld-Angebote ein, sondern erweitern Sie von vornherein auf Termingeld, so dass die Kündigungsgelder mit enthalten sind. Nun lassen sich anhand der Sparziele die verschiedenen Produkte optimal zusammenstellen. Die verschiedenen Zeithorizonte und benötigten Beträge spielen dabei die Hauptrollen.

Wenn Sie für einen konkreten Zeitpunkt Geld anlegen wollen, zum Beispiel wenn die Steuernachzahlung oder die Kosten für den Führerschein fällig werden, nutzen Sie einen passenden Betrag und wählen das Festgeld. Sie finden Angebote für verschiedenste Laufzeiten, so dass Sie, schon aufgrund des sicheren und verbindlichen Charakters von Festgeld, Ihre Anlage genau auf Ihren Bedarf zuschneiden können. Um auch bei relativ niedrigen Zinsen eine bessere Rendite zu erwirtschaften, sollte diese Finanzplanung akribisch vorgenommen werden. Alles, was über die benötigten Beträge an Kapital hinausgeht, kann nämlich besser verzinst angelegt werden.

Wollen Sie Kapital ansparen, um zum einen etwas für die Altersversorgung zu tun, aber zum anderen keine unüberschaubaren Vertragsbindungen eingehen, wählen Sie Termingeld-Angebote, die eine optimale Mischung aus Laufzeit und Rendite bieten. Schließlich hängt der Zinssatz vom allgemeinen Zinsniveau ab und kann sich in absehbarer Zeit verändern. Befinden Sie sich also in einer Niedrigzinsphase, sollte die Vertragslaufzeit nicht zu lang gewählt werden. Wenn die Zinsen wieder steigen, würden Sie sonst auf Zinsen verzichten. Können Sie aber aktuell relativ hohe Zinsen generieren, binden Sie die Konditionen möglichst lange. Da Termingeld in unterschiedlichsten Varianten angeboten wird, haben Sie hier die freie Wahl. Beliebte Formen sind zum Beispiel Sparbriefe oder das Prämiensparen, die von den meisten Banken angeboten werden.

Einen weiteren Teil Ihres Kapitals können Sie in Kündigungs- oder Tagesgeld anlegen. Abhängig von der konkreten Kündigungsfrist können Sie relativ unkompliziert über Ihr Geld verfügen. Ist Ihnen dies zu langwierig, entscheiden Sie sich für ein reines Tagesgeldkonto. Die Zinsen für diese beiden Varianten sind dadurch etwas niedriger, als dies bei Termingeld üblich ist.

Persönliche Finanzplanung genau durchdenken

Grundsätzlich muss also unterschieden werden, ob Geld langfristig, zum Beispiel als Beitrag für die Altersversorgung, oder für kurz- und mittelfristige Sparziele angelegt werden soll. Mit einem cleveren Splittung können diese Vorgänge parallel gestaltet werden, um die möglichen Renditen zu optimieren. Da Festgeld-Anlagen generell sicher sind, fällt die Verzinsung im Vergleich zu riskanteren Möglichkeiten relativ gering aus. Es muss also neben den verschiedenen Zeithorizonten auch das Sparziel Berücksichtigung finden. Auch hier empfiehlt sich eine Aufteilung der Anlagen, sodass verschiedene Risikoklassen genutzt werden können. Grundlage für jede strategische Finanzplanung muss also zunächst die Ermittlung der individuellen Risikostruktur sein. Nur so können Anlageprodukte selektiert werden, die wirklich zu Ihrem Profil passen.

Im nächsten Schritt werden die Sparziele genau definiert und mit verschiedenen Anlageprodukten zur Erreichung unterlegt. Es ist natürlich nicht realistisch, mit Termingeld in kürzester Frist Riesen-Renditen erwirtschaften zu wollen. Diese Anlageform sollte aber als sinnvolle Ergänzung gesehen werden, um zum Beispiel die Auszahlung aus der privaten Altersversorgung noch einmal für einen bestimmten Zeitraum arbeiten zu lassen oder um vorhandenes Kapital rentabel zu parken, bis eine Entscheidung über die weitere Anlagepolitik getroffen ist. Bevor das Geld auf einem nicht verzinsten Giro-Konto liegt, können Sie diese Möglichkeiten effektiv ausnutzen. Prüfen Sie in jedem Fall die jeweils aktuellen Konditionen für Fest- und Kündigungsgeld in einem Vergleichsrechner auch im Detail, um die optimale Variante für sich herauszufinden.

Fazit - Termingeld

Diese Kategorie der Geldanlagen umfasst zum einen das Festgeld mit garantierten Zinsen in einem vorher festgelegten Zeitrahmen und zum anderen die etwas ungünstigere, aber dafür flexibleren Variante des Kündigungsgeldes. Die sehr vielfältigen Gestaltungsmöglichkeiten bieten für auf Sicherheit bedachte Anleger durchaus interessante Möglichkeiten, die aber immer vom allgemeinen Zinsniveau abhängen. So sollte die Festlegung der Laufzeit generell in Abhängigkeit vom aktuellen Zinssatz erfolgen, um beim Ansteigen der Zinsen zeitnah reagieren zu können. Mit zeitlichen Staffelungen bleiben Sie flexibel und können auch konkrete Sparziele unterlegen. Grundsätzlich eignen sich die verschiedenen Produkte aus dieser Anlageklasse zum Parken von Kapital, wenn zum Beispiel eine Geldanlage ausgelaufen ist und die Entscheidung über eine weitere noch nicht getroffen wurde.

RICHTIG SPAREN MIT EINER KLUGEN STRATEGIE

Erfolgreiches Sparen basiert auf einer überlegten Finanzstrategie. Zu viele Menschen lassen eine solche aber missen, sie wählen planlos Produkte aus. Dadurch entgeht ihnen Rendite, manche verlieren durch unvernünftige Investments viel Geld. Mit einem durchdachten Vorgehen lassen sich diese Ärgernisse meiden. Anleger sollten sich vor dem Abschluss von Kapitalanlagen fragen, ob sie mit dem Sparen etwas Bestimmtes erreichen wollen. Sie sollten sich zudem mit dem Spannungsverhältnis aus Renditechancen und Sicherheit beschäftigen und einen zu den persönlichen Bedürfnissen passenden Finanzplan entwerfen.

Sparziele festlegen

Im ersten Schritt sollten Sparer überlegen, welchen Zweck sie mit ihrer Geldanlage verfolgen wollen. Davon hängt ab, welche konkreten Produkte infrage kommen. So wollen Anleger vielleicht für das Alter vorsorgen. Ein niedrig verzinstes Tagesgeldkonto macht dafür wenig Sinn. Stattdessen sollten sie eine Riesterrente abschließen, da der Staat dafür attraktive Zulagen zahlt. Wer keinen Anspruch auf diese Förderung hat, sollte alternativ eine Rürup-Rente wählen. Diese fördert der Staat in Form von Steuererleichterungen, Versicherte können ihre Beiträge in einem üppigen Umfang bei der Steuererklärung geltend machen. Als zusätzliche Altersvorsorge können sich Lebensversicherungen empfehlen, mit denen Versicherungsnehmer zugleich ihre Angehörigen finanziell absichern.

Wer auf ein näherliegendes, konkretes Ziel spart, sollte ebenfalls einige Tipps beherzigen. Ein Beispiel soll diese verdeutlichen: Jemand möchte in fünf Jahren ein Auto kaufen und das Geld bis dahin sparen. Eine bereits vorhandene Summe sollte er in diesem Fall sicher anlegen, zum Beispiel in Sparbriefe mit fünfjähriger Laufzeit. Am Ende dieser Laufzeit erhält der Sparer seine Anlage zu einhundert Prozent inklusive der zuvor fest vereinbarten Zinsen zurück. Gegebenenfalls werden diese Zinsen auch währenddessen jedes Jahr ausgezahlt, diese sollten Anleger auf einem Tagesgeldkonto parken. Solche Festgeldanlagen bestechen durch ein Höchstmaß an Planbarkeit, welche bei einem fixen Sparziel zu einem unverrückbaren Zeitpunkt unverzichtbar ist. Dazu eignen sich auch Sparpläne, die in diesem Beispiel ebenfalls nach fünf Jahren enden sollten. Bei Sparplänen sparen Kunden einen regelmäßigen Beitrag, den die Bank meist monatlich oder vierteljährlich abbucht. Schon mit geringen Summen kommen so erkleckliche Beträge zusammen.

Aktien und Aktienfonds taugen für einen solchen Zweck dagegen nicht. Diese Finanzprodukte unterliegen ständigen Kursschwankungen. Würden sich die Kurse nach fünf Jahren gerade im Tief befinden, würde erstens das Geld vielleicht nicht reichen. Zweitens müssten Sparer zu einem ungünstigen Zeitpunkt verkaufen, in der Folge würden sich die Kurse wahrscheinlich wieder erholen. Solche Investments sollten Anleger deshalb nur tätigen, wenn sie kein fest terminiertes Sparziel definieren und sie somit flexibel verkaufen können. Obwohl es sich bei der Altersvorsorge um ein fixes Ziel handelt, können Sparer hierfür dennoch Aktien und Aktienfonds einsetzen. Sie müssen nur wenige Jahre vor der Rente diese Papiere nach und nach in sichere Geldanlagen umschichten. Viele aktienbasierte Rentenversicherungen machen das automatisch. Wer auf eigene Faust in Börsenpapiere investiert, muss dies selbst erledigen.

Zwischen Renditechancen und Sicherheit

Manche Investmentgesellschaften versprechen eine hohe Rendite bei einer hohen Sicherheit: Bei solchen Angeboten sollten Sparer größte Vorsicht walten lassen, es handelt sich um unseriöse Investments. Beides zugleich gibt es nicht. Mit einer höheren Renditechance geht immer ein höheres Risiko einher. Wer ein Höchstmaß an Sicherheit bevorzugt, muss sich mit eher geringen Zinsen begnügen. Das gilt zum Beispiel für Festgelder, Tagesgeldkonten und Sparpläne. Bei diesen Produkten garantiert der Staat Einlagen bis zur Höhe von einhundert Prozent. Vor einer Bankenpleite muss sich somit niemand sorgen. Wer dagegen eine höhere Renditechance wünscht, muss größere Risiken wie zum Beispiel die Möglichkeit von Kursverlusten an den Börsen hinnehmen.

Wie Sparer dieses Spannungsverhältnis für sich auflösen, hängt von zwei Faktoren ab. Zum einen kommt es auf die bereits erwähnten Sparziele an. Bei festen Terminen in naher Zukunft empfehlen sich immer sichere Anlagen. Zum anderen gesellt sich der Aspekt des Anlegerprofils. Manche sparen lieber risikofreudiger, andere können bei einer solchen Strategie nachts nicht mehr schlafen. Jeder sollte deshalb nur solche Produkte wählen, dessen Risiken er ohne Probleme tragen kann. Das setzt aber voraus, dass Sparer von möglichen Risiken wissen. Sie sollten sich deshalb bei jeder Geldanlage umfassend über eventuelle Gefahren informieren.

Generell gilt bei der Frage, ob mehr Sicherheit oder mehr Risiko: Niemand sollte zu einseitig anlegen. Wer über ausreichend Kapital verfügt, sollte nicht das gesamte Geld in sichere Papiere mit eher niedrigen Zinsen stecken. Mit zumindest einem kleinen Teil des Kapitals sollten diese Sparer die hohen Renditechancen der Börsen nutzen. Renditefreudige sollten wiederum die Sicherheit nicht vernachlässigen. Für sehr riskante Geschäfte wie Optionsscheine sollten sie nur einen minimalen Anteil ihres Geldes aufwenden. Sie sollten auch nicht das gesamte Kapital in Aktien investieren. Stattdessen sollten sie an die Vermögensabsicherung denken, dafür eignen sich zum Beispiel Anleihen, Immobilienfonds und Gold.

Der optimale Mix an Geldanlagen

Erstens muss die Mischung aus renditeträchtigeren und sicheren Investments stimmen. Zweitens muss auch der Mix innerhalb dieser Kategorien passen. Bei den sicheren Kapitalanlagen bedeutet das zum Beispiel, dass Anleger mit verschiedenen Laufzeiten sparen. Grundsätzlich bieten zum Beispiel Sparbriefe mit längeren Laufzeiten mehr Zinsen als welche, die nur ein bis drei Jahre dauern. Deswegen sollten Sparer zum einen solche besser verzinsten Papiere in Betracht ziehen. Zum anderen dürfen sie aber auch nicht das gesamte Geld auf viele Jahre binden. Während der Laufzeit kommen sie nicht an ihr Kapital heran. Ergibt sich dann überraschender Geldbedarf, stehen Anleger vor einem großen Problem. Deswegen sollten sie eine Reserve auf dem Tagesgeldkonto parken, von dort können sie täglich abbuchen. Dies ergänzen sie bestenfalls mit kurz-, mittel- und langfristigen Anlagen. Dabei sollten sie aber das momentane Zinsniveau im Auge behalten. Liegt dieses aktuell tief und gibt es Hoffnung auf Zinserhöhungen, sollten Sparer ihr Kapital nicht lange binden. Dann können sie zu einem späteren Zeitpunkt zu attraktiveren Konditionen sparen.

Dem optimalen Mix kommt bei renditeträchtigeren Anlagen eine noch höhere Bedeutung zu. Nur wer auf Risikostreuung setzt, reduziert die finanzielle Gefahren. So können einzelne Aktien immer an Wert verlieren, auch wenn sich die Kurse insgesamt nach oben entwickeln. Vielleicht hat ein Unternehmen auf die falschen Produkte gesetzt und kann mit der Konkurrenz nicht mehr mithalten und deshalb setzt ein Kurssturz ein. Solche Gefahren verringern Sparer, indem sie mehrere Aktien aus unterschiedlichen Branchen kaufen. Auch einzelne Branchen können sich entgegen des Markttrends negativ entwickeln, das zeigt das Beispiel der Solarindustrie. Eine solche Strategie der Risikostreuung lässt sich entweder mit selbst gewählten Einzelaktien oder mit Investmentfonds realisieren. Investmentfonds haben dabei den Vorteil, dass sich dieser Anspruch bereits mit geringen Anlagesummen umsetzen lässt.

PRÄMIENSPAREN: BONUS AUF EINZAHLUNGEN

Beim Prämiensparen handelt es sich um eine besondere Form des Banksparplans. Im Vergleich zu gewöhnlichen Sparplänen zahlen Geldhäuser nicht nur Zinsen. Zusätzlich gewähren sie auf die jährlichen Einzahlungen eine Prämie, die sie bei Vertragsabschluss in einem prozentualen Wert angeben. Dieser Bonus steigt im Laufe der Jahre.

Das wesentliche Merkmal des Prämiensparens liegt in der Kombination aus Zins- und Bonunszahlungen. Wie bei einem normalen Banksparplan sparen die Anleger einen regelmäßigen monatlichen Betrag, ergänzend können sie zu Beginn eine einmalige Zahlung leisten. Auf dieses Kapital erhalten sie einen zum Vertragsabschluss fix vereinbarten Zinssatz, der sich über die gesamte Laufzeit nicht ändert. Wie sich die Zinsen am Markt entwickeln, hat keinen Einfluss. Darüber hinaus schütten Banken Prämien auf die Einzahlungen aus. Bei einer Prämienquote von 50 Prozent und einem jährlichen Sparbetrag von 1.200 Euro überweisen sie zum Beispiel 600 Euro extra.

Die Höhe der Prämien legt das Geldhaus wie die Verzinsung ebenfalls zum Vertragsbeginn fest. Während der Laufzeit kommen Sparer in den Genuss steigender Bonuszahlungen. Damit will die Bank dazu motivieren, die Sparanlage möglichst lange zu nutzen. In der Regel gibt es in den ersten Jahren noch keine Prämien, in der Folge steigen sie von niedrigen Prozentzahlen auf bis zu 50 Prozent nach rund 10 bis 20 Jahren. Sowohl die Zinsen als auch die Prämien schreiben die Institute auf dem Vertragskapital gut, am Ende der Laufzeit überweisen sie die Gesamtsumme.

Um solche Verträge korrekt bewerten zu können, sollten Interessierte immer beide Ertragsquellen berücksichtigen. Sie sollten ihrer Wahl die Kombination aus Zinssatz und Prämienstaffel zugrunde legen. Bestenfalls rechnen sie die Rendite mit einem Online-Zinsrechner durch oder lassen sich von verschiedenen Banken eine detaillierte Berechnung vorlegen. Nur anhand eines solchen Ertragsplans sehen Sparer, bei welchem Angebot sie ihr Geld am stärksten mehren. Angesichts der verschiedenen Faktoren lässt sich die Attraktivität einer Anlage mit einem bloßen Blick auf die Konditionen nicht erkennen.

Prämiensparen kommt für alle Anleger in Frage, die großen Wert auf die Sicherheit legen. Wie Sparbriefe und Tagesgeldkonten fällt auch diese Anlage unter die gesetzliche Einlagensicherung. Sollte eine Bank Insolvenz anmelden, garantiert der Staat eine Summe von bis zu 100.000 Euro. Viele Geldhäuser schließen zudem private Absicherungen ab, die zusätzlich darüber hinausgehende Beträge gewährleisten. Zudem empfiehlt sich das Prämiensparen für alle Anleger, die eine planbare Vermögensentwicklung schätzen. Bei solchen Sparverträgen wissen die Kunden bereits zum Abschluss, was sie für Erträge kassieren und welche Gesamtsumme sie zu einem festen Zeitpunkt einplanen können. Das eignet sich besonders, wenn Sparer das Geld zu einem bestimmten Zweck wie einem Hausbau verwenden wollen.

Auch das Sparen mit regelmäßigen Beiträgen überzeugt. Anleger müssen keinen hohen Einmalbetrag aufbringen, stattdessen überweisen sie monatlich überschaubare Summen. Über mehrere Jahre können sie dadurch einen ansprechenden Kapitalstock aufbauen. Mit Prämiensparen können insbesondere auch Menschen mit geringem Einkommen Vermögen bilden. Die meisten Banken fordern nur geringe, monatliche Mindestbeträge von etwa 20 bis 30 Euro. Zudem verlangen die Institute keine Gebühren, weder auf die Einzahlungen noch für die Kontoführung. Kosten können nur entstehen, wenn eine Bank die Eröffnung eines gebührenpflichtigen Girokontos voraussetzt. In diesem Fall sollten Interessierte abwägen, ob sich das lohnt.

Wichtig: Ansparen durchhalten

Sparverträge lassen sich in der Regel mit einer Kündigungsfrist von drei Monaten während der Laufzeit auflösen. Das sollten Anleger aber möglichst meiden. Zwar könnten sie damit flexibel auf einen akuten Finanzbedarf reagieren, sie büßen aber massiv an Rendite ein. Die hohen

Prämienzahlungen verzeichnen sie erst gegen Ende der Laufzeit, diese sollten sie unbedingt mitnehmen. Erst diese Ausschüttungen machen das Prämiensparen attraktiv. Die grundlegende Verzinsung liegt dagegen meist unterhalb anderer Anlageformen wie gewöhnlichen Banksparplänen und Sparbriefen.

Angesichts dieser Tatsache sollten Interessierte das Prämiensparen gut bedenken. Sie sollten zum einen über die gesamte Laufzeit die regelmäßigen Beiträge stemmen können. Im Zweifelsfall sollten sie diese lieber etwas niedriger ansetzen. Zum anderen sollten sie das Kapital bis zum Vertragsende nicht benötigen. Größere Anschaffungen wie etwa den Kauf eines Autos sollten sie auf anderem Wege finanzieren können. Auch überraschend anfallende, kleinere Summen wie eine Steuernachzahlung sollten sie mit vorhandenem, nicht gebundenem Kapital decken können. Bestenfalls legen Sparer dazu eine flexible Reserve auf einem Tagesgeldkonto an, von dem sie jederzeit ohne Zinseinbußen Geld abheben können.

GELD SICHER ANLEGEN, DAS IST KEINE ZAUBEREI

Den über alle Zweifel erhabenen Königsweg für eine sichere Geldanlage, den gibt es nicht. Bei der Frage, wo man sein Geld sicher anlegen kann, kommt man nicht umhin, zwischen verschiedenen, sich widerstrebenden Faktoren abzuwägen. Ideal wäre eine Anlage, die sicher ist, über die man jederzeit verfügen kann, und die zudem auch noch ordentliche Gewinne erbringt. Alles zusammen geht aber nicht. Für ein hohes Maß an Sicherheit muss ich Abstriche bei der Rendite in Kauf nehmen. Höhere Gewinne gehen immer mit höheren Risiken einher. Aber auch der Wunsch, über mein Vermögen jederzeit frei verfügen zu können, schmälert die Ertragsaussichten und verhindert langfristige Garantien. Die Fachliteratur spricht hier gerne vom magischen Dreieck der Geldanlage, um das Spannungsverhältnis zwischen den Faktoren Sicherheit, Liquidität und Rentabilität dar zu stellen. Mit Magie oder Zauberei hat das allerdings weniger zu tun, umso mehr mit einem sachlichen Abwägen realistischer Chancen und Gefahren. Aber welche Risiken bestehen denn eigentlich konkret bei Geldanlagen?

Bonitätsrisiko

Wenn Sie einen Kredit aufnehmen wollen, werden Sie den nur bekommen, wenn ihre Bank davon überzeugt ist, dass Sie das Geld auch zurückzahlen und die Zinsen bedienen können. Bei der Kapitalanlage ändert sich die Rollenverteilung. Sie selbst werden zum Geldgeber und müssen die Bonität derjenigen beurteilen, denen Sie ihr Geld leihen. Zu dieser Kategorie gehören so unterschiedliche Produkte wie das Tages- oder Festgeldkonto, Sparbriefe und Sparverträge, aber auch Staatsanleihen, Pfandbriefe und Unternehmensanleihen. Bei den Sparprodukten einer Volksbank, Sparkasse oder Direktbank sind die Risiken äußerst gering. Durch die gesetzliche Einlagensicherung sind Summen bis zu einer Höhe von 100.000 Euro voll abgesichert. Bei vielen Instituten gilt der Schutz auch noch für weitaus höhere Beträge. Wer sicherheitsorientiert sparen will, ist hier an der richtigen Adresse.

Bei der Investition in Rentenpapiere oder Anleihen handelt es sich hingegen um Schuldverschreibungen. Der Anleiheemittent verspricht die regelmäßige Zahlung feststehender Zinsen und die Rückzahlung des geliehenen Geldes zum Nennwert am Ende der Laufzeit. Eine Garantie dafür gibt es häufig nicht. Während Pfandbriefe von Hypothekenbanken durch Grundstücke oder Immobilien abgesichert werden, besteht bei Staatsanleihen gar kein direkter Schutz. Trotzdem ist eine deutsche Bundesanleihe das Sicherste, was man auf dem Rentenmarkt finden kann. Die Bundesrepublik Deutschland kann im Prinzip nicht zahlungsunfähig werden. Das Gleiche gilt auch für solide Staatsanleihen aus Österreich, der Schweiz, Finnland, Dänemark oder Großbritannien. Um eine Orientierung zu geben, wo man Geld sicher anlegen kann, bewerten große

Rating-Agenturen regelmäßig die Kreditwürdigkeit von Staaten. Beurteilt werden aber auch große Unternehmen, die das Instrument der Anleihe zunehmend zur Fremdfinanzierung nutzen. Wenn Sie nicht gerade in Schrottanleihen investieren, brauchen Sie sich um das hier angelegte Geld, keine großen Sorgen zu machen. Es wird sich allerdings auch nur sehr spärlich vermehren.

Kurs-Risiko

Bei allen börsennotierten Wertpapieren spielen Kursschwankungen eine wichtige Rolle. Wenn Sie direkt in Aktien investieren, müssen Sie damit rechnen, dass die Kurse auch mal tief in den Keller sinken können. Bei erfolgreichen Unternehmen darf man sich zwar über satte Kursgewinne und gute Dividenden freuen. Im Falle einer Insolvenz verliert man aber sein gesamtes Kapital. Um diesem Risiko zu begegnen, entstand in den Dreißigerjahren des letzten Jahrhunderts die Idee des Investmentfonds. Dabei wird das Geld von Anlegern gesammelt und von einer Kapitalverwaltungsgesellschaft in verschiedene Aktien oder Anleihen angelegt. Durch die möglichst breite Streuung des Vermögens auf verschiedene Werte soll das Risiko minimiert werden. Wenn die eine Aktie schwächelt, kann dies durch den Erfolg einer anderen ausgeglichen werden. Ein weiterer Vorteil von Fonds im Vergleich zu Aktien, besteht darin, dass mein Geld als Sondervermögen betrachtet wird und somit einen besonderen rechtlichen Schutz genießt.

Vor den Risiken schwankender Kurse schützt das allerdings nicht. Gewinne ergeben sich vor allem aus der Differenz zwischen Kauf- und Verkaufspreis der Fondsanteile. Dabei müssen auch die Kosten für den Ausgabeaufschlag und die Verwaltung erst erwirtschaftet werden. Langfristig erzielen viele Fonds sehr ordentliche Erträge. Dass Kurse sich vorübergehend auch mal nach unten bewegen, kann aber niemand ausschließen. Und wer gerade zu diesem Zeitpunkt auf sein Geld zugreifen muss, der macht ein Verlustgeschäft.

Am Besten fährt derjenige, der Kursschwankungen an den Börsenmärkten geduldig aus sitzen kann. Breit aufgestellte Investmentfonds bieten langfristig gute Ertragschancen bei überschaubarem Risiko. Um Kapitalerträge zu sichern, muss man sie zum richtigen Zeitpunkt in Anlagen mit geringerem Risiko umschichten. Eine gute Orientierung bei der Suche nach Produkten, die sich auch zum Fondssparen eignen, bietet der Fonds-Finder der Stiftung Warentest.

Währungsrisiko

Bei der Suche nach einer Möglichkeit, wo man Geld sicher anlegen kann, ohne auf ordentliche Renditen zu verzichten, stoßen Anleger auch auf die Möglichkeit in Fremdwährungsanleihen zu investieren. Insbesondere wenn im eigenen Währungsraum die Zinsen auf ein niedriges Niveau gesunken sind, lockt die Aussicht auf höhere Erträge in anderen Regionen der Welt. Doch auch das ist nicht frei von Risiken. Wechselkurse sind nicht auf ewig in Stein gemeißelt, sondern von vielen Faktoren abhängig und nur schwer vorhersehbar. Plötzliche Schwankungen kann keiner ausschließen. Gewinne, die man aufgrund der höheren Verzinsung erzielt, werden schnell aufgezehrt, wenn der Devisenkurs innerhalb des Anlagezeitraumes nachgibt.

Ein deutlich geringeres Risiko besteht hingegen bei der Einrichtung eines Tagesgeldkontos in fremder Währung. Entwickeln sich die Wechselkurse ungünstig, kann man sein Geld jederzeit sichern. Vorausgesetzt man hat es rechtzeitig bemerkt. Vermögen auf Konten, die nicht in einer EU-Währung geführt werden, unterliegen allerdings nicht der gesetzlichen Einlagensicherung, selbst wenn sie bei einer deutschen Volksbank geführt werden. Auch Geldanlagen in Schweizer Franken, japanische Yen oder US-Dollar werden von diesem Schutz nicht erfasst.

Weltweit hat die Verschuldung von Staaten in den letzten Jahren und Jahrzehnten stark zugenommen. Gleichzeitig versuchen Zentralbanken, die Wirtschaftskrise dadurch in den Griff zu bekommen, dass sie mehr Geld in Umlauf bringen. Diese Strategie erhöht das Inflationsrisiko. Zu dem Problem wo man sein Geld sicher anlegen kann, um es vor Entwertung zu schützen, bieten sich verschiedene Strategien an. Wer sicherheitsorientiert sparen möchte, könnte einen Teil seines Vermögens in inflationsindexierte Anleihen legen. Dabei wird der Ertrag an die Entwicklung der Inflation gekoppelt. Bei niedriger Inflationsrate ist die Verzinsung dieser Papiere entsprechend dünn. Falls die Geldentwertung aber deutlich zunimmt, ist man damit auf der sicheren Seite.

Eine Investition in Sachwerte wird gerne empfohlen, als das Sicherste, was man tun kann, um den Wert seines Vermögens zu schützen. Insbesondere Edelmetalle, Rohstoffe und Immobilien sind in Krisenzeiten sehr beliebt. Die Inflation kann Gold- und Silberbarren tatsächlich nichts anhaben. Sie sind selten, lassen sich von keiner Zentralbank einfach vermehren und bleiben dadurch auch langfristig wertvoll. Auch vom Auf und Ab der Börsenkurse sind sie nur wenig beeinflusst. Wie viel sie tatsächlich einbringen, hängt aber stark vom Zeitpunkt des Kaufs und Verkaufs ab. Der Markt dafür ist relativ klein und darum auch von großen Kursschwankungen geprägt. Sichere laufende Erträge, wie sie bei den meisten Geldanlagen üblich sind, gibt es nicht. Zudem muss man sich um Sachwerte auch immer ein Stück weit kümmern, um ihren Wert zu erhalten. Das gilt genauso für Immobilien. Und in diesem Bereich kommen noch mehr Unwägbarkeiten ins Spiel. Neben dem Zustand einer Immobilie spielt, für deren Marktwert, auch der Standort eine entscheidende Rolle. Wie attraktiv eine bestimmte Lage langfristig eingeschätzt wird, hängt aber von vielen Faktoren ab, auf die man individuell keinen Einfluss hat.

Auf dem Finanzmarkt nimmt die Zahl neuer Produkte stetig zu. Besser wird das Angebot dadurch kaum. Vielmehr entstehen immer mehr Mischprodukte, die versuchen Dinge unter einen Hut zu bringen, die nicht zusammen passen. Wer Ihnen eine erstklassige Rendite ohne Risiko verspricht, der versucht Sie an der Nase herum zu führen. Und wenn Ihnen jemand eine Anlagestrategie schmackhaft macht, die in jeder Marktsituation hohe Gewinne erbringt, dann will man Sie auf spekulatives Glatteis führen. Solche Angebote sind mit großer Vorsicht zu genießen. Gut schlafen kann man hingegen, wenn man nur Produkte kauft, die man auch durchschaut, und wenn man die Risiken so breit wie möglich streut.

Informationsquellen zu der Frage wo man sein Geld sicher anlegen kann, gibt es im Internet reichlich. Das Qualitätsniveau ist dabei sehr breit gestreut. Unter anderem bietet die Stiftung Warentest eine Menge gut recherchierter Informationen, die für Anleger aus Österreich und Deutschland gleichermaßen wertvoll sind. Das umfangreiche Angebot ist zwar nicht ganz kostenlos. Dafür darf man sich aber darauf verlassen, dass die Empfehlungen und Bewertungen so unabhängig und objektiv wie möglich geliefert werden.

SCHWEIZER GELDANLAGEN: LOHNT SICH DAS?

Lange Zeit entscheiden sich viele Deutsche für eine Geldanlage in der Schweiz, weil sie auf diesem Weg Steuern hinterziehen wollten. Das empfiehlt sich aber nicht: Die deutschen Finanzbehörden kaufen in großem Umfang sogenannte Steuer-CDs auf, die darauf befindlichen Daten nutzen sie zur Strafverfolgung. Angesichts dieses Ermittlungsdrucks weisen mittlerweile auch viele Banken das Ansinnen zurück, mit einem Schweizer Konto dem Fiskus zu entgehen. Dennoch existieren gute Gründe, legal in der

Schweiz zu investieren: Das wirtschaftlich stabile Land besticht durch ein Höchstmaß an Sicherheit.

Hohe Sicherheit, Chancen durch Wechselkurse

Bei der Schweiz handelt es sich um ein wirtschaftsstarkes und finanzkräftiges Land, entsprechend sichere Festgeldanlagen locken. Wer zum Beispiel bei einer Bank ein Festgeld- oder Tagesgeldkonto eröffnet, muss sich um sein Kapital nicht sorgen. Auch auf dem Markt an Unternehmensanleihen finden sich zahlreiche attraktive Angebote von Firmen, die eine hohe Bonität genießen. Diese Sicherheit hat aber ihren Preis: Die Zinsen liegen im Durchschnitt unter dem Niveau Deutschlands. Anleger sollten sich einen solchen Schritt deshalb genau überlegen und abwägen, ob sie aufgrund der erhöhten Sicherheit Abschläge bei der Rendite hinnehmen wollen. Haben sie grundsätzlich die Wahl für eine Geldanlage in der Schweiz getroffen, sollten sie anschließend mit einem Vergleich die besten Finanzprodukte recherchieren. Wie in allen Ländern gilt auch in der Alpenrepublik: Die Zinssätze unterscheiden sich zwischen den einzelnen Instituten enorm.

Die Rendite ergibt sich aber nicht ausschließlich aus dem Zinssatz, auch der Wechselkurs beeinflusst sie. Der Ertrag kann sich deutlich steigern, wenn sich der Wechselkurs zwischen schweizerischer Währung und Euro günstig entwickelt. Wie bei allen Geldanlagen in Fremdwährungen besteht durch die Kursentwicklung eine zusätzliche Gewinnchance, aber auch ein Verlustrisiko. Interessierte sollten sich deshalb vor einer Geldanlage in der Schweiz mit dem aktuellen Kurs sowie mit Prognosen über die künftige Entwicklung beschäftigen. Zum Anlagezeitpunkt sollte es für den Euro-Betrag möglichst viele Franken geben, der Euro sollte also stark und die Schweizer Währung schwach notieren. Beim Rücktransfer sollten Sparer die schweizerische Währung dagegen in möglichst viele Euro umtauschen können.

Wesentlich höhere Erträge verspricht eine Alternative zu Festgeldanlagen und Unternehmensanleihen: Investitionen in schweizerische Aktien. Damit geht zwar das übliche Risiko des Börsenhandels einher, dafür lockt die Chance auf attraktive Kursgewinne und jährliche Dividenden. Im Gegensatz zu einer weit verbreiteten Meinung zeichnet sich die Wirtschaft der Schweiz nicht nur durch einen starken Bankensektor aus, sondern auch durch leistungsfähige Industriekonzerne. Vielfach bestechen diese Großbetriebe durch hohe Umsätze und Gewinnspannen sowie durch ein ansprechendes Wachstumspotenzial. Somit stellen sie eine interessante Ergänzung zu Aktien aus Deutschland und aus anderen Staaten dar.

Vor allem für Anleger, die konservativ investieren wollen, hält die Schweiz zahlreiche infrage kommende Wertpapiere bereit. Große Aktiengesellschaften in Branchen wie der Nahrungsmittelindustrie, der Automatisierungstechnik, der Pharmazie und der Chemie fallen durch eine stabile Kursentwicklung und hohe Dividendenzahlungen auf. Wer nicht in einzelnen Aktien anlegen will, kann auch Investmentfonds mit diesem Anlageschwerpunkt erwerben. Aufgrund der günstigen Kosten empfehlen sich auch Index-Fonds auf den Swiss Market Index. Dieser fungiert als wichtigster Börsenindex der Schweiz und umfasst die zwanzig wichtigsten Aktiengesellschaft des Landes.

Solche Investments lassen sich auf zwei Weisen durchführen. So können Sparer bei einer schweizerischen Bank ein Depot eröffnen und dann etwa per Online-Banking Transaktionen vornehmen. Der Vorteil besteht darin, dass sich Wertpapiere in der Regel zu günstigeren Gebühren kaufen lassen. Dafür verlangen die meisten Geldhäuser aber wesentlich höhere Depotgebühren als in Deutschland, für Ausländer oftmals noch einen zusätzlichen Aufschlag. Zum Teil müssen Anleger sogar eine Mindestanlage von mehreren Tausend Franken vorweisen. Deswegen eignet sich für die meisten eher die zweite Variante, ein deutsches Depot. Auch mit solch einem Depot können Deutsche eine Geldanlage in der Schweiz tätigen. Sie können Aktien aus dem Nachbarland zum Beispiel an verschiedenen deutschen Börsen oder am schweizerischen Handelsplatz kaufen. Sie sollten dabei jeweils auf die Gebühren achten und unter die Lupe nehmen, wie viele und welche Aktien dort jeweils gehandelt werden.

Investmentfonds mit Schwerpunkt Schweiz können sich Interessierte direkt bei deutschen Fondsgesellschaften oder über deutsche Börsen sichern.

Kapitalerträge richtig versteuern

Aufgrund der zunehmenden Strafverfolgung sollten Deutsche in der Schweiz unbedingt legal anlegen. Andernfalls drohen hohe Nachzahlungen plus Strafzinsen sowie ein Prozess. Ab einer gewissen Summe müssen Steuerhinterzieher mit einer Gefängnisstrafe rechnen. Dieses Risiko sollte niemand eingehen und lieber eine ordnungsgemäße Versteuerung sicherstellen. Dafür gibt es zwei Möglichkeiten: Bestenfalls ermächtigt der deutsche Anleger die schweizerische Bank, Kapitalerträge direkt an die deutschen Steuerbehörden zu melden. Das hat den großen Vorzug der Einfachheit. Die Schweiz verzichtet dann darauf, den sogenannten Steuerrückbehalt für EU-Bürger in Höhe von 35 % zu kassieren. Stattdessen überweisen Banken die Abgeltungssteuer an deutsche Behörden. So vermeiden Sparer eine doppelte Besteuerung.

Ohne diese Ermächtigung zieht die Schweiz dagegen diese Quellensteuer, die über dem Satz der deutschen Abgeltungssteuer liegt, ab. In diesem Fall sollten Sparer die Erträge dem Finanzamt angeben und mit Nachweisen belegen. Nur so erhalten sie zu viel gezahlten Geld zurück. Das bedeutet einen unnötigen Aufwand. Anleger sollten sich bei unterschiedlichen Geldanlagen aber immer über die genauen Vorschriften informieren. Die automatische

Verrechnung durch die Geldhäuser gibt es zum Beispiel bei Festgeldkonten, bei Direktinvestitionen wie Unternehmensbeteiligungen müssen sich die Investoren selbst darum kümmern.

GELDANLAGE TIPPS: INVESTIEREN UND SPAREN

Eurokrise und Finanzmarkt-Kapriolen konfrontieren Sparer mit der Frage: Wie kann ich mein Geld richtig anlegen? Eine klare Antwort darauf gibt es nicht, da viele Komponenten bei Investments eine Rolle spielen. Dazu gehört die Höhe des Kapitals ebenso wie die Zielsetzung des Anlegers. Wer für das Alter vorsorgen will, wählt sicher eine andere Geldanlage als jemand, der bereit ist, riskant zu investieren. Doch auch in einer andauernden Niedrigzinsphase gibt es einige Erfolg versprechende Alternativen zum wenig lukrativen Sparbuch. Empfehlenswert sind Immobilien, Aktien mit Dividende, Festgeld und Unternehmensanleihen.

Immobilien und Aktien sind attraktive Sachwerte

Anleger, die die Inflation fürchten, bevorzugen Sachwerte. Dazu gehören Immobilien, doch ist damit nicht das eigene Haus gemeint. Immobilienfonds, die das Geld ihrer Anleger in Wohnhäuser und Bürogebäude anlegen, bieten eine attraktive Rendite und große Sicherheit. Zwei Varianten werden dazu angeboten: Entweder zahlt der Anleger einmalig einen hohen Betrag oder er kann mit vertraglich festgelegten Summen monatlich sparen. Aktien sind bei deutschen Anlegern zu Unrecht wenig beliebt. Auch sie zählen zu den Sachwerten. Mit ihnen erwirbt der Käufer Anteile an einer Firma und ihren Produkten. Wer das richtige Unternehmen wählt und eine langfristige Anlage anstrebt, braucht sich vor Kursschwankungen nicht zu fürchten. Ein wichtiges Auswahl-Kriterium ist die Höhe der Ausschüttungen in den letzten Jahren. Eine konstante Dividenden-Rendite ab vier Prozent gilt als überzeugende Empfehlung.

Es gibt auch weniger bekannte Wege, wie jeder sein Geld richtig anlegen kann. Unternehmensanleihen gehören dazu. Sie sind heute als Investment interessanter als Staatsanleihen. Doch besonders hier gilt der Grundsatz: Je höher die Verzinsung dieser Schuldverschreibungen ist, desto riskanter ist das Geschäft. So zahlt beispielsweise die Deutsche Post, ein Unternehmen mit gutem Rating, knapp zwei Prozent Zinsen bei einer Laufzeit von fünf Jahren. Weniger hoch bewertete Unternehmen, die dringend auf Kapital angewiesen sind, locken mit bis zu fünf Prozent Zinsen. Anleger sind gut beraten, bevorzugt auf international agierende Konzerne zu setzen, um ihr Risiko zu minimieren. Völlig risikolos ist dagegen die Anlage des vorhandenen Kapitals als Festgeld. Bei einem Betrag von bis zu 100 000 Euro deckt dabei die europäische Einlagensicherung jeden Verlust durch einen Bankenzusammenbruch ab. Das Geld kann also auf jeder europäischen Bank risikolos angelegt werden, vergleichen lohnt sich. Anlegen für 1 Jahr ist kaum gewinnbringend, bei einer mehrjährigen Laufzeit sind allerdings bis zu drei Prozent möglich.

RENTABLE GELDANLAGEN TROTZ NIEDRIGZINS

In Zeiten, in denen die Europäische Zentralbank den Zins praktisch abgeschafft hat und weltweit ein Umfeld extrem niedriger Zinsen herrscht, sind rentable Geldanlagen so einfach zu finden wie die Nadel im Heuhaufen. Immer wieder werden zwar alternative Investitionen in Rohstoffe, Wälder, Windenergie oder Flugzeuge angeboten. Ob die versprochenen Renditen aber auch tatsächlich erzielt werden, weiß man erst nach vielen Jahren. Im schlimmsten Fall droht der Totalverlust.

Eine rentable Geldanlage sollte mindestens eine Wertentwicklung in Höhe der herrschenden Inflationsrate aufweisen. Ansonsten verliert das gesparte Geld real an Kaufkraft. Diese Bedingung erfüllen in der Regel aber weder Sparbücher noch Fest- und Termingelder. Geld unter dem Kopfkissen ist aber nicht die Alternative, denn dort bringt es überhaupt keine Zinsen, und ein Ertrag unterhalb der Geldentwertung durch Inflation ist immer noch besser als gar keiner. In den klassischen Verstecken unter dem Kopfkissen oder in der Zuckerdose suchen Diebe übrigens ganz sicher zuerst. Da die Hausratversicherung die Entschädigung für Bargeld außerhalb von qualifizierten Behältnissen meist sehr niedrig begrenzt, ist das Geld nach einem Einbruch weg.

Die gleiche Überlegung gilt übrigens auch für Gold. Das Edelmetall bringt keine Zinsen und muss sicher verwahrt werden, am besten in einem versicherten Bankschließfach. Auf einen Anstieg des Goldpreises zu setzen, ist Glücksspiel. Wer glaubt, mit Gold die einzig wahre Kapitalanlage für die Krise zu bunkern, sollte sich mit dem Gedanken eines Besitz- und Handelsverbots auseinandersetzen, das selbst in Deutschland über Jahrzehnte immer wieder Gesetz wurde.

Steuerliche Effekte beachten

Aktien und vor allem Aktienfonds können rentable Geldanlagen sein, wenn man die Zeit hat, Phasen mit niedrigen Kursen durchzustehen, ohne das Kapital zu benötigen. Wertverluste sind nicht tragisch, solange man die Papiere nicht verkaufen muss. In den vergangenen vier Jahrzehnten haben Aktien weltweit im Durchschnitt um 7 % jährlich zugelegt. Wer in Indexfonds, sogenannte ETF, investiert hat, konnte davon bei sehr niedrigen Kosten profitieren. Mittelfristig, also über einen Zeitraum von drei bis fünf Jahren, sind Fest- und Termingelder die bessere Wahl, weil sie innerhalb der EU gesetzlich gesichert sind und im Wert nicht schwanken.

Für Kapitalerträge fällt in Deutschland in der Regel eine Abgeltungssteuer von 25 % zuzüglich Solidaritätszuschlag und je nach Religionszugehörigkeit auch Kirchensteuer an. Das ist bei den meisten Menschen zwar weniger als der normale Einkommensteuersatz, könnte aber dennoch die Überlegungen in Richtung einer steueroptimierten Anlage lenken. Wer für seine Altersvorsorge spart, ist als Arbeitnehmer mit einer Riester-Rente, als Selbstständiger mit einer Versicherung nach dem Rürup-Modell gut aufgestellt. Für diese privaten Rentenversicherungen gilt das Prinzip der nachgelagerten Besteuerung. Beiträge werden aus unversteuertem Einkommen entnommen. Die Renten sind zwar später steuerpflichtig, aber bei den meisten Rentnern ist der Steuersatz geringer als in der aktiven Phase des Erwerbslebens.

GELD RENDITESTARK UND SICHER ANLEGEN

Die Rendite einer Geldanlage hängt stets ab von dem Risiko, das Sie bereit sind einzugehen. Bietet Ihnen jemand 12 % Rendite ohne Risiko, kann das nicht seriös sein. Abgesehen von der Rendite sind aber auch die persönlichen Anlageziele wichtig, wenn Sie über Ihre Geldanlagen entscheiden.

Langfristig für das Alter sparen

Die gesetzliche Rente reicht nicht aus, um nach dem Ausscheiden aus dem Erwerbsleben den gewohnten Lebensstandard zu erhalten. Je früher man anfängt, Geld für die Altersvorsorge zurückzulegen, desto leichter fällt es, bis zum Renteneintritt ein beachtliches Kapital aufzubauen. Der Staat fördert die Bildung von Altersvermögen durch Steuervergünstigungen von Produkten der sogenannten zweiten Schicht nach der gesetzlichen Rentenversicherung.

Das sind in erster Linie Versicherungen nach dem Modell Riester und die betriebliche Altersvorsorge.

Die Lebensversicherer haben mit niedrigen Zinsen und schlechter Presse zu kämpfen. Auch wenn renditestarke Produkte mit hoher Garantieverzinsung Vergangenheit sind, ist die private Rentenversicherung nicht so schlecht, wie sie oft dargestellt wird. Bei konventioneller Kapitalanlage gibt es - immer noch einen Garantiezins deutlich über dem Niveau von Sparbuchzinsen, und mit etwas Risikobereitschaft bietet eine fondsgebundene Rentenversicherung auf die lange Laufzeit gesehen gute Chancen. Die Riester-Versicherung hat zudem den Vorteil eines garantierten Kapitalerhalts auch in der fondsgebundenen Variante. Zudem wird die Rendite dieser Geldanlage durch staatliche Zuschüsse und Steuerersparnis gewaltig verbessert. Auch vermögenswirksame Leistungen des Arbeitgebers können Sie hier einbringen. Ganz abgesehen von den Überlegungen zur Verzinsung bleibt die Versicherung das einzige Produkt, das eine Rentenzahlung bis zum Lebensende garantiert. Da kann keine Bank mithalten.

Aktien und Fonds nur für lange Laufzeiten

Langfristig bieten Aktien die besten Chancen auf eine attraktive Rendite. Privatleute sollten Geld am besten in Aktienfonds anlegen, denn sie stellen die nötige Mischung und Streuung des Risikos sicher. Sie müssen dazu nicht viel über den Börsenhandel lernen, denn professionelle Fondsmanager nehmen Ihnen die Arbeit ab. Kostengünstiger als aktiv gemanagte Fonds sind Indexfonds, sogenannte ETF, die Wertentwicklungen der Märkte nachbilden und nach Kosten oft nicht schlechter abschneiden.

Auch wenn Aktien in den letzten vierzig Jahren im Schnitt fast 7 % jährlich zugelegt haben, gab es auch lange Durststrecken zu überwinden. In kurzen Zeiträumen kann die Rendite dieser Geldanlage einbrechen, ja sogar deutlich negativ sein. Zwischen 2000 und 2003 verloren die Papiere mehr als die Hälfte an Wert, und es dauerte über zehn Jahre, diese Verluste wieder aufzuholen. Können Sie so lange auf das Kapital verzichten, sitzen Sie die schwachen Marktphasen einfach aus. Benötigen Sie das Geld, müssen Sie Kursverluste realisieren, verlieren also nicht nur auf dem Papier.

Für mittelfristige Anlagen zwischen drei und fünf Jahren Laufzeit bietet sich deshalb Festgeld an. Das wird zwar nicht besonders hoch verzinst, unterliegt aber auch keinen Wertschwankungen und ist in der EU bis mindestens 100.000 EUR pro Sparer gesetzlich abgesichert. Geld für kurzfristige Notfälle ist auf einem Tagesgeldkonto gut aufgehoben.

RENDITEVERGLEICH: GELDANLAGE DURCHRECHNEN

Mit einem Online-Rechner für die Geldanlage können Sparer im Handumdrehen feststellen, welchen Ertrag sie von einem Finanzprodukt erwarten können. Bei festverzinslichen Kapitalanlagen können sie die angezeigten Gesamtzinsen fest einplanen. Bei Wertpapieren wie Investmentsfonds hängt die Rendite dagegen vom Kursverlauf ab, sie lässt sich nicht exakt prognostizieren. Dennoch empfiehlt sich die Nutzung eines Rechners, bei der Altersvorsorge liefert er wertvolle Hinweise über mögliche Versorgungslücken.

Zinserträge von Tagesgeld- und Festgeldanlagen bestimmen

Ein Rechner für die Geldanlage ermöglicht es Sparern, die Attraktivität von Tagesgeld- und Festgeldanlagen zu erkunden. Dazu müssen sie nur die relevanten Eckdaten eingeben: Zu diesen gehören neben der Höhe der Spareinlage und deren Laufzeit weitere Konditionen, beim Tagesgeld etwa die Häufigkeit der Zinsausschüttungen. Zahlen Banken öfters als ein Mal im Jahr Zinsen aus, entsteht ein Zinseszinseffekt. Ein Rechner für die Geldanlage berücksichtigt diese. Ein Vergleich zwischen Anbietern mit verschiedenen Zinsintervallen lässt sich dank dieser Hilfe leicht durchführen. Bei Festgeldern interessiert dagegen, ob

Banken die Zinsen auf dem Festgeldkonto mit Zinseszinseffekt verbuchen oder ob sie diese auf das Girokonto überweisen. Mittels eines Rechners können Interessierte in beiden Fällen recherchieren, welchen Gesamtertrag diese Geldanlagen versprechen.

Viele sparen regelmäßig Geld und legen es in einem Banksparplan an. Auch bei diesen Finanzprodukten, die meist über einen längeren Zeitraum dauern, lässt sich im Internet die Rendite ausrechnen. Anleger können bei einem Rechner die monatliche Sparrate, einen möglichen Einmalbetrag zu Beginn und die Laufzeit eingeben. Sie können zudem den Zinssatz für jedes Jahr individuell eintippen. Oftmals bieten Banken Zinsstaffeln, im Lauf der Sparphase steigen die Zinsen. Mit der detaillierten Aufschlüsselung Jahr für Jahr garantiert ein Zinsrechner das exakte Ergebnis. Er bezieht auch einen eventuell vorhandenen Bonus auf die Zinserträge oder die Sparbeiträge ein.

Rechner: Nützliche Hilfe für die private Altersvorsorge

Die gesetzliche Rente gewährleistet keinen ausreichenden Lebensstandard mehr, deswegen empfiehlt sich eine zusätzliche, private Altersvorsorge. Dabei kommt der möglichst genauen Bestimmung des Ertrags eine besonders hohe Bedeutung zu: Wer für den Ruhestand Geld anlegen will, sollte wissen, mit welchem Kapital er später rechnen kann. Nur mit diesem Wissen sehen Anleger, ob ihre Sparanstrengungen genügen oder ob sie diese intensivieren sollten. Auch hier leistet ein Rechner für die Geldanlage wichtige Dienste: So können Interessierte festverzinsliche Sparpläne über mehrere Jahrzehnte berechnen lassen.

Bei Fondssparplänen nützt ein Rechner für die Geldanlage ebenfalls. Die Wertentwicklung lässt sich zwar nicht vorhersagen, Sparer können aber Durchschnittswerte eingeben und dadurch Orientierung erhalten. Hat ein Investmentfonds zum Beispiel in den letzten zehn Jahren durchschnittlich um 5 % per anno zugelegt, können sie diesen Wert für die Zukunft eintragen. Damit können Vorsorgende in etwa einschätzen, welches Geld sie im Alter einplanen können. Zugleich können sie die Auswirkungen der Gebühren auf die Rendite betrachten und einen Vergleich zwischen mehreren Fonds durchführen. Per Taschenrechner lässt sich das nur schwer bewerkstelligen, da bei Fondssparplänen zwei verschiedene Gebühren anfallen: Zum einen verlangen die meisten Anbieter einen einmaligen, prozentual berechneten Kaufaufschlag, zum anderen entziehen sie dem Fondsvermögen jährlich einen ebenfalls prozentualen Anteil an Verwaltungsgebühr. Bei einem Online-Rechner müssen Sparer nur die beiden Werte eintragen, die komplizierte Berechnung übernimmt das Portal.

Auszahlpläne lassen sich ebenfalls berechnen. Bei privaten Rentenversicherungen zahlen die Gesellschaften lebenslang eine monatliche Rente, bei gewöhnlichen Geldanlagen sieht das anders aus. Bei diesen verfügen die Sparer zum Rentenbeginn über ein Gesamtkapital, das sie flexibel zur Finanzierung ihres Lebensunterhalts einsetzen können. Ohne Plan fällt es aber schwierig, das Geld optimal zu verwenden. Im schlimmsten Fall verbrauchen Rentner das Geld zu früh. Deswegen empfiehlt sich ein Auszahlplan: Anleger investieren das Kapital erneut und verzeichnen dafür Rendite. Jeden Monat entnehmen sie eine bestimmte Summe. Mit einem Rechner für die Anlage lässt sich feststellen, wie lange das Kapital reicht beziehungsweise wie viel Geld sie bedenkenlos ausgeben können.

GELD OPTIMAL ANLEGEN: WICHTIGE TIPPS

Viele Sparer beschäftigen sich kaum mit dem Thema Kapitalanlage, dabei empfiehlt sich dringend ein professioneller Ratgeber für das Geld. Auf Fachportalen und in Fachzeitschriften recherchieren Interessierte viele nützliche Informationen. Zuerst sollten sie sich mit den grundlegenden Aspekten beschäftigen: Welche Anlagearten gibt es? Welche individuelle Anlagestrategie empfiehlt sich? Welche Punkte verdienen bei einem Anbietervergleich Beachtung?

Das Verhältnis von Renditechance und Sicherheit

Verschiedene Anlagetypen wie Festgeld, Aktien und Gold unterscheiden sich bei der Frage, welche Renditechancen sie zu welchem Risiko bieten. Als besonders sicher gelten Tages- und Festgeldkonten. Selbst bei einer Bankenpleite verlieren Sparer kein Geld, bis zur Summe von 100.000 Euro greift die gesetzliche Einlagensicherung. Speziell beim Festgeld wissen Anleger zudem im Vorfeld, welche Zinserträge sie über die gesamte Laufzeit erwarten. Weder beim Tagesgeld noch beim Festgeld bestehen Kursrisiken. Dafür hält sich aber auch die Rendite in Grenzen. Mit an den Börsen gehandelten Anleihen steht eine Alternative zur Verfügung. Höhere Renditen lassen sich mit Anleihen von Staaten und Unternehmen erzielen, die keine Top-Bonität vorweisen. Die höhere Rendite geht aber mit Ausfallrisiken einher, im schlimmsten Fall müssen Investoren auf einen Teil ihrer Anlagesumme verzichten.

Starke Kurschwankungen finden sich am Aktienmarkt. Dennoch empfiehlt es sich, in diese Wertpapiere zu investieren. Über längere Zeiträume schlagen Aktien bei der Rendite die meisten anderen Geldanlagen. Das trifft aber nicht für jede Aktie zu, manche Unternehmen geraten zum Beispiel dauerhaft in wirtschaftliche Schwierigkeiten. Ein kluger Aktionär setzt deshalb auf Risikostreuung: Er kauft nicht nur eine Aktie, sondern mehrere Aktien aus unterschiedlichen Branchen. Alternativ können Anleger auch breit gestreute Aktienfonds ordern, das geht bei einem Fondssparplan auch mit geringen monatlichen Raten. Vor allem Anfänger sollten in beiden Fällen konservativ handeln, das sagt jeder kompetente Ratgeber für das Geld: Sie sollten ihre Investitionen auf etablierte Unternehmen und Branchen mit beständigem Wachstum konzentrieren. Zusätzlich sollten sie nicht kurzfristig spekulieren, sondern langfristig anlegen. Zwischenzeitliche Kursrückgänge können sie dann ignorieren.

Bei einer breit gestreuten Geldanlage zeigt die Erfahrung, dass sich der Depotwert bald wieder nach oben entwickelt.

Jeder Ratgeber für das Geld hält einen weiteren Tipp bereit: Anleger sollten in mehrere Anlageformen investieren, um das Risiko noch stärker zu streuen. Ein Teil des Gelds sollten sie auf einem flexiblen Tagesgeldkonto als finanzielle Reserve lagern. Mit einer weiteren Summe können sie ein attraktives Festgeldkonto eröffnen. Das ergänzen sie mit Investments in Aktien oder Fonds, ein Teil kann zur Risikoabsicherung auch in Edelmetalle fließen. Zugleich sollten sie an die Altersvorsorge denken und dafür genügend Geld aufwenden. In Form der Riester- und Rürup-Rente existieren zum Beispiel staatlich geförderte Varianten. Welche Rentenversicherung infrage kommt, hängt vom Berufsstatus und dem Einkommen ab.

Das beste Finanzprodukt wählen

Bei vielen Anlagetypen lohnt sich ein Anbietervergleich. Aktionäre sollten sich für eine Depotbank entscheiden, die auf Depotgebühren verzichtet und beim Handel nur geringe Transaktionsgebühren verlangt. Diese Kosten wirken sich unmittelbar auf die Rendite aus. In Bezug auf Rentenversicherungen fragt sich, welche Gebühren die Versicherer berechnen und ob sich deren Anlagestrategie bisher als erfolgreich erwies. Einen Vergleich sollten Sparer auch bei Tages- und Festgeldkonten durchführen, die Banken gewähren höchst unterschiedliche Zinsen. Ein besser verzinstes Konto bei einem anderen Institut lässt sich schnell eröffnen, dieser geringe Aufwand zahlt sich aus.

GELD ANLEGEN IN ÖSTERREICH

Geldanlagen in Österreich sind für deutsche Sparer eine Alternative, die ihr Geld im Ausland für sich arbeiten lassen wollen. Sinnvoll ist eine Geldanlage jenseits der Grenzen immer dann, wenn der Anleger steuerliche Vorteile oder ein deutliches Plus an Rendite erwartet. Für beides lohnt ein Blick in die Alpenrepublik.

Steuerliche Regeln im Alpenland

Mitunter werden Geldanlagen in Österreich als Steuersparmodell gepriesen. Ein Schlaraffenland ist Österreich in steuerlicher Hinsicht aber nicht unbedingt. Ursache dafür ist eine Richtlinie der Europäischen Union zur Zinsbesteuerung. Diese Vorschrift Europarecht sorgt dafür, dass Zinseinnahmen in der EU einheitlich und gleichmäßig besteuert werden. Sie sieht vor, dass Kreditinstitute den Fiskus des jeweiligen Staates über Kapitaleinkünfte informieren müssen, die ein EU-Ausländer erzielt. Damit ist der Anleger gezwungen, auch sein in Österreich angelegtes Geld zu Hause zu versteuern.

Von dieser Meldepflicht hat sich Österreich eine Ausnahmeregel erstritten. Es handelt sich um das so genannte Rückbehaltsmodell. Dabei erheben die Geldinstitute eine pauschale Steuer. Diese Quellensteuer auf Kapitalerträge von Kunden aus dem Ausland führen die Banken dann anonym an ihren eigenen Fiskus ab. Die Finanzbehörden behalten davon einen Teil und leiten den Rest an die Steuerbehörden im Heimatstaat des Anlegers weiter. Diese pauschale Steuer entbindet den Anleger aber nicht von der Verpflichtung, seine Einnahmen bei der Steuer zu erklären. Darauf bereits gezahlte Steuern finden aber bei der Berechnung der Einkommensteuer in Deutschland Berücksichtigung. Steuerfrei anlegen geht also auch in Österreich nicht.

Anlageformen von Banken in Österreich

Österreichische Kreditinstitute bieten privaten Kunden unterschiedliche Formen für die Geldanlage an. Die Angebote unterscheiden sich in Bezug auf Sicherheit, Anlagedauer, Ertragsentwicklung der Investition und ihre Verfügbarkeit.

Unterschieden wird zudem zwischen Kontensparanlagen, Versicherungen und spekulativen Wertpapieranlagen. Zu den sicheren Anlagen mit einem kalkulierbaren Zinsertrag, den Kontensparanlagen, gehören Festgeldkonten, Sparbücher und Tagesgeldkonten oder der klassische Sparbrief. Vor Verlusten sind diese Anlagen durch eine Einlagensicherung geschützt. Außerdem garantieren sie einen zuverlässigen Zinsertrag. Er ergibt sich aus einem variablen oder einen festen Zinssatz.

Variabel sparen

Deutsche Sparer, die für ihr Geld in Österreichgute Zinsen erwarten, müssen auf Flexibilität der Angebote achten. Wer auf die Anlage in Festgeld setzt, legt sich für die gesamte Laufzeit fest. Festgeldanlagen bei österreichischen Banken erlauben keine flexiblen Zahlungen. Der Anleger kann auf sein Konto weder zusätzlich einzahlen, noch kann er während der Anlagezeit Geld abheben. Dafür garantieren Festgeldkonten eine höhere Rendite als kurzfristige Sparanlagen, die täglich fällig werden. Festgeldkonten unterliegen in der Regel einem festen Zinssatz. Vorteil von Sparbüchern und Tagesgeldkonten in Österreich dagegen sind variable Zinsen, die sich vor allem bei Anpassungen nach oben lohnen. Sinken die Zinsen, kann der Anleger sein Geld ohne Verluste aus dem Investment herausziehen.

TAGES- UND FESTGELD BEINAHE OHNE RISIKO

Geldanlagen ohne Risiko, oder zumindest mit einem sehr überschaubaren Risiko, sind gar nicht so schwer zu finden. Allerdings ist ihnen eins gemeinsam: die Verzinsung ist äußerst gering. Mehr Rendite gibt es nur bei höherem Risiko.

Europäische und deutsche Einlagensicherung

Eine Sicherung von Sparguthaben allein durch die Ausstattung der Banken mit Eigenkapital reicht dem Gesetzgeber nicht aus. Auf europäischer Ebene besteht deshalb eine gesetzlich vorgeschriebene Einlagensicherung von 100.000 EUR je Kunde. In Deutschland wird die gesetzliche Vorschrift ergänzt um ein freiwilliges System, dem Einlagensicherungsfonds des Bundesverbandes deutscher Banken. Die Höhe der freiwilligen Sicherung wird in Prozent des Eigenkapitals der jeweiligen Bank angegeben und deckt bei großen Banken mehrere Millionen Euro für jeden einzelnen Sparer ab. Gesichert sind Girokonten, Tages- und Festgelder, Sparkonten und Sparbriefe. Schuldverschreibungen und Bestände in den Wertpapierdepots gehören nicht dazu.

Damit scheinen Tages- und Festgelder Geldanlagen ohne Risiko zu sein. Allerdings liegen die Zinssätze dafür auch oft unter 1 %. Banken der osteuropäischen EU-Länder bieten mehr, und über das Internet und entsprechende Plattformen sind sie auch deutschen Kunden zugänglich. Auch für sie gilt die gesetzliche Einlagensicherung. Fraglich ist allerdings, ob die Länder überstabile Finanzsysteme verfügen, ob staatlichen Garantien auch bei einer großen Bankenkrise noch funktionieren und wie schwierig es für einen ausländischen Sparer sein wird, seine Ansprüche durchzusetzen. Lohnt es sich, das geringe, aber zweifellos vorhandene Risiko einzugehen? Angenommen, Sie möchten 3.000 EUR als Festgeld anlegen. Eine deutsche Bank bietet Ihnen 1,0 % Zinsen, ein ausländisches Institut mit 1,5 % das Eineinhalbfache. Das klingt verlockend, aber in absoluten Beträgen geht es gerade mal um 150 EUR im Jahr.

Krisensichere Anlage in Gold oder Immobilien?

Gold gilt für manche Anleger als letzte Rettung in Krisen. Ob das wirklich so ist, kann niemand einschätzen, denn es droht ein gesetzliches Handels- und Besitzverbot. Das gab es in Deutschland zwischen 1923 und 1955 mehrfach. Gold bringt zudem keine Zinsen, und seine Wertentwicklung ist extrem volatil.

In Sachwerte zu investieren, vor allem in Immobilien, könnte ein Ausweg sein. Sie werden deshalb auch als Betongold bezeichnet. Allerdings muss man wissen, auf welches Pferd man setzt, wie sich beispielsweise eine Region oder Wohnlage entwickeln wird. Zu viele Anleger haben ihr Geld mit Schrottimmobilien verloren. Auch offene Immobilienfonds zählen keineswegs zu den Geldanlagen ohne Risiko. Sie investieren oft in Gewerbeimmobilien und sind damit ebenso anfällig für konjunkturelle Schwankungen wie Aktien. Zudem sind in der Vergangenheit viele offene Fonds in Schwierigkeiten geraten, weil Großanleger ihre Investitionen abgezogen haben und die Fondsgesellschaften damit zum Verkauf von Immobilien in einer ungünstigen Marktsituation gezwungen waren. Gesetzliche Neuregelungen beugen diesem Effekt heute ein Stück weit vor und verbessern so den Schutz des Privatanlegers.

CHANCEN NUTZEN MIT FREMDWÄHRUNGEN

Eine Geldanlage, die auf Norwegische Kronen lautet, ist durch die Kursentwicklung der Krone gegenüber dem Euro in den letzten Jahren nicht gerade ein Highlight gewesen. Die Anlage in einer Fremdwährung bedeutet zusätzliche Chancen, aber bedingt durch den schwankenden Wechselkurs auch stets ein Risiko.

Mächtige Euro-Zone

Seit dem Beitritt von Litauen zur Euro-Zone sind 19 von 28 Staaten der Europäischen Union an der Gemeinschaftswährung beteiligt. Weitere sieben Länder sind verpflichtet, den Euro einzuführen, sobald die wirtschaftlichen Daten dies erlauben. Für den Handel, aber auch für Sparer bedeutet dies, dass ein auf Euro lautender Vertrag keinerlei Wechselkursrisiken beinhaltet. Umgekehrt gibt es aber auch keine Chance, an Kursschwankungen zu profitieren. Darin liegt der Reiz eines Investments in fremder Währung.

Wer 2011 eine Geldanlage auf Norwegische Kronen gezeichnet hat und das Kapital 2015 in Euro zurückerhielt, hat in dieser Zeit rund 20 % seines Geldes verloren. Das sind im Schnitt 5 % im Jahr. So viel konnte man anderweitig nur verlieren, wenn man risikoreich mit Aktien spekuliert hat. Schlechte Wirtschaftsdaten, insbesondere schwache Investitionen der norwegischen Ölindustrie, haben die Norwegische Krone später aber immer wieder auf Talfahrt gegenüber dem Euro geschickt. Davon haben ausländische Investoren in Norwegen profitiert.

Gegenbeispiel Schweizer Franken

Wie stark sich Währungsschwankungen auswirken können, zeigte die Kursfreigabe des Schweizer Franken Anfang 2015. Die Schweizer Nationalbank gab ihren 2011 eingeführten Mindestkurs von 1,20 CHF für 1,00 EUR am 15. Januar 2015 völlig überraschend auf. Der Kurs veränderte sich innerhalb von Minuten um mehr als 20 %, bis er sich nach einigen Tagen bei 1,05 CHF einpendelte und später sogar wieder etwas anstieg.

Wer also am 14. Januar 2015 für 1.000 EUR eine Anlage über 1.200 CHF getätigt hat, hätte einen Tag später rund 1.250 EUR zurückbekommen, vorausgesetzt, das Geld wäre verfügbar gewesen. Für die Rückzahlung eines Kredits über 1.200 CHF wären aber genauso nicht 1.000, sondern 1.250 EUR fällig geworden. Kursschwankungen kennen immer Gewinner und Verlierer.

Chancen und Risiken abwägen

Hochverzinsliche Anlagen sucht man im Niedrigzins-Umfeld auch in Norwegen vergeblich. Dazu ist die wirtschaftliche Lage des Landes einfach zu gut, oder anders gesagt: das Risiko eines Zahlungsausfalls ist gering. Norwegen ist nicht EU-Mitglied, hat aber eine eigene Einlagensicherung. Eine Geldanlage über Norwegische Kronen ist mit umgerechnet rund 200.000 EUR doppelt so hoch abgesichert wie die Mindestsicherung in der EU. Gegen Währungsverluste schützt die Einlagensicherung allerdings nicht.

Kontakte zu norwegischen Banken lassen sich über Internet-Plattformen problemlos knüpfen. Als Beimischung einer umfassenden Anlagestrategie ist das Land allen zu empfehlen, die an einen vergleichsweise starken Euro glauben. Eine neue Euro-Krise könnte dagegen den Wert anderer Währungen begünstigen. Der Norwegischen Krone wird von Experten durchaus weiteres Aufwertungspotenzial bescheinigt.

NORWEGEN: GELDANLAGE OHNE RISIKO

Die Finanzkrise hat die Geldanlage in Norwegen zu einem der aktuell beliebtesten Investments gemacht. Das nordische Land gehört zu den reichsten Staaten der Welt und verfügt über eine ausgesprochen stabile Währung. Norwegische Kronen sind deshalb eine erste Wahl für Anleger, die den Turbulenzen im Euro-Raum ausweichen wollen. Große Gewinne sind dabei allerdings nicht zu erzielen. Sicherheit ist das, was Norwegen so attraktiv macht. Das Land verfügt über eine vorbildlich geringe Staatsverschuldung, der ein hohes Staatsvermögen gegenübersteht. Die Wirtschaft wächst kontinuierlich, die Arbeitslosigkeit ist gering. Diese komfortable Situation wird von den Rating-Agenturen durchgehend mit der höchsten Bewertung AAA belohnt.

Der hohe Haushaltsüberschuss macht eine Geldanlage in Norwegen so interessant. Diese gute Situation verdankt das Land seinen Öl- und Erdgasvorkommen. Die Einnahmen aus diesen begehrten Ressourcen haben den Staatsfonds auf ein Volumen von mehr als 500 Milliarden Euro wachsen lassen. Aus diesem Grund sind norwegische Staatsanleihen absolut risikolos. Durch die steigende Nachfrage ist die Zinsentwicklung jedoch rückläufig, auch wenn die Rendite noch höher liegt, als bei deutschen Staatspapieren. Für ein konservatives Investment sind sie allerdings ideal. Wer für das Alter Geld sichern will oder langfristige Zinsen in verlässlicher Höhe wünscht, kann in Norwegen unbesorgt viel anlegen. Auch für hohe Beträge, wie 5 Millionen, findet sich eine sichere Anlage.

Hohe Investitionssummen erwünscht

Neben den Staatsanleihen gibt es seit einiger Zeit auch das Angebot, Geld in Festgeldkonten norwegischer Banken anzulegen. Dabei bevorzugen die Geldinstitute kapitalkräftige Investoren, die über hohe Beträge verfügen. Nicht selten werden sechsstellige Einlagen von Ausländern gefordert, die ein Konto im Land eröffnen wollen. Durchschnittsverdiener, deren Ziel es ist regelmäßig kleinere Beträge zu sparen, haben dazu kaum Möglichkeiten, es sei denn, sie arbeiten im Land. Diese strengen Vorgaben sind ein effektives Steuerungselement, das die Währung vor Überbewertung durch zu hohen und unkontrollierten Kapitalzufluss schützt. Doch auch für weniger potente Anleger gibt es Wege, von Norwegens Stabilität zu profitieren. Aktien großer Energieunternehmen, wie Statoil, sind eine echte Empfehlung für langfristige Investitionen, wie etwa für ein Baby. Das einzige Risiko hierbei sind Wechselkursänderungen, die der Anleger vollumfänglich tragen muss.

GELDANLAGE FÜR EINE BESSERE WELT

Nachhaltige Geldanlagen - vor 20 Jahren wusste noch kaum jemand, was das sein soll. Inzwischen hat sich der Begriff am Finanzmarkt etabliert. Gemeint ist damit, dass man als Anleger für seine Entscheidung, wo man investiert, auch ethische Kriterien berücksichtigt. Dass man neben der möglichen Rendite auch überlegt, was mit dem angelegten Geld passiert oder was es bewirkt. Welche Produkte oder Dienstleistungen werden damit finanziert? In wie weit leistet diese Geldanlage nachhaltig einen positiven Beitrag für die zukünftige Entwicklung des Planeten? Es geht also um eine

Wertentscheidung, die über den persönlichen Tellerrand hinausreicht.

Für ethisch orientiertes Anlegen und Sparen findet man auf dem Markt mittlerweile fast alle Angebote, wie sie auch im herkömmlichen Bereich üblich sind. Für eher vorsichtige Sparer stehen Festgeldanlagen, Sparbriefe oder Tagesgeldkonten zur Verfügung. Anleger, die bereit sind mehr Risiko einzugehen, können in grüne Aktien oder Aktienfonds investieren. Nur im Bereich der Finanzspekulation sind nachhaltig orientierte Anlagen kein Thema.

Einige alternative Banken haben sich in diesem Sektor inzwischen fest etabliert. Sie bieten Sparprodukte zu ähnlichen Konditionen wie andere Kreditinstitute und vermitteln nachhaltig ausgerichtete Investmentfonds oder Aktien. Die Kundeneinlagen werden ausschließlich zur Finanzierung ökologischer oder sozialer Projekte eingesetzt. Dabei bieten sie ein Höchstmaß an Transparenz. Bei mancher Bank kann man sogar selbst entscheiden, in welchen Bereich das Geld fließen soll. Bilanziert wird auch, was das angelegte Kapital bewirkt, z. B. wie viele Tonnen CO_2 durch ökologische Investitionen innerhalb eines Jahres eingespart werden. Nachdem das grün-alternative Milieu wohlhabend geworden ist, haben auch konventionelle Banken entdeckt, dass sich mit Nachhaltigkeit Geld verdienen lässt. Seit einigen Jahren werden auch von Sparkassen und Volksbanken, meist zeitlich befristet, Klima- oder Ökosparbriefe angeboten.

Schöne alternative Fondswelt

Nachhaltig ausgerichtete Investmentfonds gibt es in verschiedenen Anlageklassen. Sie sind meist auch für einen Sparplan geeignet. Dabei machen Aktienfonds den weitaus größten Anteil am Gesamtvolumen aus. Einige davon und sind sehr breit und international aufgestellt. Für die Auswahl werden keine so strenge ethische Kriterien angelegt, dadurch können sie die Risiken breiter verteilen. Andere hingegen spezialisieren sich stark auf bestimmte Regionen und Themen wie z. B. Solarenergie, Wasser oder Recycling. Das macht sie anfälliger für konjunkturelle Trends innerhalb ihrer jeweiligen Branche.

Bei Rentenfonds erfolgt die nachhaltige Ausrichtung in erster Linie über Ausschlusskriterien. Von Staaten, in denen Minderheiten diskriminiert werden, oder Großunternehmen, die Kinderarbeit dulden, werden keine Anleihen erworben. Daneben spielen noch Mischfonds eine wichtige Rolle am Gesamtmarkt. Die meisten Fonds werden aktiv gemanagt und haben einen vergleichsweise hohen Kostenfaktor. Darin spiegelt sich der Aufwand wieder, der nötig ist, um zu gewährleisten, dass die Geldanlage nachhaltig ist. Seit ein paar Jahren haben sich aber auch kostengünstige Indexfonds auf diesem Markt etabliert. Sie verzichten auf ein aktives Management und orientieren sich stattdessen an bestimmten Indizes wie etwa dem Natur-Aktien-Index.

Vorsicht bei Direktbeteiligungen

Bei der Kapitalanlage in Ökofonds sind die Risiken relativ überschaubar. Dahingegen ist die direkte Beteiligung an grünen Unternehmen, wie etwa Wind- und Solarparks, eher eine Sache für vermögende Anleger, die ein höheres Risiko eingehen können. Die meisten Firmen in diesem Bereich sind relativ klein, häufig nicht an der Börse notiert und oft nur dünn mit Eigenkapital ausgestattet. Wer sich daran direkt beteiligt, bindet sein Kapital für lange Zeit und trägt das volle unternehmerische Risiko mit. Genau hinzusehen ist auf jeden Fall angebracht und die in Aussicht gestellten Renditen sind mit großer Vorsicht zu genießen.

Im Allgemeinen erreicht man mit einer Geldanlage, die nachhaltig ausgerichtet ist, zwar selten Spitzenrenditen, den

Vergleich mit herkömmlichen Finanzprodukten braucht man aber nicht zu scheuen.

GELDANLAGEN FÜR SCHUTZBEFOHLENE

Mündelsichere Geldanlagen stehen für Anlageformen, die gemeinhin als besonders sicher und wertstabil gelten. Vermögen von Personen, die unter Vormundschaft, Betreuung oder Pflegschaft stehen und daher in ihrer Handlungs- und Geschäftsfähigkeit eingeschränkt sind, sollen damit möglichst vor Verlusten geschützt werden. Dazu dienen die Vorschriften über mündelsichere Geldanlagen.

Entsprechende Regelungen zur Mündelsicherheit finden sich im Bürgerlichen Gesetzbuch (BGB) im Zusammenhang mit den Bestimmungen über die Vormundschaft (§§ 1773 ff. BGB). Über § 1908i BGB ist die Anwendung analog für die Betreuung und über § 1915 BGB für die Pflegschaft geregelt. Konkrete Vorgaben über die mündelsichere Geldanlage enthalten die §§ 1805 ff. BGB. Sie erstrecken sich auf den Teil des jeweiligen Vermögens, der nicht zur Bestreitung des laufenden Lebensunterhaltes benötigt wird.

Mündelsichere Geldanlagen - definierter Anlagekatalog

Mündelgelder sind grundsätzlich verzinslich anzulegen (§ 1805 BGB). Damit scheiden de facto alle Formen der Geldanlage, bei denen keine Zinsen als Erträge anfallen, aus. Dazu gehören insbesondere Aktien, im Regelfall auch Investmentfonds - auf jeden Fall jegliche Form von Derivaten. § 1807 BGB enthält einen Katalog von Anlageformen, welche explizit als mündelsicher anerkannt sind. Konkret handelt es sich dabei um

- inländische Forderungen, die grundpfandrechtlich (Hypothek, Grundschuld, Rentenschuld) abgesichert sind,

- Bundes- und Landesanleihen sowie Bundesschatzbriefe,
- sonstige verzinsliche Anleihen, die durch den Bund oder die Länder garantiert werden,
- Pfandbriefe einer Pfandbriefbank,
- verzinsliche Einlagen bei Sparkassen und Banken, die eine entsprechende Eignung besitzen.

Schutz vor Ausfällen als oberstes Prinzip

Mündelsicherheit bedeutet insbesondere, dass die Geldanlage weitestgehend vor Ausfällen durch den Gläubiger geschützt sein muss. Dies wird bei Anlagen, hinter denen der deutsche Staat steht, grundsätzlich als gegeben angesehen. Bei Sparkassen und Banken wird die Sicherheit vor Ausfallrisiken durch die Zugehörigkeit zur gesetzlichen Einlagensicherung hergestellt. Deutsche bzw. in Deutschland niedergelassene Institute sind darüber hinaus noch eigenen Einlagensicherungssystemen angeschlossen, die einen erweiterten Schutz bieten. In diesem Sinn gelten Sparkassen- und Bankeinlagen ebenfalls als mündelsicher. Typischerweise handelt es sich dabei um Einlagen auf Sparkonten und Tagesgeldkonten sowie um Sparbriefe und Termineinlagen.

Da die genannten Anlageformen vor allem auf Sicherheit ausgerichtet sind, halten sich die Renditeperspektiven üblicherweise in engen Grenzen. Dies gilt bereits in ""normalen"" Zinszeiten, insbesondere aber in der derzeitigen Niedrigzinsphase. Herkömmliches Sparen bietet kaum noch Zinserträge. Bei kurz- und mittlelfristigen Bundesanleihen ist die Rendite aktuell sogar negativ, so dass es effektiv bei einer mündelsicheren Anlage sogar zum Vermögensverlust kommt, selbst wenn das Ausfallrisiko praktisch ausgeschlossen ist.

Um Vormündern, Beteuern und Pflegern mehr Flexibilität im Hinblick auf mündelsichere Geldanlagen zu geben, hat der Gesetzgeber seit jeher Ausnahmen von dem Anlagenkatalog in § 1807 BGB zugelassen. Nach § 1811 BGB kann eine andere Geldanlage gestattet werden, sofern die Strategie nicht den ""Grundsätzen einer wirtschaftlichen Vermögensverwaltung"" zuwiderläuft. Dazu ist eine explizite Genehmigung durch das zuständige Gericht erforderlich.

In der Vergangenheit wurden in diesem Zusammenhang mehrfach Fondsanlagen - u.a. in Aktienfonds - als Mündelgelder zugelassen. Die entsprechenden Fondsanbieter und Finanzvertriebe vermarkten diese Produkte gerne als ""mündelsicher"", obwohl hier deutlich erhöhte Risiken bestehen. Einzelne genehmigte Fonds erzielten zum Beispiel in der Finanzkrise zweistellige Kursverluste. Nicht jede als mündelsicher deklarierte Geldanlage ist daher auch zwangsläufig sicher.

WERTVERLUSTE MITTELFRISTIG VERMEIDEN

Eine Geldanlage wird als mittelfristig bezeichnet, wenn der Anlagehorizont rund drei bis fünf Jahre umfasst. Sparer suchen häufig nach Anlagemöglichkeiten für diesen Zeitraum, wenn es um die Finanzierung von Konsumausgaben wie ein neues Auto oder eine neue Küche geht. Das Problem: eine mittelfristige Geldanlage ist entweder wenig rentabel oder unsicher.

Wertschwankungen gleichen sich über lange Zeiträume aus

Wenn es ums Geldanlegen geht, werden in der Beratung bei der Bank häufig Aktienfonds als beste Anlage empfohlen. Ein Blick in die Vergangenheit scheint das zu bestätigen. Von 1970 bis 2015 hat der weltweite Aktienindex, berechnet auf Euro-Basis, im Durchschnitt jährlich fast 7 % zugelegt. Selbst wenn man Gebühren für Fondsgesellschaft und Depot abzieht, bleibt das eine Top-Performance. Allerdings weiß niemand, ob das auch so weitergeht. Und ein Durchschnitt von 7 % heißt nicht, dass die Kurse stetig gestiegen sind. Von 2000 bis 2003 gab es einen Einbruch von mehr als 50 %, und es dauerte fast 14 Jahre, bis der Verlust wieder eingeholt wurde.

Das Beispiel macht deutlich: wer seine Geldanlage mittelfristig unbedingt zurück braucht, ist mit Aktien oder Fonds falsch aufgestellt. Sie sind nur interessant, wenn man Zeit hat, die Wertschwankungen auszusitzen und auf bessere Zeiten zu warten. Für einen Anlagehorizont von drei bis fünf Jahren kommt damit eigentlich nur Festgeld in Frage.

Festgeld auch im Ausland möglich

Eine Festgeld-Anlage zählt zu den konservativen, also sicherheitsorientierten Anlagen. Sie ersetzt heute das gute alte Sparbuch. Festgeld-Konten funktionieren im Prinzip wie die bekannten Tagesgelder, mit dem Unterschied, dass das Geld nicht täglich verfügbar, sondern für eine definierte Zeit fest angelegt ist. Üblich sind Laufzeiten zwischen 12 und 36 Monaten. Je nach Vertrag kommt man in dieser Zeit entweder gar nicht an sein Geld, oder man verliert die Zinsen.

Festgeld ist über die gesetzliche Einlagensicherung in Europa mit 100.000 EUR pro Kunde abgesichert. Freiwillige Sicherungssysteme der Bankenverbände ergänzen dieses System nach oben, je nach Eigenkapital der Bank bis auf mehrere Millionen Euro. Wertschwankungen gibt es keine, und die Einlage ist als sicher zu bezeichnen, wenn man dem Finanzsystem insgesamt vertraut. Im Rahmen der Dienstleistungsfreiheit und über entsprechende Plattformen im Internet sind deutschen Sparern auch Angebote ausländischer Banken zugänglich. Soweit es EU-Ausland ist, gilt die Sicherung bis 100.000 EUR auch dort. Handelt es sich um ein stabiles Land, ist das Risiko einer Geldanlage mittelfristig überschaubar. Ob eine staatliche Sicherung im Krisenfall tatsächlich funktioniert und wie ausländische Geldanleger dann gestellt sind, lässt sich aber nicht voraussagen. Jeder muss nach seiner persönlichen Risikobereitschaft entscheiden, ob Zinsunterschiede das zusätzliche Risiko wert sind. Je nach Anlagebetrag bedeutet selbst eine große Differenz der Zinssätze in absoluten Zahlen gerade einmal zehn Euro im Monat.

LUKRATIVER GELD ANLEGEN IN LUXEMBURG

Im Gegensatz zu Deutschland ist eine Geldanlage in Luxemburg vor willkürlichen Kontoabfragen durch das Finanzamt geschützt. In dem Großherzogtum ist, ähnlich wie in Österreich und der Schweiz, das Bankgeheimnis deutlich strenger als hierzulande. Jedoch ist dies kein Freibrief, denn bei Verdacht auf Steuerbetrug, arbeitet Luxemburg über individuelle Amtshilfeverfahren mit den deutschen Steuerfahndern zusammen. Deutsche Anleger sind also gut beraten, ihre ausländischen Zinseinnahmen in der Steuererklärung ordnungsgemäß anzugeben.

Modell Versicherungsmantel

Eine steuerlich günstige Geldanlage in Luxemburg für vermögende Anleger ist die Möglichkeit, in einen Versicherungsmantel einzuzahlen, insbesondere einer Lebensversicherung. Hierbei handelt es sich um eine Geldanlage mit der rechtlichen Struktur einer Lebensversicherung bei gleichzeitiger Möglichkeit, Steuern zu sparen, insbesondere die deutsche Abgeltungssteuer. Zusätzlich ist es möglich, alle Kosten und Gebühren steuermindernd geltend zu machen. Zudem sinkt der Verwaltungsaufwand hinsichtlich Zins- oder Dividendenbescheinigungen, da keine Steuerpflicht während der Laufzeit der Versicherung besteht. Voraussetzung für diese Anlageform ist ein Vermögensverwalter, der das

Portfolio aktiv managt und über eine Berechtigung zum Abschluss von Versicherungsverträgen verfügt. Für die Ausgestaltung der Anlageform gibt es keine Beschränkungen. So kommen Aktien, Fonds, Immobilien oder Renten in Frage, selbst ein Wechsel der Anlagestrategie hat steuerlich keine negativen Folgen. Besteuert werden müssen die Erträge in Deutschland erst am Ende der Laufzeit. Die Anlage in einen derartigen Versicherungsmantel ist in Luxemburg ab ca. einer Million Euro möglich, die Verwaltungsgebühren belaufen sich durchschnittlich auf 1,5 bis 2 Prozent des Depotwerts.

Nicht nur für Reiche

Doch auch weniger betuchte Anleger dürfen ihr Geld anlegen in Luxemburg. Innerhalb der EU besteht freier Kapitalverkehr. Bei Wohnsitz in Deutschland müssen alle Erträge in Deutschland voll versteuert werden. Der Zwergstaat hat ca. 150 Banken, von denen viele wie Vollbanken auf dem inländischen wie ausländischen Markt handeln können. So gibt es zahlreiche Möglichkeiten mit starken Renditen für Privatinvestoren, die in Aktien oder sonstigen Anlagen investieren, Geld anlegen für ihre Kinder, oder einfach mit einem Festgeldkonto sparen möchten. Für Sicherheit ist gesorgt, denn für europäische Mitgliedsstaaten und somit auch Luxemburg gilt eine verbindliche Einlagensicherung bis 100.000 Euro.

SINNVOLLE GELDANLAGEN FÜR DIE KINDER

Egal ob der Führerschein, ein Aufenthalt im Ausland oder Zuschuss zum Studium: Viele Eltern entscheiden sich schon früh für eine Sparanlage für die Kinder oder Enkel. Dabei wird in der Regel auf kleine Beiträge bei langer Laufzeit gesetzt. Auch die Geldgeschenke zur Geburt, Geburtstagen oder Weihnachten werden oft gespart. Die Anlagemöglichkeiten für Kinder sind aber nicht nur auf das klassische Sparbuch beschränkt, je nach finanziellen Möglichkeiten kann auch anders ein Fundament für die Zukunft geschaffen werden.

Ein klassischer Banksparplan ist die beliebteste Anlage für Kinder. In regelmäßigen Abständen wird ein vorher festgelegter Betrag eingezahlt. Die Laufzeit wird oft im Voraus bestimmt, und je länger diese ist, desto höher ist der Zinssatz. Die anfallenden Zinsen werden außerdem nicht ausgezahlt, sondern immer weiter verzinst, wobei ein attraktiver Zinseszinseffekt entsteht. Banksparpläne gibt es in zwei Varianten, entweder mit fixem oder variablem Zins. Bei der ersten Variante wird der Zins für die gesamte Länge der Laufzeit festgelegt. Hier sollte man nur einen Vertrag abschließen, wenn sich der Markt gerade in einer Hochzinsphase befindet. Die meisten Menschen achten darauf aber weniger und Sparpläne für Kinder richten sich zu oft nach Daten wie dem Geburtstag, der Geburt oder Weihnachten. Der Einstiegspunkt sollte sorgfältiger gewählt werden, denn auch wenn der Markt im Laufe der Vertragszeit umschwenkt, wird aufgrund der langen Laufzeit von Sparplänen nicht von den hohen Zinsen profitiert. Bei einem Banksparplan mit variablem Zins wird dieser in der Regel zweimal im Jahr je nach Marktlage angepasst. Dadurch entgehen dem Anleger keine Phasen mit höheren Zinsen, er muss aber Zeiträume mit niedriger Verzinsung in Kauf nehmen. Der Zinssatz für den flexiblen Banksparplan orientiert sich stark an öffentlichen Referenzzinssätzen wie zum Beispiel dem EZB Leitzins. Nur mit einem flexiblen Banksparplan kann man davon profitieren. Generell gelten Banksparpläne als ein sehr sicheres Mittel, um ein kleines Vermögen für den Nachwuchs oder die Enkel anzusparen. Sie lassen sich allerdings nicht vorzeitig auflösen. Sollte der Anleger in der Laufzeit irgendwann nicht mehr in der Lage sein, die Raten zu zahlen, zum Beispiel durch Arbeitslosigkeit, Insolvenz oder Krankheit, lassen sich die Pläne aber bei fast allen Banken beitragsfrei stellen. Man verliert kein Geld, muss aber das bisher Angesparte bis zum Ende der Laufzeit angelegt lassen.

Ein Klassiker unter der Geldanlage für die Kinder ist der
Sparbrief. Anstatt jeden Monat einen kleinen Betrag zu
sparen, wird beim Sparbrief eine größere Summe über einen
bestimmten Zeitraum angelegt. Die Laufzeit beträgt meist 1 -
10 Jahre. Die Verzinsung ist für die gesamte Laufzeit
festgelegt, damit ist man als Anleger zwar vor
Niedrigzinsphasen geschützt, die Geldanlagen profitieren aber
auch nicht von eventuell steigenden Zinsen. Generell
unterscheidet man bei Sparbriefen drei Formen. Der 'normale'
Sparbrief zeichnet sich durch eine jährliche Auszahlung der
Zinsen aus. So hat das Patenkind oder der Enkel einmal
jährlich eine kleine Summe zur Verfügung, ohne dass die
eigentliche Sparsumme angegriffen wird. Außerdem lernt das
Kind so mit dem Sparbrief umzugehen. Ein Sparplan, der in
ferner Zukunft irgendwann einmal ausgezahlt wird, ist für
viele Kinder nicht greifbar. Nachteil dieser Form des regulären
Sparbriefs ist, dass man nicht von einem Zinseszinseffekt
profitieren kann. Bei beiden anderen Varianten werden die
angefallenen Zinsen am Ende des Jahres zur Sparsumme
zugefügt und weiterverzinst. Diese sogenannten aufgezinsten
bzw. abgezinsten Sparpläne sind wirtschaftlich also eine
bessere Anlage. Der aufgezinste Sparbrief zahlt dabei die
angefallenen Zinsen und Zinseszinsen nach Ablauf der
Laufzeit zusätzlich zum ursprünglichen Einlagebetrag. Der
abgezinste Sparbrief rechnet schon bei Abschluss mit dem
Zinsertrag und der Anleger legt von vorneherein weniger an,
um dann einen geplanten Betrag herauszubekommen.
Sinnvoll Geld anlegen für Kinder lässt es sich mit einem
Sparbrief schon ab 500 Euro.

Geld anlegen für Kinder im Fondssparplan

Wer etwas risikobereiter ist, der kann sein Geld in einen
Fondssparplan anlegen. Die Familie der Fonds ist groß und
oft unübersichtlich. Wer aber sowieso etwas Börsenwissen
besitzt, kann hier viel Rendite einfahren. Generell sind Fonds

gebündelte Wertpapiere. Diese Wertpapiere sind
üblicherweise Aktien, Renten oder Immobilienpapiere.
Papiere innerhalb eines Fonds lassen sich immer wieder
umschichten, kaufen oder abstoßen. Dadurch sind sie
flexibel, aber auch arbeitsintensiv für den Fondsmanager -
und umso mehr dieser arbeitet, desto mehr kostet er auch.
Index-Fonds sind eine Option ohne außenstehenden
Manager, dessen Kosten man damit einsparen würde. Anders
als bei klassischen Sparplänen, kann man mit Fonds auch
Geld verlieren. Eine Tatsache, die man sich als Anleger vorher
bewusst machen sollte. Geld anlegen für Kinder im
Fondssparplan verspricht zwar eine gute Rendite, ist aber
risikoreich, besonders wenn man sein Geld schnell vermehren
möchte. Kurze Laufzeiten können eventuelle
Abwärtsbewegungen nicht aussitzen. Deshalb sollte man den
Fonds und das zugehörige Portfolio so wählen, dass es zum
angestrebten Zeithorizont der Anlage passt. Da ein Fonds zu
dem Sondervermögen der Banken gehört, sind sie übrigens
im Falle einer Insolvenz abgesichert, Aktien oder andere
Wertpapiere sind das nicht.

Flexible Geldanlage - Das Tagesgeldkonto

Viele Eltern möchten gerne etwas Geld für den Nachwuchs
anlegen, haben aber selbst nicht viel finanziellen Spielraum.
Auf einem Tagesgeldkonto lassen sich problemlos auch
kleinere Beträge ansparen, die in unregelmäßigen Abständen
hereinkommen. Dabei bringen sie in der Regel mehr Rendite
als das klassische Sparbuch. Die Zinssätze variieren stark von
Bank zu Bank, generell bieten Online-Banken bessere Zinsen
fürs Tagesgeld, da sie die Kosten für viele Mitarbeiter und
Filialen nicht an den Kunden weitergeben müssen. Der
Zinssatz wird von den Banken meist zweimal im Jahr
angepasst. Das Tagesgeldkonto punktet mit hoher Flexibilität.
Man kann jederzeit über das Geld verfügen, bei Notfällen
oder Engpässen hat das Kind das Geld sofort zur Verfügung.
Die Kosten für ein Tagesgeldkonto sind vergleichsweise
niedrig, online verwaltete Konten sind oft kostenfrei.

Beim Geld anlegen für Kinder sollte man auf die Bedürfnisse der Kinder Rücksicht nehmen und auch die eigenen finanziellen Möglichkeiten nicht außer Acht lassen. Möchte man für den Führerschein sparen, etwas mehr Geld für Weihnachten zur Verfügung stellen oder bevorzugt man wirklich gewinnbringende Geldanlagen? Je nach Wunsch sollte man die Anlageform und Laufzeit mit Bedacht wählen. Man sollte die Anlage übrigens gleich auf den Namen des Kindes laufen lassen. Sollte dem Anleger etwas passieren oder ein Pflegefall eintreten, ist das Kapital nicht sicher, wenn es auf den eigenen Namen läuft. Die Kapitalanlage würde dann, zum Beispiel bei Eintreten eines Todesfalls in die Erbmasse eingehen oder von einem Pflegeheim beansprucht werden.

GELD IN WALD INVESTIEREN: AUF DEM HOLZWEG?

Geld in Holz zu investieren, lockt immer mehr Privatanleger. Anzeigen versprechen Renditen von 12 oder sogar 18 % bei geringen Risiken. Zudem wird an das grüne Gewissen der Anleger appelliert, die in einen nachwachsenden Rohstoff nachhaltig investieren möchten. Welche realistischen Möglichkeiten gibt es, um mit steigenden Holzpreisen eine hohe Rendite zu erzielen?

Geldanlage in geschlossenen Fonds erfordert Risikobereitschaft

Die am meisten beworbenen Möglichkeiten, Geld in Holz zu investieren, sind geschlossene Fonds. Die Kapitalanlagegesellschaft sucht für eine begrenzte Zeit Anleger, die Anteile an einem bestimmten Projekt zeichnen wollen. Dabei gelten in der Regel hohe Mindestbeteiligungen von zum Beispiel 10.000 EUR. Ist der Fonds komplett gezeichnet, wird er geschlossen. Bäume wachsen langsam. Holzfonds sind deshalb auf eine Laufzeit von 20 Jahren oder mehr angelegt. Durch vereinzelte Baumentnahmen werden zwar geringe Erträge erwirtschaftet, aber der Anleger braucht einen langen Atem.

Aus diesen Rahmenbedingungen wird schnell klar: geschlossene Holzfonds sind für viele Sparer ungeeignet. Wer Geld hier anlegen möchte, benötigt ein großes Startkapital, das aber wegen des hohen unternehmerischen Risikos keinen Großteil des Vermögens ausmachen darf. Außerdem sollte die Konstruktion zur Lebens- und Finanzsituation passen, also zum Beispiel indem Verluste während der Wachstumsphase der Bäume steuerlich geltend gemacht werden können, steuerpflichtige Erträge aber erst im Rentenalter bei niedrigeren Steuersätzen anfallen. Zudem sind Fachkenntnisse erforderlich, um das richtige Investment auszuwählen. Eine Monokultur kann kurzfristig von der Nachfrage nach einer bestimmten Holzsorte profitieren, ist aber abhängig von einem einzelnen Markt und zudem anfälliger für Krankheiten und Schädlinge. Ein Mischwald ist vielleicht nicht so ertragreich, die Anlage aber insgesamt solide und vor allem auch ökologisch vorteilhaft.

Holzaktien und offene Fonds als Alternativen

Grundsätzlich ist eine Anlage überschaubarer Beträge in Holz keine schlechte Idee. Einerseits ist Holz ein Sachwert, der nicht so schnell vollkommen wertlos wird. Das gilt insbesondere, wenn die Kapitalanleger Eigentümer der Böden sind und dies durch einen Grundbucheintrag gesichert ist. Land wird tendenziell teurer, und zusätzlich profitiert der Anleger aller Voraussicht nach von steigenden Holzpreisen. Ein Inflationsschutz ist gewissermaßen eingebaut, da Inflation auch den Holzpreis steigen lässt. Weil der Handel vielfach in US-Dollar oder Euro abgewickelt wird, ist das Währungsrisiko überschaubar.

Man muss sich aber nicht unbedingt an geschlossenen Fonds beteiligen, um Geld in Holz zu investieren. Für Kleinanleger, die regelmäßig sparen möchten, gibt es Holzfonds, die Einzelaktien verschiedener Unternehmen aus der Holzwirtschaft zusammenfassen und damit für eine gewisse Stabilität der Anlage sorgen. Alternativ zu diesen gemanagten Fonds gibt es kostengünstige Indexfonds, die zum Beispiel den NCREIF nachbilden. Wie alle stark spezialisierten Indizes gehören Indexfonds im Bereich Holz in den Bereich der spekulativen Anlagen. Sie eignen sich nicht für wesentliche Vermögensteile, die für die Altersvorsorge dringend erhalten werden müssen. Aber auch wenn phasenweise der Wurm drin ist, sind Sie mit einem grünen Investment langfristig vermutlich nicht auf dem Holzweg.

INVESTIEREN IN SICHERE GELDANLAGE

Um es gleich vorweg zu nehmen: sicher Geld anlegen mit hoher Rendite funktioniert nur in der Werbung und im Märchenbuch. Die Verzinsung einer Anlage ist ein Maß für das Risiko, das der Anleger einzugehen bereit ist. Die Konditionen sind entsprechend gestaltet. Jede Anlageentscheidung ist damit ein Abwägen zwischen Sicherheit und Rendite.

Langfristig für das Alter sparen

Glücklich darf sich schätzen, wer noch eine alte Lebens- oder Rentenversicherung mit konventioneller Kapitalanlage hat. Der bei Vertragsabschluss geltende Höchstrechnungszins, der sogenannte Garantiezins, bleibt für die gesamte Laufzeit erhalten. Solche Verträge darf man keinesfalls kündigen, denn vergleichbare Zinsen gibt es heute nirgends. Zudem bietet die Versicherung die Absicherung biometrischer Risiken, also des vorzeitigen Todes in der Lebensversicherung und des langen Lebens in der Rentenversicherung. Das kann kein Bankprodukt leisten.

Der Staat fördert Produkte zum Aufbau eines Altersvermögens durch Steuervorteile und direkte Zuschüsse. Hier kommen für Arbeitnehmer die betriebliche Altersvorsorge oder die Riester-Rentenversicherung als optimale Anlagen in Betracht. Mit beiden Vorsorgeformen kann man sicher Geld anlegen mit hoher Rendite, wenn man sie nach Steuern und Zuschüssen betrachtet. Da die Beiträge aus unversteuertem Einkommen entnommen werden, spart der Arbeitnehmer Steuern und gegebenenfalls auch Sozialversicherungsbeiträge, wenn sein Einkommen unterhalb der Beitragsbemessungsgrenze liegt. Das Prinzip der nachgelagerten Besteuerung verlangt zwar, dass die spätere Rente versteuert wird, aber dann ist das Einkommen in aller Regel niedriger und der Steuersatz damit geringer.

Garantien kosten Rendite

Die Sicherheit einer Versicherung lässt sich bequem mit den Renditechancen der Börse kombinieren. Investieren Sie den Beitragsanteil der Versicherung, der dem Vermögensaufbau dient, in Fonds Ihrer Wahl. Es gibt verschiedene Arten von Fonds, die Sie hierfür einsetzen dürfen. Die Liste der zulässigen Fonds hält Ihr Versicherer bereit. Alle Fonds werden verschiedenen Risikoklassen zugeordnet. Renten- und Geldmarktfonds haben ein geringes Risiko, bringen aber auch nicht mehr Ertrag als ein Sparbuch. Aktienfonds bedeuten mehr Risiko, vor allem dann, wenn Sie sich für eine bestimmte Branche oder eine einzelne Region entscheiden. Stabiler ist die Entwicklung von Indexfonds, die sich zum Beispiel auf Europa oder die ganze Welt beziehen.

Eine interessante Variante sind Garantiefonds. Sie garantieren entweder den Kapitalerhalt, was der Gesetzgeber zumindest bei der Riester-Rente ohnehin vorschreibt, oder geben sogar eine Höchststandsgarantie auf einmal erreichte Werte. Die letztgenannte Version klingt zwar auch wie aus dem eingangs erwähnten Märchenbuch, aber es gibt sie tatsächlich. Der Investor profitiert dabei von steigenden Börsenkursen, die die Garantie nach oben treiben, aber auch von fallenden Kursen, denn dann kauft er neue Anteile, für die die Garantie ebenfalls gilt, billig ein. Langweilig sind nur gleichbleibende

Kurse. Zwei Haken hat die Sache: erstens müssen nach der Strategie des Garantiefonds einmal erreichte Stände abgesichert werden. Der Fonds schichtet also in eine sichere, aber weniger rentable Geldanlage um. Zweitens muss man dem Garantiegeber, zum Beispiel einer Bank, vertrauen. Fällt dieser aus, ist die Garantie nichts wert.

INVESTIEREN IN RENTABLE UND SICHERE GELDANLAGEN

Risikoaverse Sparer möchten in der Regel ihr Geld gut und sicher anlegen. Dabei ist vielen nicht klar, dass sie für ein hohes Maß an Sicherheit Einbußen bei der Rentabilität hinnehmen müssen. Es gehört zu den Grundregeln der Geldanlage, dass zwischen Sicherheit und Rendite stets ein Trade off besteht. Dieser führt dazu, dass es eine hohe Verzinsung des eingesetzten Kapitals nur gegen die Inkaufnahme einer erhöhten Verlustgefahr gibt. Aus diesem Grund müssen sicherheitsorientierte Anleger eher unterdurchschnittliche Renditen hinnehmen, um ihre Anlageziele zu erreichen. Die bewusste Entscheidung für risikoarme Investments ist jedoch in vielen Fällen sehr sinnvoll, insbesondere wenn es um die Altersvorsorge oder andere wichtige Sparziele geht.

Wer als risikoscheuer Sparer sein Geld gut und sicher anlegen möchte, sollte sich vor der konkreten Entscheidung für bestimmte Geldanlagen über die eigenen Anlageziele bewusst werden. Da die Sicherheit einer Anlage stets mit niedrigen Zinsen korreliert ist, ergibt sich oft die Notwendigkeit, höhere Beträge zurück zu legen, um die Sparziele zu erreichen. Je niedriger der Zinssatz ausfällt, desto geringer ist die Auswirkung des Zinseszinseffekts. In Niedrigzinsphasen kann es sogar vorkommen, dass sicherheitsorientierte Anleger reale Verluste in Kauf nehmen müssen, weil der Sparzins unter der Inflationsrate liegt. In dieser Situation können nur zusätzlich Sparbeträge diesen negativen Effekt kompensieren.

Sparer, die Geld gut und sicher anlegen möchten, sollte insbesondere auf den Anbieter von Investments achten. Nur wenn dieser entweder selbst eine beste Bonitätseinstufung aufweist, oder aber Einlagen durch Garantien zuverlässiger Organisationen geschützt sind, ist das Vermögen dort tatsächlich sicher. Diese Anforderungen treffen auf Spareinlagen bei deutschen Banken und Sparkassen in vollem Umfang zu. Sie sind durch den Einlagensicherungsfonds des Bundesverbandes Deutscher Banken oder den Schutzmechanismus des deutschen Sparkassenverbandes abgesichert. Zwar existieren für Banken aus dem Ausland zum Teil ähnliche Schutzsysteme, doch im Schadensfall ist es meist aufwändig und kompliziert, die Spareinlagen zurückzuerhalten.

Auch der Kauf von deutschen Staatsanleihen und anderen Wertpapieren des Bundes stellt eine gute Anlagealternative für sicherheitsorientierte Sparer dar. Diese Einlagen gelten als absolut sicher. Auch vorsichtige Anleger können einen Teil ihres Vermögens in etwas riskanteren Sparformen erfolgreich investieren, wenn sie dabei den Grundsatz der Risikostreuung beachten. Sie sollten eine Strategie entwickeln, die auf viele verschiedene Anlagen setzt. So wird die negative Performance eines Investments durch die positive von anderen Anlagen kompensiert. Wer auf diese Weise sein Vermögen optimal anlegen möchte, benötigt jedoch ein ausreichendes Fachwissen über den Kapitalmarkt und verschiedene Anlageoptionen. Darüber hinaus ist es unbedingt erforderlich, permanent die Entwicklung aller Investments zu beobachten, um bei Fehlentwicklungen schnell reagieren zu können.

GÜNSTIG ANLEGEN UND DAS RISIKO STREUEN

Jeder Anleger versucht, durch eine günstige Geldanlage möglichst gute Renditen für sein eingesetztes Kapital zu erreichen. Doch wie kann man Investments finden, die nicht nur ertragreich sondern auch sicher sind? Natürlich müssen bei günstigen Geldanlagen die Zinsen möglichst hoch sein. Doch eine hohe Verzinsung für das angelegte Vermögen gibt es meist nur dort, wo auch bestimmte Risiken akzeptiert werden müssen. Dabei sollte eine günstige Geldanlage wenigstens ein Maß an Sicherheit bieten.

Rendite und Verfügbarkeit

Sicher und gut sind Sparbriefe, Tagesgeld und Festgeld. Anleger sollten, bevor sie ihr Vermögen anlegen, das zur Verfügung stehende Geld teilen. Etwa drei Monatsgehälter netto sollten dann in Tagesgeld angelegt werden. Sie bieten dem Sparer neben akzeptablen Zinsen die Möglichkeit, sein Erspartes schnell wieder flüssig machen zu können. Ein weiterer Teil kann in Festgeld investiert werden. In der Vergangenheit lagen die Erträge guter Festgeldangebote über der Inflationsrate. Gut sind dabei Laufzeiten zwischen 12 und 36 Monaten. Im Gegensatz zu Tagesgeld, bei dem der Zinssatz praktisch jeden Tag geändert werden kann, ändert sich der Zinssatz bei Festgeld nicht. Deshalb kommen Anleger aber auch nicht vor dem Ende der Laufzeit aus ihrem Investment heraus. Deshalb heißt Festgeld auch Termingeld.

Auch ein Banksparplan ist eine interessante Möglichkeit für eine günstige Geldanlage. Für den Sparplan spricht, dass der Anleger jeden Monat einen Betrag einzahlen muss und auch beim Sparen mit wenig Geld längerfristig sein Vermögen aufbaut. Wer sich für einen Sparplan interessiert und überlegt, bei welcher Banker anlegen will, sollte sich bundesweit Angebote ansehen und dann den Plan mit der besten Rendite wählen. Attraktive Offerten kommen zunehmend von Direktbanken. Auch kleinere Institute, die regional agieren, bieten bei Sparplänen günstige Geldanlagen. Das Internet verschafft dem Anleger einen guten Überblick. Es gibt Sparpläne, die monatlich Mindestraten verlangen. Bei anderen Sparofferten kann der

Anleger selbst wählen. Die maximale Laufzeit von Sparplänen betragen in der Regel zehn Jahre.

Mehr Rendite mit Fonds

Ein Gesichtspunkt einer günstigen Geldanlage ist eine breite Streuung des eingesetzten Geldes. Je nach Erfahrung und Risikoneigung können deshalb auch Investmentfonds zum geeigneten Teil einer Geldanlage gehören. Allerdings muss es sich dabei um ein längerfristiges Investment handeln. Gegenüber Einzelaktien haben Fonds den Vorteil, dass bereits mit kleinen Beträgen die breite Streuung möglich wird. Sinkt der Kurs eines Unternehmens, kompensieren Kursgewinne bei anderen Aktien das. In letzter Zeit sind vor allem Exchange Traded Funds (ETFs) günstige Alternativen. Ein ETF kopiert die Zusammensetzung eines einzelnen Index, wie etwa den DAX (Deutscher Aktienindex). Das reduziert die Kosten, denn die Verwaltungsgebühren liegen deutlich niedriger als die klassischer Fonds. Ein Fonds mit geringen Kosten muss weniger Gewinn erbringen, damit der Anleger auf positive Rendite kommt.

Risiken breit streuen

Breit streuen heißt nicht nur, auf unterschiedliche Anlageklassen sondern auch auf abgestufte Laufzeiten zu setzen. Mit Blick auf die Vergangenheit bringen börsennotierte Papiere dabei immer mehr ein als Spareinlagen. Allerdings muss man in der Lage sein, Börsentiefs auch über extrem lange Zeiten auszusitzen. Wer in einer schwierigen Situation sein Geld an der Börse nicht einfach in dem betreffenden Investment liegen lassen kann, macht ganz sicher Verluste. Geld, was nicht dringend als liquide Reserve zur Verfügung stehen muss, kann außerdem, je nach Mut zum Risiko, in lang laufende Anlagen, in Unternehmens- oder Staatsanleihen fließen.

GRÜNES GELD - NICHT MEHR NUR IM BIOLADEN

Grünes Geld hat Konjunktur. Die Einlagen bei alternativen Banken wachsen seit Jahren im zweistelligen Bereich. Und so wie man Bioprodukte mittlerweile in jedem Supermarkt bekommt, haben auch Nachhaltigkeitsfonds das Nischendasein längst hinter sich gelassen. Aber halten die grünen Geldanlagen auch das, was sie versprechen? Und muss man für das gute Gewissen auf eine gute Rendite verzichten? Die Antwort ist ein klares Jein. Grünes Geld gibt es in vielen Schattierungen.

Alternative Banken - grüner geht's kaum

Der grüne Bankensektor bietet seinen Kunden Tages- und Festgeldkonten, Sparbücher, Sparbriefe und Angebote zum Wachstumssparen. Manche bieten auch ein Girokonto, die Meisten arbeiten aber eher wie Direktbanken und ihr Hauptaugenmerk richtet sich vor allem darauf, was mit den Kundeneinlagen passiert. Und da kommt tatsächlich ein sehr kräftiger Grünton zum Vorschein. Finanziert werden nur ökologische oder soziale Projekte, die strengen Kriterien standhalten. Anders als der herkömmliche Bankensektor zeigen sie dabei auch ein Höchstmaß an Transparenz. Die Verzinsung ihrer Sparprodukte erreicht zwar selten Spitzenwerte, kann sich aber mit den Angeboten im herkömmlichen Bankensektor gut messen.

Investment mit Negativ- und Positivauswahl

Wie mehr oder weniger grün Geld sein kann, das zeigt sich im Bereich der nachhaltigen Investmentfonds. Eine für alle Anbieter verbindliche Definition von Nachhaltigkeit, die gibt es nicht. Vielmehr stehen zwei verschiedene Konzeptionen miteinander im Wettbewerb. Die ältere Strategie, quasi das Bioladen-Konzept, orientiert sich in erster Linie an Ausschlusskriterien. Investments in Rüstung, Atomenergie oder Gentechnik sind tabu. Für Rentenfonds werden Anleihen von Staaten ausgeschlossen, in denen es noch die Todesstrafe gibt oder die die Anti-Personen-Minen-

Konvention der UN nicht unterzeichnet haben. Die Negativlisten sind mal mehr und mal weniger umfangreich.

Eine ähnliche Strategie, nur unter umgekehrten Vorzeichen, verfolgen Fonds, die ausschließlich in bestimmte grüne Technologien oder Themenbereiche investieren, wie z. B. Solarenergie, nachhaltige Forstwirtschaft oder Recycling. Im Ergebnis erreichen beide Ansätze ein politisch höchst korrektes Portfolio, das nur einen Haken hat. Die Titelauswahl ist relativ eingeschränkt, wodurch eine breite Risikostreuung nur begrenzt möglich ist.

Best in class - pädagogische Geldanlage

Neuere Konzeptionen gehen einen anderen Weg. Die Fondsmanager verlassen die heile grüne Welt, besuchen den Supermarkt, und packen aus jedem Regal genau die Produkte in den Einkaufswagen, die ihren Vorstellungen von Nachhaltigkeit am nächsten kommen. Dieser Best in class Ansatz hat verschiedene Folgen. In einem grünen Portfolio finden sich plötzlich Automobilhersteller wieder, weil ihre Autos etwas weniger Sprit verbrauchen als die der Konkurrenz. Da dieser Ansatz keine Branchen oder Produkte mehr grundsätzlich ausschließt, begegnen einem hier auch Chemie- und Öl-Konzerne, Rüstungsunternehmen und ähnliche, aus grüner Sicht, fragwürdige Titel.

Umgekehrt, so zumindest die Hoffnung der Branche, soll dieses Konzept Firmen dazu animieren, Klassenbester werden zu wollen. Das können sie erreichen, in dem sie beispielsweise ihre Waffen Ressourcen schonender produzieren. Inwieweit dieser erzieherische Ansatz wirklich greift, ist schwer einzuschätzen. Zumindest in der Imagepflege der Unternehmen spielt Nachhaltigkeit mittlerweile eine prominente Rolle. Wenn es hinter der Fassade bald genauso aussieht, ist die Strategie aufgegangen. Für Anleger hat das Konzept noch eine ganz andere Folge. Das Anlageuniversum vergrößert sich immens und das Risiko kann viel breiter gestreut werden. In der Praxis werden die Grundkonzepte oft miteinander kombiniert. Das heißt, bei der Fondsauswahl werden die Musterschüler heraus gepickt, werden aber nur eingepackt, wenn sie z. B. keine Waffen produzieren. Je nachdem wie diese Gewichtung ausfällt, schimmert grünes Geld in helleren oder dunkleren Schattierungen.

Bei der Wertentwicklung schneiden Ökofonds im Durchschnitt nicht besser oder schlechter ab als die Konkurrenz. Bei den Fondskosten liegen sie oft etwas höher. Eine angemessene Überprüfung in Sachen Nachhaltigkeitsstandards gibt es eben nicht umsonst. Kostengünstige ETF's, die sich an Ökoindizes orientieren, haben inzwischen aber auch den Weg zum Bioladen gefunden.

IN GOLD INVESTIEREN: SICHERE KAPITALANLAGE

Geld anlegen in Gold: Das liegt im Trend. Viele Investoren setzen auf das beliebte Edelmetall, weil sie damit ihr Vermögen vor der Inflation schützen will. Zugleich winken Wertsteigerungen. Bevor Interessierte mit Gold sicher sparen, sollten sie sich aber über die Vor- und Nachteile verschiedener Anlageformen informieren.

Gold: Wertstabiles Investment

Viele Anleger schätzen Gold als krisenfeste Geldanlage. Während Geld massiv an Kaufkraft verlieren kann, trifft das auf dieses Edelmetall nicht zu. Das lässt sich leicht erklären: Beim Geld entscheiden die Notenbanken über die Menge. Während Wirtschafts- oder Schuldenkrisen erweitern sie meist die Geldmenge. Das führt in der Regel dazu, dass Geld an Wert einbüßt. Waren und Dienstleistungen verteuern sich, Sparer verlieren an Kaufkraft. Bei Gold kann dieser Mechanismus nicht greifen. Diese natürliche Ressource findet sich nur in begrenzten Mengen. Minenbetreiber müssen es mühsam fördern, so dass das zur Verfügung stehende Gold sich nur langsam mehrt. Deshalb weist es im Vergleich zu Geld eine wesentlich höhere Wertstabilität auf.

Kluge Anleger sichern deswegen ihr Vermögen mit Gold ab. Einen Teil ihres Kapitals sollten sie in dieses Edelmetall investieren, um sich für den Krisenfall zu wappnen. Geld anlegen in Gold bedeutet zugleich, dass sie auf Wertsteigerungen hoffen können. Insbesondere in Krisenzeiten greifen viele Investoren zu Gold, aufgrund der starken Nachfrage steigt der Goldkurs. Während der weltweiten Banken- und Schuldenkrise konnten Goldbesitzer beispielsweise hohe Gewinne einstreichen. Allerdings sollten Sparer nicht ihr gesamtes Geld in Gold anlegen. Wie andere Edelmetalle unterliegt auch der Goldkurs Schwankungen. Lässt die Nachfrage nach, weil Investoren etwa vermehrt in die Aktienmärkte strömen, kann der Goldpreis auch deutlich nachgeben.

Wer richtig anlegen will, sollte deshalb stets den Goldkurs und die wirtschaftlichen Rahmenbedingungen im Blick behalten. Bestenfalls kaufen Sparer zu einem günstigen Einstiegsniveau. Alle, die Gold dauerhaft als Absicherung besitzen wollen, müssen sich fortan um nichts Weiteres kümmern. Wer dagegen mit Gold Gewinne erzielen will, sollte die Kursentwicklung weiter beobachten. So verpassen Anleger den geeigneten Zeitpunkt für den Verkauf nicht. Grundsätzlich gilt: Investoren sollten eher in wirtschaftlich stabilen Zeiten kaufen und in krisenhaften Zeiten, wenn die Nachfrage nach Gold besonders hoch liegt, verkaufen. Diese antizyklische Strategie kann attraktive Erträge bescheren.

Geld anlegen in Gold: Wie?

Gold können Interessierte in mehreren Formen erwerben. Grundsätzlich lassen sich Börseninvestments und der Erwerb physischen Gold unterscheiden. An der Börse können Anleger zum Beispiel Aktien von Goldminen-Betreibern kaufen. So partizipieren sie indirekt an der Entwicklung des Goldkurses.

112

Steigt die Nachfrage, gewinnt nicht nur das Edelmetall an Wert, die Minenbetreiber freuen sich zugleich über volle Auftragsbücher. Der Vorteil eines solchen Investments liegt in den günstigen Kosten, Käufer zahlen nur die üblichen Bank- und Börsengebühren. Andererseits bieten Aktien nicht die gleiche Sicherheit wie der Besitz physischen Golds. Auch diese Wertpapiere unterliegen der Konjunktur an der Börse. Bei insgesamt fallenden Kursen in der Krise geben oftmals auch Goldminen-Aktien nach. Zudem bestehen betriebswirtschaftliche Gefahren: Manche Minenbetreiber wirtschaften vielleicht schlecht, darunter würde auch der Aktienkurs leiden.

Wer sein Vermögen nachhaltig absichern will, sollte deshalb Gold lieber direkt erwerben. Sparer sollten aber beachten, dass sie dafür gewisse Kosten in Kauf nehmen. So kostet das Prägen von Barren oder Münzen Geld, zudem wollen Minenbetreiber und Händler verdienen. Diese Kosten sollten Anleger so gering wie möglich halten. Je mehr ein Barren wiegt, desto geringer ist dieser Kostenanteil. Besonders viel verlangen Anbieter für Münzen. Goldmünzen sollten deshalb nur jene kaufen, welche die Geldanlage mit einer Sammelleidenschaft verbinden. Darüber hinaus müssen Investoren Lagerkosten bedenken. Gold sollten sie zu Hause in einem Safe oder in einem Bankschließfach aufbewahren, beides kostet Geld. Auch hier gilt: Je mehr Gold jemand besitzt, desto unwichtiger werden die Kosten für die Anschaffung eines Tresors beziehungsweise für die Miete eines Bankschließfachs.

GELDANLAGEN: ETHISCH INVESTIEREN

Normalerweise erfolgen Geldanlagen primär unter Rendite-Risiko-Gesichtspunkten, andere Aspekte spielen eher eine untergeordnete Rolle. In den letzten Jahren beginnt sich aber das Bild zu wandeln. Zunehmend finden auch übergeordnete Wertvorstellungen bei Anlageentscheidungen Berücksichtigung.

Ethische Geldanlagen liegen im Trend. Am Kapitalmarkt hat sich dafür ein eigenes Segment gebildet, das vor allem durch spezielle Fondsangebote geprägt ist. Noch bilden ethische Finanzprodukte eine Nische, das Anlagevolumen wächst aber zweistellig pro Jahr. Inzwischen gibt es kaum eine namhafte Investmentgesellschaft in Deutschland, die nicht entsprechende Fonds anbietet.

Ethische Geldanlagen: was heißt das?

Allerdings gehen die Auffassungen darüber, was eine ethische Geldanlage ist, weit auseinander. Eine allgemeinverbindliche Definition existiert nicht. Manche setzen den Schwerpunkt bei nachhaltigen Investitionen oder dem erneuerbare Energien Investment. Andere sprechen von Cleantech-Anlagen. Wieder andere verstehen darunter sozial, politisch oder ökologisch unbedenkliche Investments.

Meist werden ethische Gesichtspunkte nach dem Ausschlusskriterium definiert. Das heißt, es wird bewusst nicht in Projekte und Unternehmen investiert, die Umweltschäden verursachen, erschöpfbare Ressourcen ausbeuten, Sozialstandards verletzen, Rüstungsgüter herstellen usw.. Diese Definition ist grundsätzlich weiter als eine Begriffsfassung, die genau zu beschreiben versucht, was 'ethisch' bedeutet. Doch auch bei dieser weiten Definition gibt es keine Einheitlichkeit, jeder Anbieter definiert den ethischen Aspekt etwas anders.

Einen Vorteil hat die nicht so eng festgelegte Definition. Sie bietet dem Fondsmanagement ausreichend Spielräume für ihre Anlagepolitik. So lässt sich auch bei ethischen Fonds Risikostreuung und ein renditeorientiertes Investment betreiben. Untersuchungen zeigen, dass das Rendite-Risiko-Profil bei eher weiten Fassungen des Ethik-Begriffs besser ist als bei der Festlegung auf bestimmte ethische Bereiche.

Es gibt inzwischen in Deutschland auch einige wenige Kreditinstitute, die sich ausschließlich auf ethische und nachhaltige Bankwirtschaft spezialisiert haben. Sie sind auch oder ausschließlich im Direktgeschäft tätig. Solche Banken vermitteln nicht nur ethische Fonds, sondern bieten ihren Kunden dem Geschäftsmodell entsprechend Möglichkeiten für ethische Bankeinlagen, zum Beispiel Sparbriefe, Spareinlagen oder Termingelder. Kunden können ihr Geld hier genauso sicher anlegen wie bei einer anderen Bank. Denn die Ethik-Institute unterliegen der üblichen gesetzlichen Einlagensicherung der Banken. Auch bei der Kreditvergabe werden besondere Kriterien angelegt. Die ethischen Banken engagieren sich darüber hinaus häufig in sozialen oder umweltorientierten Projekten.

Ethik und Rendite: kein Widerspruch

Ethisches Investieren konnte sich inzwischen von dem Vorurteil lösen, dass damit zwangsläufig ein Renditeverzicht einhergehen müsse. Gerade die ethischen Banken zeigen mit ihrer Ertragslage, dass Ethik und Gewinnerzielung nicht notwendig Widersprüche sind. Manchmal bedeutet Verzicht auch substantiellen und nachhaltigen Ertrag. Ethik steht daher neben Wertigkeit auch für Erfolgspotentiale.

IN GRÜNE ENERGIE INVESTIEREN

Mit einer Geldanlage in erneuerbare Energien investieren Sparer in zweifacher Weise nachhaltig. Erstens fördern sie mit ihrem Investment die Umwelt, sie unterstützen konkret den Ausbau regenerativer Energien. Damit machen sie zunehmend die gefährliche Atomkraft und die klimaschädliche Kohlekraft überflüssig. Zweitens profitieren sie von den attraktiven Renditechancen, welche diese innovativen Technologien bieten. Ihnen stehen in diesem Bereich mehrere Möglichkeiten der Kapitalanlage offen.

Hausbesitzer können selbst grünen Strom produzieren. Die meisten setzen hierbei auf Fotovoltaik-Anlagen. Der Staat hilft mit einer festen Einspeisevergütung. Investoren wissen genau, welchen Preis sie für den hergestellten Strom erhalten. Die einzige Unsicherheit besteht in der Strommenge, diese lässt sich aber über längere Zeiträume vergleichsweise gut prognostizieren. Darüber hinaus offeriert die öffentlich-rechtliche KfW-Bank zinsgünstige Kredite für diese Vorhaben. Vielfach zahlt sich eine eigene Anlage aus: Es müssen nur der Standort und die Dachneigung stimmen, das sollten Interessierte zuvor durch einen Experten prüfen lassen.

Umwelt- und Renditebewusste können sich aber auch an Großprojekten beteiligen, zum Beispiel an Solar- und Windparks. Zahlreiche Investmentgesellschaften haben sich auf diese Projekte spezialisiert, das notwendige Geld sammeln sie bei Anlegern ein. Meist können Sparer bereits ab niedrigen vierstelligen Beträgen in grüne Sachwerte investieren. Viele Anbieter geben hierfür Genussscheine zu einem bestimmten Nennbetrag aus. Den Nennbetrag zahlen sie am Laufzeitende zurück, bis dahin überweisen sie einen jährlichen Zins. Der Zinssatz hängt vom unternehmerischen Erfolg ab, ein Anspruch besteht nicht. Die Erfahrung zeigt jedoch, dass seriöse Gesellschaften mit attraktiven Ausschüttungen weit über dem Niveau von Festgeldern bestechen.

Grüne Aktien und Fonds

Anleger können auch Wertpapiere von Unternehmen kaufen, die im Bereich der regenerativen Energien Geld verdienen. Bei dieser Geldanlage in erneuerbare Energien sollten Investoren aber die Risiken der Märkte kennen. Nicht jede Firma in diesem Sektor verzeichnet dauerhaft ansprechende Gewinne. Manche bestehen die Konkurrenz nicht. Eine weitere Gefahr bergen internationale Entwicklungen. Die chinesische Regierung förderte zum Beispiel massiv Hersteller von Solaranlagen im eigenen Land, was viele deutsche Produzenten in große wirtschaftliche Schwierigkeiten brachte. Entsprechend empfiehlt sich Risikostreuung. Anleger sollten in Unternehmen aus unterschiedlichen Teilgebieten wie Wind und Solar sowie aus verschiedenen Ländern investieren. Dafür eignen sich renditestarke Fonds, die sich auf erneuerbare Energien konzentrieren.

INVESTMENT-ALTERNATIVE SCHIFFSCONTAINER

Neben Schiffsbeteiligungen ist das Container Investment eine Möglichkeit, von den Chancen des wachsenden Welthandels zu profitieren. Dank der Verbreitung von ISO-Normen seit den 1950er Jahren sind Container und die dazugehörige Ausrüstung in der Land-, Luft- und Seefracht standardisiert. Attraktiv für Anleger: Beim Container Investment entfallen das Betriebsrisiko der Schiffsanlage sowie die hiermit verbundenen Kosten für den laufenden Betrieb. Stillstandszeiten lassen sich so leichter verkraften.

Chancen, Risiken und Anlageformen

Bei mittlerer Rendite bietet der stabilere Markt begrenzteres Risiko. Anlagehorizont und Kapitalbindung erstrecken sich meist auf übersichtliche drei bis fünf Jahre. Einer der Hintergründe ist, dass die sehr lange Vorlaufzeit von der Bestellung eines Schiffs bis zum Stapellauf entfällt. Überkapazitäten wachsen in Zeiten wirtschaftlicher Abwärtsbewegungen nicht über viele Jahre an, die Preisschwankungen fallen weniger drastisch aus. Zu der kurzfristigen Bereitstellung neuer Stahlboxen binnen einiger Wochen tritt die vergleichsweise kurze Lebensdauer und der damit in Zusammenhang stehende Ersatzbedarf: Während Frachtschiffe über mehrere Jahrzehnte im Einsatz sind, werden Seecontainer selten länger als zwölf Jahre verwendet.

Die Anlagemodelle der unterschiedlichen Anbieter variieren stark. Eine Möglichkeit sind Direktinvestitionen. Hierbei erwirbt der Anleger physische Standard- oder Spezialcontainer, um sie an Reedereien oder Leasinggesellschaften zu vermieten. Auch das Container-Leasing ist eine Option. Die quartalsweise oder monatliche Auszahlung der meist tagesbasierten Mieteinahmen wird ergänzt durch den am Ende des Anlagezeitraums realisierten Verkaufserlös. Typische Risiken wie Ausfallzeiten, Beschädigung oder Verlust lassen sich beim Erwerb der Stahlkisten versichern. Diese Investitionen zählen als Sachwertkauf zum grauen Kapitalmarkt, unterliegen daher nicht der staatlichen Finanzaufsicht. Anders die geschlossenen Fonds, über die sich das Einzelfallrisiko durch die Streuung auf ein Portfolio realisieren lässt. Mischmodelle mit LKWs und gebrauchten Schiffen sind ebenfalls verfügbar.

Erfolgreich Investieren: Knowhow

Container Investments gelten als wachstumsorientierte Geldanlage. Die Logistikbranche im Allgemeinen und der Schiffsverkehr im Besonderen sind abhängig von der Weltwirtschaftslage. Zu den Risiken eines Container Investments zählen neben Preis- auch Wechselkursschwankungen, da die Abwicklung in US-Dollar verbreitet ist. Abgesehen von einer Währungsabsicherung sind auch Versicherungsfragen und steuerliche Überlegungen in die Entscheidungsfindung miteinzubeziehen. Nicht zuletzt gilt es, die Kondition der Anbieter mit den Weltmarktpreisen zu vergleichen. Wer Direktinvestitionen wagt, sollte sich ein klares Bild machen und die vom Anbieter dargestellten Zahlen kritisch hinterfragen. Was den Schiffscontainer an sich anbelangt, ist der Zustand der Box wichtig: Neue Boxen sind höherwertig als gebrauchte. Ein weiterer Einflussfaktor für die Marktchancen ist die Länge. Die herkömmlichen 20 Fuß im Seefrachtgeschäft inzwischen durch die 40 Fuß Klasse abgelöst werden. Auch ob es sich um Standard- oder Spezialcontainer handelt, ist in vorab in Erfahrung zu bringen.

Wer bequem, konservativ und sicher anlegen möchte, sollte andere Anlageformen in Betracht ziehen.

EMPFEHLUNGEN DER BANK KRITISCH HINTERFRAGEN

Für die Beratung bei einer Geldanlage suchen viele Menschen ihre Hausbank auf. Hier besteht ein gewisses Vertrauensverhältnis, außerdem kennt der eigene Kundenbetreuer die persönlichen Verhältnisse. Informierte Kunden können die Empfehlungen der Bank kritisch prüfen. Denn der Berater ist auch Verkäufer, der nicht uneigennützig handelt.

Beratung kostet Geld

Schon mit der Auswahl der Bank trifft der Kunde eine wichtige Vorentscheidung. Bei einer reinen Online-Bank ist eine persönliche Beratung in aller Regel nicht oder nur sehr eingeschränkt möglich. Dafür sind die Gebühren niedrig. Wer sich für eine Filialbank entscheidet, hat dort oft die Wahl zwischen verschiedenen Produkten, beispielsweise im Wertpapierbereich. In seinem Online-Depot trifft jeder Kunde die Entscheidungen ganz allein, ohne Beratung durch die Bank und damit natürlich auch ohne Haftung für eventuelle Beratungsfehler. Dafür ist das Depot selbst möglicherweise gebührenfrei und Transaktionen billig. Ein Depotkonto mit Beratung in der Filiale kostet dagegen eine monatliche Gebühr, Wertpapierkäufe und -verkäufe müssen bei Ausführung durch die Filiale eher teuer bezahlt werden.

Ob die höheren Kosten für ein Konto mit persönlicher Betreuung gut investiert sind, muss jeder für sich selbst entscheiden. Wer selbst weiß, was eine sichere Anlage ist und wo es gute Zinsen mit begrenztem Risiko gibt, braucht keinen Berater. Wer sich mit Online-Banking schwer tut und Börsenhandel lieber den Spezialisten überlässt, wird dagegen gern auf den Rat der Bank hören. Aber seien Sie kritisch: ein guter Berater wird sich zunächst nach Ihren Anlagezielen und

Ihrer Risikobereitschaft erkundigen, und zwar intensiver, als es das vorgeschriebene Beratungsprotokoll erfordert. Eine jährliche Beratung zur Geldanlage ist an sich eine gute Sache, aber wenn sie nur dazu dient, vorhandene Anlagen in andere Papiere umzuschichten und der Bank damit neue Gebühreneinnahmen zu bescheren, sollten Sie zwei Mal nachfragen, warum dieser neue Anlagetipp nun so besonders gut sein soll.

Provision oder Honorar

Vielen Bankkunden ist nicht klar, dass Bankberater oft nicht ausschließlich von einem Festgehalt leben, sondern Provisionen erhalten. Sie sollten sich also treffender Verkäufer statt Berater nennen. Und wenn es schon nicht der einzelne Mitarbeiter ist, dann verdient zumindest die Bank selbst am Verkauf der Produkte.

Eine andere Form des Zeichnens einer Geldanlage ist die Beratung gegen Honorar durch einen unabhängigen Finanzberater. Es mag seltsam anmuten, für eine Leistung zu bezahlen, die es bei der eigenen Bank scheinbar gratis gibt. Die höhere Rendite einer qualitativ hochwertigen Empfehlung übersteigt aber schnell das Beratungshonorar. Produkte sind zudem über einen unabhängigen Berater billiger zu haben. Beim Kauf gemanagter Aktienfonds über eine Filialbank werden durchaus 5 % Ausgabeaufschlag fällig, von denen 4 % als Provision an die Bank gehen. Dieses Geld können Sie sich sparen. Wenn Ihnen der Berater dann noch kostengünstige Indexfonds empfiehlt, an denen die Fondsgesellschaft nichts verdient, sparen Sie gleich doppelt.

FÜR DAS BABY MIT SPAREN VORSORGEN

Viele Eltern und Verwandte wie Großeltern wollen mit einer Geldanlage für das Baby dem Nachwuchs Gutes tun. Das klassische Sparbuch erfreut sich hierfür weiter großer Beliebtheit, angesichts meist geringer Zinssätze eignet es sich aber nicht. Festgeld- und Tagesgeldkonten sowie Sparpläne stellen die besseren Alternativen dar. Auch Fondssparpläne verdienen einen Blick.

Für viele verzinste Sparprodukte gilt die gesetzliche Einlagensicherung, die im Falle einer Bankenpleite eine Summe bis zu 100.000 Euro garantiert. Zu den geschützten Anlageformen zählen Tages- und Festgeld sowie verzinste Sparpläne. Wer einen großen Wert auf maximale Sicherheit bei der Geldanlage für das Baby legt, sollte diese Varianten vorziehen. Ein Festgeldkonto erweist sich bei einer Einmalanlage als vorteilhaft, wenn Sparer zum Beispiel dem Kind auf einen Schlag 1.000 Euro zukommen lassen wollen. Beim Tagesgeld können die Schenkenden nach Belieben Geld einzahlen, es lässt sich auch flexibel abheben. Davon zu unterscheiden sind Sparpläne, auf die ein monatlicher Mindestbetrag fließt. In der Regel fordern Banken eine niedrige Mindestsumme von etwa 20 bis 30 Euro. Der Vorteil besteht darin, dass sich auch aus regelmäßig kleinen Beträgen langfristig ansprechend hohe Spareinlagen ergeben.

Bei allen drei Anlagetypen empfiehlt sich dringend ein Zins-Rechner. Die Rendite unterscheidet sich zwischen den Anbietern enorm, insbesondere Direktbanken überzeugen vielfach mit attraktiven Konditionen. Die Zinssätze auf dem Tagesgeldkonto können sich jederzeit ändern. Gewöhnlich offerieren gute Institute aber dauerhaft überdurchschnittliche Zinsen. Im schlimmsten Fall können die Erwachsenen nach einer Zinssenkung kurzfristig die Bank wechseln. Festgelder und Sparpläne zeichnen sich dagegen durch langfristig fixe Konditionen aus.

Speziell bei Festgeldkonten fragt sich, welche Laufzeit Sparer wählen sollen. Die Bandbreite reicht von wenigen Monaten bis zu zehn Jahren. Die Verfügbarkeit spielt bei einer Geldanlage für das Baby keine Rolle, da der Nachwuchs das

Geld erst wesentlich später benötigt. Anleger sollten ihre Aufmerksamkeit jedoch auf das aktuelle Zinsniveau und die wahrscheinliche Zinsentwicklung richten. Momentan gute Zinsen sollten sie dem Nachwuchs möglichst lange sichern. Liegen die Zinsen aktuell tief und stehen Zinserhöhungen in Aussicht, sollten sie kürzere Laufzeiten wählen und das Geld später zu besseren Konditionen erneut anlegen.

Geld an der Börse anlegen

Eltern und Co. können auch in Wertpapiere investieren. Aktien versprechen deutlich höhere Renditen. Auf der anderen Seite existieren Kursrisiken. Diese lassen sich aber erstens mit einer Risikostreuung minimieren. Bestenfalls kaufen Anleger Aktienfonds, welche Papiere von etablierten und wertstabilen Unternehmen verschiedener Branchen erwerben. Zweitens interessieren vorübergehende Kursschwankungen bei einem langen Anlagehorizont von mehreren Jahren nicht. Selbst nach schweren Krisen erholen sich Aktienmärkte wieder und erreichen neue Höchststände. Sparer müssen nur ein bisschen Geduld aufbringen und dürfen nicht panisch verkaufen.

Wer regelmäßige Raten für die Geldanlage für das Baby überweisen möchte, sollte einen Fondssparplan abschließen. Einige Direktbanken offerieren finanziell interessante Angebote. Bei ihnen lassen sich ausgewählte Fonds zum Beispiel mit rabattiertem Ausgabeaufschlag oder ohne diese Gebühr ordern. Sparer können zudem flexibel die Sparraten anpassen oder vorübergehend aussetzen, die Fonds wechseln können sie ebenfalls. Die Mindestbeträge liegen wie bei verzinsten Sparplänen bei etwa 25 Euro im Monat.

GELDANLAGE IM AUSLAND: WICHTIGE ASPEKTE

Für Geldanlagen im Ausland gibt es einen guten Grund: In vielen Ländern lassen sich gute Zinsen erzielen, welche die Konditionen deutscher Banken übersteigen. Allerdings sollten sich Interessierte zuvor über drei relevante Rahmenbedingungen jenseits der Rendite informieren: die Sicherheit, die Währungsrisiken und die Steuerfrage.

Auf Sicherheit achten

In Deutschland gilt für bestimmte Anlageformen wie Tagesgeld und Festgeld die gesetzliche Einlagensicherung. Sollte die Bank Insolvenz anmelden, garantiert der Staat einen Betrag von bis zu 100.000 Euro. Diese Sicherheit einer Anlage empfiehlt sich auch bei Tages- und Festgeldkonten im Ausland. Die gute Nachricht: Mittlerweile haben alle EU-Mitgliedsländer diese Regelung harmonisiert, in jedem Staat können sich Sparer grundsätzlich auf die Einlagensicherung in selber Höhe verlassen. Sie sollten nur bei überschuldeten Krisenstaaten etwas Vorsicht walten lassen. Bei diesen könnte es bei einer eventuellen Zahlungsfähigkeit fraglich sein, ob sie diese Garantie einhalten können. Deshalb sollten Anleger Institute in stabilen Staaten vorziehen.

Bei Angeboten außerhalb der EU sollten Interessierte genau prüfen, ob sich dort auch solche Regelungen finden und bis zur welcher Höhe ein Staat Einlagen absichert. Zudem sollten sie analysieren, ob es sich um zuverlässige Staaten handelt oder ob sie teilweise durch ökonomische und politische Turbulenzen auffallen. Geld sollten Sparer nur in der ersten Kategorie an Ländern investieren. Zudem sollten Anleger auch in EU-Mitgliedsstaaten aufpassen, wenn ihr Kapital den Betrag der gesetzlichen Einlagensicherung übersteigt. Sichere Anlagemöglichkeiten bei höheren Summen bieten nur Banken, die etwa mit Sicherungsfonds solche Beträge im Insolvenzfall selbst absichern.

Währung und Steuern

Außerhalb des Euro-Raums stellt sich zudem die Frage nach den Wechselkursen. In der Regel legen Sparer dort in Fremdwährungen an, was sowohl Chancen als auch Risiken beinhaltet. Bei einem günstigen Kursverlauf erzielen sie mit Geldanlagen im Ausland nicht nur Zinserträge, sondern zugleich Kursgewinne. Die Renditen können sehr hoch liegen. Im anderen Fall schmälern die Wechselkurse dagegen die Rendite oder Sparer müssen sogar Verluste verkraften. Interessierte sollten sich deshalb zuvor über Währungen informieren und Prognosen über die künftige Entwicklung lesen.

In Deutschland machen immer wieder die Ankäufe von Steuer-CDs durch staatliche Behörden Schlagzeilen, in der Folge werden Finanzämter und Strafverfolgungsbehörden aktiv. Es geht dabei um Geldanlagen im Ausland, deren Erträge Deutsche nicht bei ihrem Finanzamt versteuern. Das empfiehlt sich aber dringend, es drohen andernfalls Haftstrafen. Auch Unwissenheit schützt nicht davor. Deswegen sollten Sparer vor dem Anlegen recherchieren, wie sie die Erträge steuerrechtlich handhaben müssen. Teilweise kooperieren Länder, dann melden ausländische Banken Zinsen und Dividenden automatisch an die deutschen Behörden und überweisen die Steuern. Bei Anlagen in anderen Staaten müssen Investoren die Einnahmen dagegen selbst dem Finanzamt angeben.

SINNVOLL KURZFRISTIG INVESTIEREN

Kurzfristige Geldanlagen können schwierig sein. Bevor man einen Betrag anlegt, muss man sich zuerst darüber im Klaren sein, wie viel Geld angelegt werden soll, für welchen Zeitraum es angelegt kann, oder ob es jederzeit verfügbar sein muss. Dann stellt sich als letztes die Frage nach der Risikobereitschaft.

Die Bank als sicherer Hafen für kurzfristige Geldanlagen

Wer eine sichere Geldanlage möchte, und dabei jeden Tag über sein Geld verfügen will, für den bietet sich ein Tagesgeldkonto an. Bei diesem wird das Geld besser verzinst als bei einem Sparbuch, und die angelegte Summe ist jeden Tag in Teilen oder ganz verfügbar. Als Alternative zum Sparbuch eignet sich dies ganz hervorragend zur Anlage kleinerer und mittlerer Beträge, die jederzeit verfügbar sein müssen, um einen kurzfristigen Bedarf abzudecken.

Wer eine größere Summe investieren will, sollte sich überlegen ob es hier wirklich eine kurzfristige Anlage sein muss. Wenn das Geld nicht jeden Tag verfügbar sein muss, bieten Banken oft auch für kurzfristige Einlagen mit einem festen Fälligkeitstermin bessere Zinsen als auf einem Sparbuch oder bei einem Tagesgeldkonto. Zum sogenannten Termingeld kann man sich gut bei seiner Hausbank beraten lassen. Informationen darüber findet man aber auch im Internet. Abschlüsse über das Internet können hier günstiger sein, da ein besserer Vergleich möglich ist.

Mehr Risiko, mehr Gewinn

Bei der Frage, wie man Geld am besten anlegt stösst man auch auf riskantere Geldananlage wie Aktien. Bei einer entsprechenden Risikobereitschaft kann ein Betrag auch hier kurzfristige angelegt werden. Wer in mehr als einen Wert investiert und so sein Risiko streut minimiert die Gefahr eines Totalverlusts. Aber Aktien sind nur interessant, wenn der Anleger sich auskennt. Das investieren von Geld in Aktienwerten erfordert ein ständiges und sehr sorgfältiges Beobachten des Marktes. Wenn es eine gute Rendite bringen soll, dann erfordert es weiterhin Glück.

Für weniger Risikofreudige, die aber ihr Geld nicht traditionell als Tagesgeld oder auf dem Sparbuch anlegen möchten, gibt es noch die Anlage in Edelmetalle. Sie eignet sich für jede Einlagenhöhe, ist aber auch mit einem gewissen Risiko des Wertverlustes behaftet. Besonders in Zeiten der Krise legen die Menschen ihr Geld gerne in Gold an, dementsprechend hoch ist auch der Kurs in diesen Zeiten. Dies sollte man im Blick haben, wenn dies die angestrebte Anlageform ist.

Für jeden Anleger gibt es auch für kurzfristige Geldanlagen die richtige Investition, man muss allerdings hier sehr viel genauer hinschauen, denn gerade die risikobehafteten Anlagen sind oft besser mit viel Zeit zu genießen, da hier bei einem Kursverlust dann auch die Zeit zum Ausgleich gegeben wäre.

MONATLICHES SPAREN: VERMÖGEN AUFBAUEN

Monatliches Sparen mit hohen Zinsen oder attraktiven Renditen: Wer regelmäßig Geld auf ein Sparplan überweist, kann schon mit geringen Beträgen ein ansehnliches Vermögen aufbauen. Wichtig ist nur, dass sich Sparer für ein ansprechendes Finanzprodukt entscheiden und die Sparanstrengungen möglichst lange durchhalten.

Sparpläne: Monatliches Sparen mit hohen Zinsen

Anleger, die konservativ sparen wollen, sollten sich für einen konventionellen Sparplan entscheiden. Bei diesem erhalten sie eine zuvor vereinbarte Verzinsung, solche Finanzprodukte fallen zudem unter die gesetzliche Einlagensicherungen. Somit gehen Anleger keinerlei Risiken ein und wissen, über welche Summe sie am Ende der Laufzeit verfügen können. Dadurch profitieren sie von einem Höchstmaß an Planungssicherheit, solche Sparpläne eignen sich deshalb zum Beispiel als zusätzliche Altersvorsorge. Ein monatlicher Sparplan zahlt sich finanziell aber nur aus, wenn die Höhe der Zinssätze stimmt. Manche Banken bieten nur geringe Zinsen, die nicht einmal die Kaufkraftverluste ausgleichen. Andere Angebote überzeugen dagegen durch hohe Zinsen. Bevor Interessierte einen Sparplan abschließen, sollten deshalb einen Vergleich durchführen und das beste Produkt bevorzugen. Bestenfalls nutzen sie dazu einen Online-Rechner, mit dem sich der Endbetrag ermitteln lässt. Mit bloßem Auge lässt sich die Attraktivität meist nicht erkennen, da nur wenige Banken den selben Zinssatz über die komplette Laufzeit zahlen. Meist erhöhen sich die Zinsen im

Laufe des Vertrags, vielfach zahlen Institute gegen Ende auch Bonuszinsen.

Bei allen Sparplänen sollten sich Interessierte zudem die genauen Konditionen ansehen. Es fragt sich zum Beispiel, wie flexibel Sparer anlegen können. Können sie die monatlichen Raten erhöhen oder aussetzen, können sie schon vor dem Laufzeitende einen Teil des Geldes ohne hohe Gebühren entnehmen? Bei unflexibleren Sparplänen sollten Interessierte dringend darauf achten, dass die Länge der Laufzeit zu ihrer finanziellen Planung passt. Zudem interessiert, welche Mindest-Einzahlung eine Bank verlangt. Anleger sollten zusätzlich recherchieren, welche Konditionen bei der Auszahlung gelten. Manche Institute überweisen am Ende die Einlage plus die gesammelten Zinsen, andere zahlen die Zinserträge jährlich aus.

Renditeträchtige Alternative: Fondssparpläne

Ein monatliches Sparen mit hohen Zinsen stellt nur eine Möglichkeit dar, alternativ oder ergänzend können Anleger einen Fondssparplan als Geldanlage wählen. Auch hier entschließen sie sich zu regelmäßigen Sparbeiträgen, mit diesen erwerben sie aber Fonds. Viele Banken bieten das bereits ab monatlichen Beträgen von 20 bis 30 Euro an. Bei der Wahl einer empfehlenswerten Bank sollten Interessierte nachlesen, für welche Fonds Institute einen solchen Sparplan offerieren. Bestenfalls können Kunden aus mehreren Produkten wählen, mit denen sie strategisch investieren können. Zum Angebot sollten mindestens einige Aktienfonds mit unterschiedlichen Anlagehorizonten sowie Rentenfonds gehören.

Gute Banken überzeugen durch attraktive Gebühren und ein Höchstmaß an Flexibilität. Zum einen vertreiben sie zumindest ausgewählte Fonds mit einem Rabatt auf den Ausgabeaufschlag. Für die Depotführung fordern sie zudem keine Gebühren. Zum anderen können Anleger bei ihnen stets flexibel agieren. Sie können jederzeit die monatlichen Raten anpassen oder aussetzen. Zudem können sie die Fonds stets wechseln. So können sie beispielsweise in schwierigen wirtschaftlichen Zeiten krisensicher anlegen, in dem sie mehr in Renten- statt in Aktienfonds investieren.

Wer einen Fondssparplan abschließt, sichert sich höhere Renditechancen als bei konventionellen Sparplänen. Gerade mit Aktienfonds lassen sich auf Dauer hohe Erträge erzielen. Investoren gehen aber auch höhere Risiken ein, sie können auch Geld verlieren. Deswegen sollten sie sich mit Bedacht für diese Finanzprodukte entscheiden. Sollte ein Sparer auf absehbare Zeit einen bestimmten Betrag benötigen, eignen sich sichere Sparpläne besser.

HOHE ZINSEN LANGFRISTIGER GELDANLAGEN

Eine langfristige Geldanlage hat Zinsen bzw. eine Rendite weit über dem Niveau dessen, was man für Festgeld mittlerer Fristigkeit, etwa für drei bis fünf Jahre, erwarten kann. Längere Anlagezeiträume bergen aber auch Gefahren. Der Sparer sollte deshalb genau abwägen, für welchen Zweck er das Geld benötigt und welche Risiken er einzugehen bereit ist.

Sparen für das Alter

Dass die gesetzliche Rente nicht reichen wird, um den gewohnten Lebensstandard auch nach dem Ausscheiden aus dem Erwerbsleben beizubehalten, dürfte sich herumgesprochen haben. Die Versorgungslücke, also die Differenz zwischen Arbeitseinkommen und Rente, ist bei gut verdienenden Arbeitnehmern besonders hoch, denn die Rente wird maximal von der Beitragsbemessungsgrenze ausgehend berechnet. Wer früh mit dem Aufbau einer Altersvorsorge beginnt, kann für eine langfristige Geldanlage Zinsen über viele Jahrzehnte kassieren und dabei auch von Zinseszins-Effekten profitieren.

Die einzigen Geldanlagen, die biometrische Risiken abdecken, sind Versicherungen. Für das Risiko des frühzeitigen Versterbens wird im Rahmen einer Lebensversicherung vorgesorgt. Die Rentenversicherung kommt vom gleichen Versicherer, hat aber genau den gegenteiligen Sinn: sie zahlt garantiert bis zum Lebensende und sichert damit das Risiko eines langen Lebens, länger, als gespartes Geld reichen würde. Eine fondsgebundene Rentenversicherung ist eine gute Möglichkeit, die Sicherheit einer Versicherung mit den Renditechancen einer Anlage in Fonds zu kombinieren. Junge Menschen dürfen bei der Auswahl der Fonds ein gewisses Risiko eingehen und sich zum Beispiel für Aktienfonds entscheiden. Zeitweise Wertverluste haben sich in der Vergangenheit stets früher oder später ausgeglichen. Je mehr es auf den Ablaufstichtag zugeht, desto mehr sollte man aber in sichere Fonds, zum Beispiel Rentenwerte, Geldmarkt- oder Garantiefonds umschichten. Idealerweise bieten Versicherer sogar eine flexible Aufteilung zwischen Fonds und konventioneller Kapitalanlage.

Vermögen langfristig anlegen

Ist die Altersvorsorge ausreichend bedient, gilt es, profitable Anlageformen für aktuell nicht benötigtes Vermögen zu finden. Auch hier sind Aktienfonds eine gute Empfehlung, denn sie sind im Vergleich zu einzelnen Aktienwerten geringeren Wertschwankungen unterworfen. In den letzten vierzig Jahren konnten Aktiensparer eine durchschnittliche Rendite von rund 7 % einstreichen. Allerdings gab es auch herbe Verluste, und es dauerte mehr als zehn Jahre, bis diese wieder aufgeholt waren. Mit Indexfonds, sogenannten ETF, lassen sich Vermögensaufbau und Vermögensverwaltung sehr kostengünstig darstellen.

Für Menschen mit hohem steuerpflichtigem Einkommen bieten geschlossene Fonds eine Möglichkeit der steueroptimierten Geldanlage. Windkraft, Wälder, Immobilien, Schiffe und Flugzeuge sind eine langfristige

Geldanlage mit Zinsen, die oft sogar im zweistelligen Bereich prognostiziert werden. Wer solche Fonds zeichnet, geht aber eine unternehmerische Beteiligung mit dem Risiko eines Totalverlustes ein. Steuerliche Vorteile gibt es meist nur dann, wenn anfängliche Verluste die Steuerlast mindern und die Erträge in eine Zeit geringeren Einkommens, also bis ins Rentenalter oder eine Altersteilzeit verschoben werden können.

DIE BESTEN ZINSEN FÜR IHRE ANLAGE

Viel Sicherheit, hohe Renditen und möglichst kurze Laufzeiten: Das magische Dreieck für alle Anleger besteht genau aus diesen drei Kriterien. Jeder Anleger möchte möglichst viel davon, alle drei gleichzeitig sind aber mit kaum einer Geldanlage zu erreichen. Wer beste Zinsen für seine Geldanlage sucht, der muss sein Portfolio streuen und eine Anlagestrategie für sich festlegen. Man sollte niemals sein Geld in unverständliche Anlagen investieren - kein Banker oder Berater trägt später die Verantwortung. Wenn es um die Vermehrung von Geld geht, sollte man etwas Zeit opfern, um sich so viel Finanzwissen wie möglich über die verschiedenen Anlageformen anzueignen. Doch welche Anlageform bietet die besten Zinsen bei welchem Risiko?

Auf der sicheren Seite

Die sichersten Anlageformen bleiben das gute alte Sparbuch und Tagesgeldkonten. Beide bieten viel Liquidität bei sehr viel Sicherheit durch den Einlagensicherungsfonds der Banken - dafür bleibt die Rendite auf der Strecke. Momentan sind maximal 1,5 Prozent Zinsen bei beiden Anlageformen drin, das reicht oft nicht einmal, um die Inflation auszugleichen. Beide sollten nur einen geringen Teil des Portfolios ausmachen und das auch nur, weil sie eine flexible Geldquelle sein können. Tagesgeldkonten sind sicherlich die sicherste Anlage für risikoaverse Anleger.

Wer auf etwas Liquidität verzichten kann, der sollte sein Kapital in Termingeld anlegen. Meist bestehen hier Mindestlaufzeiten von über einem Jahr, dafür steigt die Verzinsung auf derzeit durchschnittlich 1,8 - 2,9 Prozent. Die Zinssätze sind über die gesamte Laufzeit festgelegt, sollte also eine Niedrigzinsphase bevorstehen, profitiert man als Anleger von den fixen Zinsen. Außerdem kann man im Voraus gut planen, da man nach Ablauf der Anlage genau weiß, was man herausbekommt. Für Termingeld fordern die meisten Banken eine Mindesteinlage von 5.000 Euro. Achten sollte man außerdem darauf, ob man das Termingeld als Festgeld oder Kündigungsgeld anlegt. Bei ersterem wird für die Einlage im vorneherein ein Fälligkeitstermin festgelegt während Kündigungsgeld innerhalb einer gewissen Frist gekündigt werden muss. Beste Zinsen für diese Geldanlage erhält man oft bei Online-Banken.

Seit Jahrzehnten verlässlich - Bundeswertpapiere

Deutsche Staatsanleihen sind gerade in Zeiten der Finanzkrise gefragter denn je. Sie genießen bei Anlegern höchstes Vertrauen und bis jetzt ist die Bundesregierung ihrer Zahlungsverpflichtung immer nachgekommen. Staatsanleihen sind Schuldverschreibungen mit denen der Käufer praktisch der Bundesregierung Geld leiht. Ein Ausfallrisiko für diese Investition besteht nur im sehr unwahrscheinlichen Falle eines Staatsbankrotts. Allerdings haben wir am Beispiel Griechenland gesehen, dass auch dies möglich ist. Natürlich kann man als Anleger auch Staatsanleihen anderer Länder kaufen - Großbritannien, Schweden oder Norwegen gelten als besonders sicher. Da Deutschland ebenfalls zu den sehr sicheren Kandidaten gehört, ist auch der Zins dementsprechend niedrig. Anleger können mit Zinsen bis zu 3 Prozent rechnen, unsicheren Staatsanleihen, zum Beispiel Italien, Portugal oder Spanien bieten beste Zinsen für diese Geldanlage, ca. 5 - 10 Prozent. Je nach Auswahl also, gelten

Staats- und Bundesanleihen als zuverlässigste der verschiedenen Geldanlagen. Auch als Kapitalanlage für Kinder haben sie sich bewährt.

Rohstoffe

Rohstoffe wie Gold gelten als krisensicher und stabil. Gerade in unsicheren Zeiten steigt der Goldpreis, da die Flucht in sichere Werte für viele Anleger attraktiv erscheint. In den letzten Jahren hat der Preis allerdings stark abgenommen. Trotzdem gilt es immer noch als zuverlässige Anlage, da die Nachfrage in den nächsten Jahrzehnten praktisch als gesichert gilt. Schmuck und die Präferenz Gold als physische Anlage zu besitzen, garantiert einen gesicherten Preis. Auch die Tatsache, dass die Eurokrise in den nächsten Jahren noch nicht ausgestanden sein wird, stärkt das Vertrauen in das Edelmetall. Länder wie Italien oder Spanien haben den Gipfel der Krise noch nicht erreicht, was den Goldpreis weiter stützen wird.

Aktien

Wo Aktien früher noch als hochspekulativ galten, sind sie heute mit etwas Vorwissen und Selektion als recht sichere Anlage mit guten Renditechancen anzusehen. Kauft man eine Aktie, erwirbt man einen Teil eines Unternehmens. Macht das Unternehmen Gewinne, steigt nicht nur der Preis der Aktie, und damit ihr Wiederverkaufswert, als Anleger kann man außerdem noch mit einer Dividende rechnen. So profitiert man im Idealfall zweimal. Als Investor sollte man nur Aktien von Unternehmen kaufen, dessen Geschäftsmodell einem bekannt ist und man es auch versteht. Immerhin besteht bei einem Bankrott die Chance, sein komplettes Kapital zu verlieren. Auch bei Aktien sollte man sein Kapital streuen und in verschiedene Wirtschaftszweige und Branchen investieren. Außerdem hat es sich bewährt, Unternehmensanteile mit einer langen Perspektive anzulegen. Kursschwankungen sind oft nur kurzfristig und die Rendite kann besser gesteigert werden, wenn man problematische Phasen auch einmal aussitzen kann. Viele Banken bieten sogenannte Demo-Accounts an, mit denen man seine Anlagestrategie einem Test unterziehen kann. Die Renditen schwanken bei Aktien aufgrund der Natur der Sache stark, ein guter Investor geht von 5 - 10 Prozent aus.

Investmentfonds

Ein Investmentfonds ist eine Bündelung von verschiedensten Anlageformen. So gibt es Aktienfonds, Immobilienfonds, Rentenfonds oder Indexfonds. Das Risiko eines Fonds richtet sich mehrheitlich nach dem Inhalt. Enthält der Fonds hochspekulative Aktien ist das Risiko wesentlich höher, als bei Rentenfonds. Um in einen Fonds zu investieren, sollte man unbedingt die Hilfe eines Beraters in Anspruch nehmen und sich zusätzlich selbst informieren. Durch die hohe Streuung innerhalb des Fonds ist ein Totalverlust meist ausgeschlossen, allerdings sind Fonds recht verwaltungsintensiv und die Kosten dafür gehen zu Lasten der Renditen. Im Vergleich schaffen es nur wenige Fonds, den maßgeblichen Vergleichsindex zu übertrumpfen. Eine gute Alternative sind ETFs, Exchange Trade Funds, die ohne Manager auskommen und verschiedene Indizes wie den DAX nachbilden. Beste Zinsen für diese Geldanlage erhalten Anleger, die bereit sind, sehr viel Risiko einzugehen.

Zertifikate

Zertifikate sind eines der riskantesten Investitionen, wenn es darum geht sein Vermögen zu vermehren. Der Käufer eines Zertifikats erhält keine direkten Zinsen, sondern profitiert von der Entwicklung eines Wertpapiers oder Indizes, daher der Name Derivat, zu Deutsch ""von etwas abgeleitet sein"". Es lässt sich nicht nur auf steigende, sondern auch auf fallende Kurse setzen. Damit sind sie ein beliebtes Mittel, um in Krisenzeiten gute Renditen zu erwirtschaften. Vorsicht sollte man trotzdem walten lassen: Zertifikate sind ein Produkt für

Profis. Sie sind hochkomplex und geht der Emittent pleite, wie zum Beispiel bei der Bankenkrise in den USA, ist das eingesetzte Kapital verloren.

GELDANLAGE: DAS GEMEINWOHL FÖRDERN

Eine alternative Geldanlage ermöglicht zweierlei: Anleger investieren mit gutem Gewissen, da sie ein nachhaltiges Wirtschaften unterstützen. Das kommt allen zugute. Zugleich können sie sich mit den richtigen Investments attraktive Renditen sichern.

Alternative Anlagen: Was ist das?

Unter alternative Geldanlagen firmieren sämtliche Investitionen, die in irgendeiner Weise die Welt verbessern. Vor allem im Bereich des Umweltschutzes hat sich diese Anlageform etabliert. Viele Anleger unterstützen zum Beispiel mit einem Erneuerbare Energien Investment eine ressourcenschonende und klimafreundliche Energieerzeugung. Auch Hersteller energiesparender Fahrzeuge, Recycling-Unternehmen oder Anbieter ökologischer Mobilität zählen zum Sektor des grünen Wirtschaftens und kommen als alternative Geldanlage infrage.

Alternative Investments können über den ökologischen Ansatz hinausgehen. Ethische Geldanlagen als Spezialform beziehen weitere Kriterien wie soziale Aspekte ein. Wer so anlegen möchte, achtet unter anderem auf gute Arbeitsbedingungen in den Unternehmen. Für all diese alternativen Anlageformen gibt es aber keine gesetzliche definierte Form: Das bedeutet, dass sich Interessierte immer selbst informieren müssen. Bei Investmentfonds sollten sie zum Beispiel den Ausgabeprospekt lesen.

Alternative Geldanlage heißt nur, dass Investoren mit ihrem Kapital irgendetwas zum Positiven verbessern wollen. Dies kann in vielen verschiedenen Anlageformen geschehen. Dafür bieten sich unter anderem alternative Investmentfonds an. Grüne Fonds erwerben Aktien von Unternehmen, die gewisse ökologische Kriterien erfüllen. Dabei kann es sich um Aktiengesellschaften handeln, die mit ihren Produkten wie Anlagen für die Windkraft die Energiewende konkret vorantreiben. Manche Fonds investieren auch nach dem Best-Choice-Ansatz: Für sie kommen alle Firmen infrage, die jeweils in ihrem Sektor besonders umweltfreundlich wirtschaften. Bei diesem Prinzip muss ein Unternehmen nicht unbedingt ökologische Produkte herstellen, damit der Fonds investiert. Es genügt, wenn es im Vergleich zu Konkurrenzunternehmen besonders wenig Schadstoffe ausstößt oder auf schädliche Produktionsmittel verzichtet. Das zeigt: Bei alternativen Investmentfonds findet sich eine große Bandbreite. Dasselbe gilt für Fonds, die auch soziale Kriterien einbeziehen.

Anleger können auch direkt Aktien von Unternehmen kaufen. Dann überlassen sie die Auswahl nicht Investmentfonds. Grüne und ethische Aktien lassen sich leicht recherchieren, Interessierte können sich zum Beispiel die Zusammensetzung von nachhaltigen Aktienindexes anschauen. Sie sollten bei einer solchen Investition aber darauf achten, dass sie ihr Risiko streuen. Eine weitere Möglichkeit besteht darin, außerhalb der Börse zu investieren. Eine Investition in Erneuerbare Energien kann auch in Form von Genussscheinen erfolgen. Anleger unterstützen damit den Bau eines Wind- oder Solarparks und erhalten ab Inbetriebnahme Ertragsbeteiligungen. Bei seriösen Betreibern erweist sich eine solche alternative Geldanlage als vergleichsweise sicher: Der Staat garantiert nämlich eine hohe Einspeisevergütung für die Anlagen.

AKTUELLE GELDANLAGEN MIT RENDITE SIND RAR

Aktuelle Geldanlagen der Deutschen sind immer noch das gute alte Sparbuch und das Girokonto. Dabei sind diese Sparformen angesichts mickriger Zinsen kaum ernsthaft als Anlagen zu bezeichnen. Der sogenannte Spareckzins kratzt an der Nullmarke, für das Girokonto gibt es bei den meisten Banken schon lange keine Zinsen mehr. Wer sich aber ein wenig umschaut und nicht die bequemsten Wege beschreitet, findet durchaus noch rentable Anlagen, ohne sich in finanzielle Abenteuer stürzen zu müssen.

Rentenversicherungen sind immer noch eine gute Wahl

Der demografische Wandel und das Risiko eines sinkenden Niveaus der gesetzlichen Rente machen private Vorsorge dringend erforderlich. Private Rentenversicherungen, insbesondere die Riester-Rente, werden zwar von Verbraucherschützern teils heftig kritisiert, tatsächlich haben die Kritiker aber keine Alternativen zu bieten. Das niedrige Zinsniveau bekommen nicht nur die Versicherer zu spüren, auch für aktuelle Geldanlagen der Banken schmelzen die Renditen wie Schnee in der Sonne. Die Konsequenz kann aber nicht sein, auf den Aufbau einer privaten Vorsorge zu verzichten. Im Gegenteil, wenn Zinsen ausbleiben, muss umso mehr gespart werden, will man den Lebensstandard nach dem Ausscheiden aus dem Erwerbsleben halten.

Der Gesetzgeber fördert Produkte der sogenannten zweiten Schicht, also nach der gesetzlichen Rente, mit direkten Zulagen oder steuerlichen Vorteilen. Abgesehen davon, dass nur eine Rentenversicherung eine lebenslange Zahlung garantieren kann, sind die Renditen unter Berücksichtigung der Förderung gar nicht schlecht. Neben der Grundzulage gibt es für Familien die Riester-Kinderzulage. Auch für gut verdienende Singles oder Paare ohne Kinder lohnt sich Riester, denn die Beiträge werden aus unversteuertem Einkommen entnommen. Das Finanzamt prüft im Rahmen der

Steuererklärung, ob Zulage oder Steuervergünstigung besser sind, und wendet automatisch die Methode mit der größten Ersparnis an. Man spart für die Rentenversicherung also steuerfrei, muss dafür aber die spätere Rente versteuern. Meist ist das ein Vorteil, weil im Rentenalter ein niedrigerer Steuersatz gilt. Steuerlich ähnlich wird die betriebliche Altersvorsorge behandelt, die deshalb den Vergleich mit Bankprodukten auf lange Sicht nicht scheuen muss.

Kombination aus Fondssparen und Versicherung

Für langfristige Anlagen wird meist das Sparen mit Aktienfonds empfohlen. Über die Jahre haben sie in der Vergangenheit attraktive Renditen gebracht, vorausgesetzt, man hat die Geduld, schwache Marktphasen zu überbrücken, ohne das gesparte Kapital zu benötigen. Eine fondsgebundene Rentenversicherung bietet die Chance, die Sicherheit einer lebenslangen Rente mit den Renditeaussichten einer Fondsanlage zu verbinden.

Es gibt bei der fondsgebundenen Variante zwar keine garantierte Mindestverzinsung, und das Risiko der Kapitalanlage liegt nicht mehr beim Versicherer, sondern beim Kunden. Aktuelle Geldanlagen der Versicherer sind aber schlecht verzinst, weil Sicherheitsüberlegungen im Vordergrund stehen müssen. Mit etwas Geschick kann man mit einer eigenen Fondsauswahl deutlich mehr herausholen. Wichtig ist, zum Ende der Laufzeit immer mehr in sichere Anlagen umzuschichten. Moderne Verträge lassen eine flexible Kombination aus fondsgebundener Versicherung und konventioneller Kapitalanlage zu.

GELDANLEGEN IN JEDER LEBENSPHASE

Zum Geldanlegen benötigt man vor allen Dingen eines und zwar das richtige Gespür für die richtige Anlage zum richtigen Zeitpunkt. Da die meisten Anleger aber solche orakeligen

Fähigkeiten nicht haben, reichen manchmal ein paar richtige Strategien für den Umgang mit Aktien, Festgeld und Co..

Strategien für jedes Lebensalter

So komisch es auch klingen mag, das Lebensalter ist ein wichtiger Faktor beim Geldanlegen. Die Lebenssituation muss sich in der Anlagestrategie widerspiegeln. Das lässt sich ganz einfach erklären. Ein Anleger mit dem Lebensalter 50plus wird wohl keine kapitalbildende Lebensversicherung abschließen, die eine Laufzeit von 30 Jahren hat. Ebenso wenig macht es für den 30jährigen Sinn, seine Altersvorsorge auf einem Sparbuch oder Tagesgeldkonto anzulegen. Es gibt also schon Gründe das Lebensalter und die aktuelle Lebenssituation bei der Anlage von Geld zu beachten.

Für Berufsanfänger und Karriereeinsteiger

Die Situation von Berufsanfänger und Karriereeinsteigern ist oft so, dass das Gehalt noch nicht ganz so üppig ist. Das meiste Geld geht für die Lebenshaltung und die Ansprüche an das tägliche Leben drauf. Trotzdem muss auch hier bereits an das Alter und einen Vermögensaufbau gedacht werden. Für diese Gruppe ist wichtig, dass hier erstmal Geld für kurzfristigen Bedarf zurückgelegt wird. Für die Reparatur an einem Auto, oder einen beruflich bedingten Umzug beispielsweise. Hierfür eignet sich ein Tagesgeldkonto perfekt. Trotzdem sollte eine kleine Summe bereits in den längerfristigen Aufbau von Vermögen angelegt werden. Hier eignen sich beispielsweise Immobilienfonds recht gut, da sie auch eine gewisse Flexibilität haben, aber die Kündigung mit vergleichsweise hohen Hürden belegt ist, so dass man nicht auf die Idee kommen kann dies schnell für einen kurzfristigen Geldbedarf zu kündigen.

Die Situation dieser Gruppe ist breit gestreut. In keiner Gruppe ist das Bedürfnis nach guter Beratung so groß wie hier. Anleger mit Familie haben oft in eine Immobilie investiert. Hier gilt vor allen Dingen, dass die Schulden für die Immobilie Vorrang vor eventuellen echten Geldanlagen haben. Es ist immer günstiger die Immobilie abbezahlt zu haben, als Geld in eine Lebensversicherung oder einen Sparplan zu pumpen. Die Immobilie ist hier die beste Altersvorsorge. Für Menschen die nicht bauen gilt es vor allen Dingen Beratung in Anspruch zu nehmen. Eine unabhängige Finanzberatung ist hier die beste Wahl. Eine Beratung bei der Bank ist niemals unvoreingenommen. Ein Anlageberater, der nicht davon lebt, seinen Kunden Produkte zu verkaufen, ist hier immer eine gute Wahl.

Für Golden Ager und Karrierebeender

Für diese Gruppe gilt, jetzt kein Risiko mehr einzugehen. Sparbriefe und Bundesanleihen sind keine renditeträchtigen Konzepte, aber so risikoarm wie möglich. Langfristige Anlagen über das Renteneintrittsalter hinaus empfehlen sich hier nicht mehr. Ein Berufsleben lang hat diese Gruppe für ihren Vermögensaufbau gearbeitet, jetzt gilt es die Früchte zu ernten.

Es gibt also für jeden das richtige Konzept beim Geldanlegen. Wer seine persönliche Situation genau einschätzt, der kann sein Vermögen aufbauen ohne persönliche Einschnitte in der aktuellen Situation in Kauf nehmen zu müssen.

GELD FÜR 12 MONATE ANLEGEN: TIPPS

Es gibt gute Gründe, sich ausschließlich für eine Geldanlage für 12 Monate zu interessieren. Eventuell wissen die Anleger, dass sie das Kapital genau in einem Jahr zum Beispiel für eine größere Anschaffung benötigen. Vielleicht wollen sie auch nur flexibel bleiben und ihr Geld deshalb nicht länger binden. Egal, welche Motivation dahintersteckt, für alle Sparer mit einem solch kurzfristigen Anlagehorizont gelten einige grundlegende Tipps. Zum einen sollten sie bedenken, dass nicht alle Investments für diese Zeitspanne taugen. Zum anderen sollten sie bei den infrage kommenden Anlageformen die besten wählen.

Oberste Priorität: Planbarkeit

Wer sein Geld exakt für 12 Monate anlegen will, sollte eine sichere Kapitalanlage vorziehen. Investments mit Risiken eignen sich bei diesem Zeitraum eher nicht. Niemand kann beispielsweise wissen, wie an der Börse gehandelte Aktien und Anleihen in einem Jahr notieren. Diese Formen erweisen sich langfristig häufig als ertragsreich, nach 12 Monaten können sie sich aber zwischenzeitlich im Minus befinden. Das macht wenig aus, wenn Anleger die Wertpapiere weiter halten können. Dann könne sie hoffen, dass sich die Kurse wieder nach oben entwickeln und haben zwischenzeitlich nur auf dem Papier ein Minus. Müssen Investoren die Wertpapiere exakt in dieser Phase verkaufen, realisieren sie die Verluste jedoch. Auf solche Wertpapiere sollten deshalb nur versierte Anleger setzen, die auch kurzfristige Trends einschätzen können. In Sachwerte zu investieren, empfiehlt sich dagegen grundsätzlich nicht. Wer mit Immobilien oder Silbermünzen als Kapitalanlage Geld verdienen will, sollte deutlich längere Anlagezeiträume wählen.

Die meisten Sparer sollten bei einer Geldanlage für 12 Monate sicherheitsorientiert denken. Sie können beispielsweise ein Tagesgeldkonto eröffnen, bei dem sie jederzeit über Flexibilität verfügen. Alternativ können sie ein Festgeldkonto mit einer Laufzeit von bis zu 12 Monaten abschließen. In der Regel können sie mit Festgeld, bei dem sie sich für diesen Zeitraum binden und anschließend die Einlage und die Zinsen ausgezahlt bekommen, eine höhere Rendite erzielen. Das muss aber nicht immer der Fall sein, deswegen sollten Interessierte die aktuellen Konditionen beider Anlageformen betrachten.

Tages- und Festgeld: Konditionen der Institute vergleichen

Bei einer Geldanlage für 12 Monate sollten Anleger stets die Zinssätze mehrerer Banken betrachten, um auf eine möglichst gewinnbringende Investition zu treffen. Selbst bei dieser kurzen Zeitspanne können Zinsdifferenzen einen erheblichen Unterschied ausmachen. Bei einem Anlagebetrag von 10.000 Euro bedeutet ein Prozentpunkt immerhin 100 Euro mehr oder weniger Zinsertrag. Zum Teil klaffen die Zinssätze zwischen guten und schlechten Banken noch deutlich weiter auseinander. Am leichtesten realisieren lässt sich eine solche Recherche mit einem Online-Vergleich realisieren, der möglichst viele Angebote berücksichtigt. Auf diese Weise finden Sparer innerhalb kurzer Zeit das beste Konto für Tagesgeld oder Festgeld. Meist lassen sich solche Konten auch sofort online beantragen. Anleger müssen nur noch auf einer Filiale der Bank oder alternativ auf einer Poststelle ihre Identität mit einem Personalausweis überprüfen lassen, so schließen Institute Missbrauch aus.

In die Recherche sollten Interessierte auch Neukunden-Angebote beim Tagesgeld einfließen lassen, Zinsrechner im Internet markieren diese entsprechend. Bei solchen Aktionen erhalten Neukunden für einen gewissen Zeitraum einen höheren Zinssatz als Bestandskunden, oftmals für 6 oder 12 Monate. Da Banken mit diesen Angeboten gezielt neue Anleger werben wollen, handelt es sich meist um attraktive Konditionen. Für Sparer, die eine Geldanlage für 12 Monate suchen, kann sich ein solches Konto lohnen. Wenn die Bank die hohen Zinsen für den kompletten Zeitraum gewährt, macht es auch nichts aus, wenn der übliche Zinssatz weit geringer liegt. Anleger können ihr Geld danach einfach wieder abheben und auf ein anderes Konto transferieren beziehungsweise eine geplante Anschaffung finanzieren.

FÜR 5 JAHRE GELD ANLEGEN: DIE MÖGLICHKEITEN

Bei einer Geldanlage für 5 Jahre empfiehlt sich ein Festgeldkonto, sofern Sparer das Geld tatsächlich exakt 5 Jahre später benötigen. Der Vorteil von Festgeld liegt in der Planungssicherheit. Anleger wissen erstens, dass sie zum Laufzeitende ihren Anlagebetrag zurückerhalten. Es bestehen keine Kursrisiken wie beispielsweise an der Börse. Zweitens vereinbaren sie mit der Bank einen festen Zinssatz, sie kennen auch die sicheren Erträge. Verfügen Sparer hinsichtlich des Zeitraums über mehr Flexibilität, lohnt sich der Blick auf alternative Anlageoptionen.

Festgeldkonten und Alternativen

Es gibt verschiedene Gründe, sich auf eine Geldanlage für 5 Jahre zu konzentrieren. Vielleicht wollen Anleger zu diesem Zeitpunkt ein neues Auto kaufen oder ein Haus bauen. In diesen und anderen Fällen stellt ein Festgeldkonto die optimale Lösung dar. Bevor Sparer aber ein Konto eröffnen, sollten sie einen Kapitalanlage Vergleich führen. Nur so finden sie das beste Angebot und sparen renditeträchtig. Auf einem Vergleichsportal geben sie die gewünschte Summe und Geldanlage für 5 Jahre an, anschließend erscheint ein Ranking mit den jeweiligen Zinssätzen. Zudem sollten sich Anleger über die Einlagensicherung informieren, dank der sie ihr Geld krisensicher anlegen können. In der gesamten EU schützt diese Einlagensicherung pro Person und Bank 100.000 Euro bei einer Bankenpleite, viele Institute bieten weitergehende Sicherheit für höhere Beträge. Liegt eine Bank allerdings außerhalb der EU, birgt das vielfach erhebliche Risiken. Das gilt vor allem bei Instituten in instabilen oder kleinen Staaten, diese Angebote sollten Sparer lieber ignorieren.

Sollten Sparer eine Geldanlage über etwa 5 Jahre mit einigen Jahren Spielraum nach oben oder unten anvisieren, kommt auch eine Aktien- oder Fondsanlage infrage. An der Börse existieren Kursrisiken, deshalb ist zeitliche Flexibilität unabdingbar. Ansonsten müssen Investoren ihre Wertpapiere eventuell zu einem festgelegten Zeitpunkt verkaufen, an dem sich die Kurse auf einem ungünstigen Niveau befinden. Bei vorhandener Flexibilität können sie dagegen ein Kurshoch abwarten und ihre Rendite maximieren. Grundsätzlich empfiehlt sich bei jedem Börsenengagement Risikostreuung, Sparer sollten nicht alles auf eine Karte setzen. Sie sollten ihr Geld auf mehrere Konzerne und Branchen verteilen. Anfänger kaufen am besten Aktienfonds mit einem entsprechenden Anlagehorizont, der zum Beispiel deutsche oder europäische Standardwerte umfasst. Zuvor sollten sie eine günstige Depotbank wählen, Gebühren beeinflussen die Rendite. Viele Direktbanken überzeugen mit preiswerten Angeboten: Sie verlangen kein Geld für die Depotführung, nur wenig Gebühren für Transaktionen und offerieren verschiedene Fonds mit rabattiertem Ausgabeaufschlag oder sogar ohne.

GELD MITTELFRISTIG RENTABEL ANLEGEN

Eine Geldanlage über 3 Jahre gilt als mittelfristig. Für Zeiträume zwischen 3 und 5 Jahren ist es besonders schwer, Kapital sicher und mit hoher Rendite anzulegen. In einem Marktumfeld extrem niedriger Zinsen ist die Auswahl sehr eingeschränkt.

Aktien und Aktienfonds sind zu unsicher

Wertpapiere mit schwankenden Kursen, namentlich Aktien, sind bei einer Geldanlage für nur 3 Jahre ungeeignet. Natürlich kann man Glück haben und einen Aktien-Gewinner ins Depot legen, dessen Wert sich innerhalb dieses Zeitraums vervielfacht. Hat man dagegen auf die falschen Papiere gesetzt, sind sie schlimmstenfalls nach 3 Jahren wertlos. Dass auch große Namen nicht vor Verlusten schützen, beweisen die Energieversorger oder ganz extrem der Abgas-Skandal bei VW.

Aktienfonds mindern zwar das Risiko, weil der Anleger nicht auf Einzelwerte setzt, sondern mit seinen Anteilen viele verschiedene Titel einkauft. Aber auch bei den besten Fonds besteht das Risiko einer schwächelnden Konjunktur. Wird das Geld nach 3 Jahren zwingend benötigt und sind die Kurse gerade dann im Keller, wird ein bislang nur auf dem Papier existierender Verlust gezwungenermaßen realisiert, das Geld ist also weg.

Mittelfristige Investition nur in wertstabile Anlagen

Wer es sich nicht leisten kann, schwache Marktphasen einfach auszusitzen, darf mittelfristig nur Anlagen auswählen, die im Wert nicht oder nur sehr wenig schwanken. Früher hätte man hier vielleicht das klassische Sparbuch empfohlen, alternativ auch Renten- oder Geldmarktfonds. Aktuell bringen diese Anlageformen aber Zinsen weit unter der Inflationsrate und sind deshalb so gut wie gar nicht mehr gefragt. Selbst auf den ersten Blick profitable Angebote wie Zuwachssparen mit einem Bonus am Ende der Laufzeit sind völlig unattraktiv, wenn man die Verzinsung der Geldanlage über 3 Jahre berechnet.

Wirklich empfehlenswert ist derzeit nur Festgeld mit einer Zinsfestschreibung über 36 Monate. Im Internet existieren zahlreiche Vergleichsrechner, und Zinsportale machen auch den Weg zu ausländischen Banken für deutsche Sparer leicht. Die gebotenen Zinssätze können sich ganz erheblich unterscheiden. Gerade Banken in Osteuropa bieten deutlich mehr, als man in Deutschland bekommen würde. Viele Portale liefern eine Bewertung der Bank gleich mit, also zum Beispiel das wirtschaftliche Umfeld des Landes und die Ausstattung der jeweiligen Bank mit Eigenkapital. Theoretisch gilt in der EU eine einheitliche Sicherung von Einlagen bis mindestens 100.000 EUR pro Sparer. Die Frage ist aber, was die staatliche Einlagensicherung bei einer großen Wirtschaftskrise tatsächlich zu leisten vermag. Was passiert, wenn sich Pleiten häufen und systemrelevante Banken in den

Abwärtssog geraten? Gerade ausländische Anleger werden möglicherweise Probleme haben, an ihr Geld zu kommen.

Deshalb sollte auch bei auf den ersten Blick sicheren Anlagen eine Risiko-Abwägung erfolgen. Große Unterschiede in den Zinssätzen haben in Euro betrachtet vielleicht gar keine so großen Auswirkungen. Ob man für 5.000 EUR Kapital 1,0 % oder 1,5 % Zinsen bekommt, macht in 3 Jahren gerade mal 75 EUR Unterschied.

RENTABLES GRÜNES INVESTMENT

Mit einem Erneuerbare-Energien-Investment verbinden Anleger Umweltbewusstsein und Renditechancen. Sie fördern mit ihrer Investition die Wende hin zu sauberen Energien und helfen mit, klimaschädliche Kraftwerke wie Kohle-Anlagen sowie gefährliche Technologien wie die Atomkraft überflüssig zu machen. Zugleich sichern sie sich lukrative und vergleichsweise stabile Renditen. Dazu tragen die vorteilhaften gesetzlichen Rahmenbedingungen bei. Der Staat fördert alternative Energien mit dem Erneuerbaren-Energien-Gesetz: Betreiber von Anlagen profitieren von einer Abnahmegarantie sowie von einer festen Einspeisevergütung, entsprechend lassen sich die Einnahmen gut planen. Sie hängen nicht von den Schwankungen an der Strombörse ab. Risiken bestehen bei der Wind- und Solarenergie nur in den Wetterverhältnissen sowie in technischen Ausfällen. Einnahmeausfälle durch die zweitgenannte Gefahr lassen sich jedoch mit Versicherungen minimieren.

Direktinvestitionen in erneuerbare Energien

Es existieren mannigfaltige Möglichkeiten, direkt in alternative Energien zu investieren. Neben dem Kauf einer eigenen Fotovoltaik-Anlage können Interessierte an dem Erfolg größerer Anlagen partizipieren, das gilt insbesondere für Wind- und Solarparks. Eine Form stellen lokale und überregionale Energie-Genossenschaften dar. Anleger erwerben Genossenschaftsanteile, die Mindestanlage beträgt häufig zwischen 500 und 1.000 Euro. In der Folge kassieren sie jährlich eine Dividende, die vom Ertrag abhängt. Der besondere Charme von Genossenschaften liegt darin, dass alle Beteiligte ein Mitspracherecht besitzen. Jeder, der einen Anteil erworben hat, verfügt über eine Stimme. Die Höhe der Gesamtanlage spielt keine Rolle, jeder kann das gleiche Stimmgewicht in die Waagschale werfen.

Viele Investmentgesellschaften finanzieren umfangreiche Wind- und Solarparks zudem mit der Ausgabe von Genussscheinen. Auch bei dieser Anlageform verbuchen Anleger jedes Jahr eine Zinszahlung, die Rendite entscheidet sich ebenfalls am wirtschaftlichen Erfolg des Projekts. Im Gegensatz zu Genossenschaften steht den Investoren aber kein Mitspracherecht zu. Bei einer möglichen Pleite der Investmentgesellschaft werden die Einlagen der Genussrechteinhaber zudem erst nach dem Begleichen aller anderen Forderungen bedient. In der Praxis hat das aber kaum Bedeutung: Fast alle Projekte zeichnen sich dank der guten gesetzlichen Rahmenbedingungen durch eine stabile und attraktive Rendite aus. Interessierte sollten zuvor aber die Seriosität der Gesellschaften prüfen.

Investments an der Börse

Ein Erneuerbare-Energien-Investment lässt sich auch realisieren, indem Anleger Aktien von Unternehmen dieser Branche kaufen. Zahlreiche Produzenten im Bereich Windkraft, Solarenergie und Co. notieren an der Börse. Allerdings fällt nicht jedes Unternehmen durch eine positive Kursentwicklung auf: Einzelne bestehen im Wettbewerb nicht. Es können auch internationale Akteure auf den Plan treten und für Turbulenzen sorgen: China hat zum Beispiel die eigene Solarindustrie massiv subventioniert, die Billig-Anlagen haben viele deutsche Solarhersteller in eine Krise gestürzt. Deshalb sollten Anleger ihr Erneuerbare-Energien-Investment breit streuen, am besten gelingt das mit einem grünen

Investmentfonds. Solche Fonds sollten in zahlreichen Bereichen der erneuerbaren Energien sowie in unterschiedlichen Ländern Aktien ordern.

VL - GELDGESCHENKE VOM STAAT

Vermögenswirksame Leistungen, kurz VL, sind eine in Deutschland staatliche geförderte Form des Sparens für Arbeitnehmer. Sowohl der Staat als auch der Arbeitgeber beteiligen sich daran, und so kann aus relativ kleinen Raten über die Jahre eine stattliche Summe herausspringen - vorausgesetzt man nimmt sie auch in Anspruch.

Wer erhält vermögenswirksame Leistungen?

Obwohl kein rechtlicher Anspruch auf vermögenswirksame Leistungen besteht, haben sich doch viele Arbeitgeber in Arbeitsverträgen dazu verpflichtet. So erhalten die meisten fest angestellten Arbeitnehmer, Angestellte im öffentlichen Dienst und Arbeitnehmer mit Tarifverträgen die VL. Auch Auszubildende sind in dieser Regelung inbegriffen. Wer keine VL bekommt, der kann trotzdem einen Sparvertrag abschließen; das Gehalt wird dann einfach über den Betrag gekürzt.

Die richtige Anlageform

Wer Vermögenswirksame Leistungen anlegen möchte, muss zunächst prüfen, ob er sie überhaupt erhalten kann. Ein Blick in den Arbeitsvertrag genügt. Danach führt der Weg in die nächste Bankfiliale. Nicht jeder Sparplan ist für die VL zugelassen, die häufigsten und auch rentabelsten Anlageformen sind Banksparpläne, Bausparverträge, eine betriebliche Altersvorsorge oder die Tilgung eines Baukredits. Eine staatliche Förderung ist allerdings nur für Bausparverträge, die Tilgung eines Baukredits oder Aktienfondssparpläne möglich. Hat man seine Entscheidung getroffen, muss der mit der Bank geschlossene Vertrag nur noch dem Arbeitgeber übermittelt werden. Dieser überweist den Betrag dann direkt an die Bank.

Aus vermögenswirksamen Leistungen ein kleines Vermögen anlegen

Ein eine VL-Kapitalanlage wird in der Regel über sechs Jahre abgeschlossen, nach diesen sechs Jahren hat der Vertrag noch eine Sperrfrist von einem Jahr. Je nach Anlageform kann der Arbeitnehmer danach über die angesparte Summe verfügen. Für einige Verträge gelten Mindestanlagesummen, bei Bausparverträgen oft 15-40 Euro. Sollte die VL des Chefs nicht ausreichen, kann man den fehlenden Betrag einfach aus dem Gehalt aufstocken lassen. Außerdem ist die VL an gewissen Einkommensgrenzen gebunden. Alleinstehende dürfen nicht mehr als 20.000 Euro verdienen, Ehepaare das Doppelte. Bei Bausparverträgen liegt Grenze sogar noch 3.000 bzw. 6000 Euro darunter. Die Höhe der staatlichen Förderung hängt ganz von der gewählten Vertragsform ab, Aktienfondssparpläne werden mit 80 Euro jährlich gefördert, Baukredite mit 43 Euro, für Ehepaare gilt jeweils das Doppelte. Vermögenswirksame Leistungen anlegen ist für jeden Arbeitnehmer zu empfehlen, der die Einkommenshöchstgrenzen nicht knackt. In vielen Fällen übernehmen Arbeitgeber die Raten in vollem Umfang, so spart man praktisch zum Nulltarif über sechs Jahre ein kleines Vermögen an.

GELDANLAGEN SICHER UND RENTABEL GESTALTEN

Wer sein Vermögen anlegen möchte, muss zwischen Sicherheit und Rendite abwägen. Sichere Anlagemöglichkeiten bringen nur wenig Zinsen, attraktive Renditen sind dagegen stets mit einem Risiko verbunden. Seriöse Angebote weisen keine zweistelligen Verzinsungen bei minimalem Risiko aus. Gut informiert hinterfragen Sie die Beratung durch Ihre Bank kritisch oder investieren online zu deutlich geringeren Kosten.

Geht es um die einmalige Anlage eines größeren Betrages, aus einer Erbschaft vielleicht, einer Abfindung oder einem Lottogewinn, sollten Sie sich zunächst fragen, wann Sie welchen Teil des Geldes voraussichtlich wieder benötigen. Angesichts der immer größer werdenden Versorgungslücke im Alter ist es eine gute Idee, wenn Sie das Vermögen so anlegen, dass ein Teil davon Ihre Alterseinkünfte aufbessert.

Private Rentenversicherungen kann man nicht nur gegen laufenden Beitrag abschließen. Auch Einmalbeiträge sind möglich. Die neueste Produktgeneration der Lebensversicherer ist höchst flexibel und beseitigt Nachteile, die mit Rentenversicherungen früher verbunden waren. Moderne Rentenversicherungen erlauben eine Mischung zwischen konventioneller Kapitalanlage und fondsgebundener Versicherung. Einmal eingezahltes Geld ist nicht endgültig Ihrem Zugriff entzogen, sondern kann bei Bedarf auch wieder entnommen werden, als Kapitalleistung oder Teilrente, zum Beispiel um das Studium von Kindern oder Enkeln zu fördern. Und letztendlich ist die Rentenversicherung die einzige Möglichkeit, eine Zahlung bis ans Lebensende vertraglich zu garantieren.

Vermögen nach Laufzeit aufteilen

Ist Ihre Altersvorsorge ausreichend bedient, teilen Sie den Rest des Vermögens auf in Anlagen mit kurzer und mittelfristiger Laufzeit, in Gelder mit fester Verzinsung und variabler Wertentwicklung. Parken Sie etwas Geld auf einem Tagesgeldkonto, so dass es jederzeit verfügbar ist. Für konkrete Konsumwünsche, etwa ein neues Auto innerhalb von drei Jahren, wählen Sie Festgeld mit einer entsprechend angepassten Laufzeit. So angelegtes Geld unterliegt in Europa einer Einlagensicherung von mindestens 100.000 EUR, in vielen Ländern auch deutlich mehr. Diese Sicherheit erkaufen Sie sich mit Zinsen, die oft unter der 1-%-Marke liegen.

Können Sie länger auf das Geld verzichten, werfen Sie einen Blick auf Aktienfonds. Durch die Bündelung vieler Einzelwerte wird das Risiko gegenüber Einzelaktien deutlich reduziert. Aktiv gemanagte Fonds kosten oft hohe Gebühren, schlagen aber in der Rendite nur selten die Vergleichsindizes. Kostenmäßig günstiger sind Indexfonds, die die Wertentwicklung der Märkte nachbilden. Verwahrt man die Fondsanteile im Depot einer Direktbank, wird die Rendite nur ganz geringfügig durch Bankgebühren geschmälert.

Geschlossene Fonds, zum Beispiel das Investieren in Windkraft, Holz, Schiffe oder Flugzeuge, ist nur für risikofreudige Anleger ein Thema. Man muss sich darüber klar sein, dass man hier eine unternehmerische Beteiligung zeichnet, die mit einem Totalverlust des eingesetzten Kapitals enden kann. Geschlossene Fonds erfordern meist hohe Mindesteinlagen, zum Beispiel 10.000 EUR, und die Beteiligung ist nicht flexibel an einer Börse handelbar. Je nach Art des Fonds und den persönlichen Verhältnissen kann man sich Steuervorteile sichern. Dennoch taugen sie nur als Beimischung, wenn es darum geht, im Rahmen einer Vermögensverwaltung große Vermögen anlegen zu lassen, und keinesfalls für eine Altersvorsorge.

5 MILLIONEN EURO KLUG INVESTIEREN

Wer 5 Millionen anlegen kann, befindet sich in einer optimalen finanziellen Situation: Die Erträge dieser hohen Summe erlauben einen angenehmen Lebensstandard, das eigentliche Vermögen müssen Sparer gar nicht antasten. Vielfach entscheiden sich Reiche aber falsch, vor allem bei einem plötzlichen Geldsegen wie nach einem Lotteriegewinn oder nach einer umfangreichen Erbschaft: Nicht selten verlieren Anleger in kurzer Zeit einen Großteil ihres Gelds, weil sie zu große Risiken eingehen. Andere investieren die enormen Beträge dagegen mit einer viel zu geringen Rendite. Mit einer vernünftigen, individuellen Anlagestrategie lassen sich beide Fehler meiden.

Vermögen sichern

Möchten Sparer Millionen anlegen, sollten sie einen Teil des Gelds in sichere Anlageformen investieren. Eine solche Risikoabsicherung empfiehlt sich bei jeder Kapitalanlage. Hierfür kommen Tages- und Festgeldkonten infrage. Auf Tagesgeldkonten deponieren Anleger eine Geldsumme als Reserve, sie können täglich über diesen Betrag verfügen. Mit Festgeldkonten gehen Sie längere Laufzeiten von wenigen Monaten bis 10 Jahre ein, für diese langfristigere Bindung kassieren sie höhere Zinsen. Bei beiden Anlageformen greift die EU-weite, gesetzliche Einlagensicherung: Meldet eine Bank Insolvenz an, erhalten Sparer pro Institut bis zu 100.000 Euro ihres Kapitals ersetzt. Für Reiche bedeutet dies, dass sie bestenfalls bei mehreren Banken einen Teil der 5 Millionen anlegen und die Grenze von 100.000 Euro jeweils nicht überschreiten. Ziehen sie nur eine Bank vor, sollten sie gezielt etablierte Institute auswählen. Vor hohen Anlagesummen bei Banken in europäischen Krisenstaaten ist abzuraten.

Mit einem kleinen Anteil können Vermögende auch Edelmetalle wie Gold und Silber erwerben. Dabei handelt es sich um typische antizyklische Anlageformen, die als Inflationsschutz dienen. In der Regel steigt deren Wert in krisenhaften Zeiten, weil viele Investoren in die sicheren Edelmetalle flüchten. Im Gegensatz zu Papiergeld kann keine Entwertung stattfinden: Notenbanken können die Geldmenge beliebig ausweiten, in der Folge tritt ein Kaufkraftverlust ein. Bei Gold und Co. kann dies nicht geschehen, weil es nur in begrenzter Menge vorkommt. Allerdings unterliegen Edelmetalle Kursschwankungen, Interessierte sollten sich die Entwicklung in der Vergangenheit und Prognosen ansehen.

Sie sollten zu angemessenen Preisen kaufen, nicht bei historischen Höchstständen.

Rendite optimieren

Je höher die Sicherheit, desto geringer die Rendite: Dieser Grundsatz verdient Beachtung, wenn Menschen 5 Millionen anlegen wollen. Deswegen sollten sie nicht ausschließlich auf Sicherheit setzen, sondern auch in Wertpapiere mit höheren Renditechancen investieren. So gehören Aktien in eine Anlagestrategie. Diese schwanken zwar im Wert, aber dauerhaft lassen sich mit ihnen überdurchschnittliche Erträge zielen. Wichtig ist nur, dass Sparer nicht alles auf eine Karte setzen. Sie sollten nicht ausschließlich eine Aktie kaufen, sie sollten sich nicht auf risikoreiche Branchen wie den IT-Sektor oder stark schwankende Märkte wie in Brasilien konzentrieren. Stattdessen realisieren kluge Anleger Risikostreuung. Sie ordern Aktien renommierter Konzerne aus verschiedenen Ländern und Branchen und ergänzen das Depot mit einzelnen, aussichtsreichen Papieren. Als Alternative eignen sich Investmentfonds mit einem entsprechenden Anlagehorizont.

Es existieren viele weitere Möglichkeiten, um das Geld breiter zu streuen und eine ordentliche Rendite zu erzielen. Dazu gehören Unternehmensanleihen: Viele Firmen geben attraktiv verzinste Anleihen mit einem überschaubaren Risiko heraus. Auch erneuerbare Energien haben sich als Anlageoption etabliert. Mit Genussscheinen können Sparer zum Beispiel in die Windenergie oder in Solarparks investieren. Sie sollten sich aber zuvor informieren, ob die jeweilige Investmentgesellschaft seriös auftritt.

INVESTITIONEN JENSEITS DER BÖRSE

Der Ausdruck alternative Investments ist ein Sammelbegriff für verschiedene Kapitalanlageformen, die ein ähnliches Ziel verfolgen. Es geht darum, das Verhältnis von Risiko und

Ertrag einer Geldanlage zu optimieren. Durch eine bessere Diversifikation soll das Risiko minimiert werden. In dieser Zielrichtung unterscheiden sie sich auf den ersten Blick nicht von den meisten Investmentfonds. Mit alternativen Investments versucht man aber einen Schritt weiter zu gehen und sich gegen das Marktrisiko generell besser zu schützen.

Ziele und Merkmale alternativer Investments

Hintergrund ist die Erfahrung, dass es am Finanzmarkt immer wieder zu Situationen kam, in denen der gesamte Markt stark eingebrochen ist. Alle mit dem Markt direkt korrelierten Wertpapiere erlitten starke Kursverluste. Gleichzeitig konnte man beobachten, dass die Preise für Sachwerte oder Rohstoffe, die nicht an der Börse gehandelt wurden, stabil blieben oder sogar anstiegen. Alternative Investitionen haben das Ziel, positive Renditen zu erzielen, unabhängig von der Entwicklung des Marktes.

Die wichtigsten Instrumente, derer man sich dabei bedient sind Hedgefonds, Private Equity und Venture Capital, Immobilien- und Infrastrukturinvestments sowie Rohstoffe. So unterschiedlich diese Kategorien auf den ersten Blick auch sind, ein paar Gemeinsamkeiten kann man trotzdem finden, durch die sie sich von traditionelleren Investments unterscheiden. Die Fondsmanager verfügen über einen verhältnismäßig großen Entscheidungsspielraum. Sie sind rechtlich sehr wenig reguliert und bieten weniger Transparenz als klassische Geldanlagen. Sie haben meist eine geringe Liquidität. Das angelegte Kapital ist also oft über längere Zeiträume nicht verfügbar.

Fonds an- und außerhalb der Börse

Hedgefonds investieren in traditionelle Anlageklassen wie Aktien und Anleihen, verfolgen dabei aber andere Strategien. Sie orientieren sich nicht an Indizes, sondern versuchen sowohl bei steigenden als auch bei fallenden Kursen positive

Renditen zu erwirtschaften. Sie spekulieren auf zukünftige Kursentwicklungen und nutzen das Instrumentarium der Wertpapierleihe und des Leerverkaufs, um daraus Gewinn zu erzielen. Das heißt, sie verkaufen Wertpapiere, die sie sich bei anderen Marktteilnehmern, gegen Zinszahlung. Sie spekulieren darauf, dass der Kurs dieser Papiere sinkt, kaufen sie dann zum geringeren Preis und geben sie an den Entleiher zurück. Mit dieser und ähnlichen Strategien sind hohe Gewinne, aber auch hohe Verluste jenseits von Markttrends möglich.

Der Begriff Private Equity steht für eine Form der Beteiligung an Unternehmen, die nicht an der Börse notiert sind. Das Investment kann entweder direkt oder in Form von Private-Equity-Fonds erfolgen. Als Investor partizipiert man unbeschränkt am Gewinn oder Verlust des Unternehmens. Das Kapital ist aber meist für einen langen Zeitraum gebunden. In Private-Equity-Fonds investieren vornehmlich institutionelle Anleger aus dem In- und Ausland. Alternative Investments in Start-up Unternehmen der IT-Branche oder im Bereich Biotechnologie begegnen einem oft unter der Bezeichnung Venture Capital Fonds.

Anlagen in Immobilien, Infrastruktur und Rohstoffe

Auch Immobilien oder Infrastrukturprojekte eigenen sich als Anlagegegenstand für alternative Investitionen. Die Beteiligung an Immobilien kann als Direktinvestment erfolgen oder über spezielle Fonds. Dazu gehören auch Reits-Fonds, die Gewinne aus der dem Immobilienhandel oder aus deren Bewirtschaftung erzielen. Zu den Infrastrukturbereichen, die auch für langfristige Anlagen interessant sind, gehören Mautstraßen und Schienen, Energie- und Wasserversorgung, Mobilfunknetze und erneuerbare Energien, aber auch kulturelle Einrichtungen oder Krankenhäuser.

In Krisenzeiten sind auch Geldanlagen in Rohstoffe zur Wertsicherung sehr beliebt. Dazu zählen Edelmetalle, wie

Gold, Silber oder Kupfer, ÖL und Erdgas sowie verderbliche oder nachwachsende Agrarrohstoffe. Die Rohstoffpreise unterliegen allerdings stärkeren Schwankungen als andere Anlagekategorien. Bei Direktinvestitionen entstehen Kosten für Lagerung, Steuern und Versicherung. Gewinne aus Zinsen oder Dividenden sind hingegen nicht zu erwarten. Beim An- und Verkauf müssen Wechselkursschwankungen mit einkalkuliert werden.

Um dem Treiben der Börse nicht machtlos ausgesetzt zu sein, bieten alternative Investitionen gewisse Möglichkeiten, das Risiko zusätzlich zu streuen. Jeder dieser Bereiche birgt, für sich genommen, nicht unerhebliche Chancen und Risiken. Der Vorteil besteht vor allem darin, dass Vermögen, das in diesem Sektor angelegt wird, weniger an globale Markttrends gekoppelt sind.

GELD SICHER UND MIT HOHEN ZINSEN ANLEGEN

Viele Sparer wollen Geld anlegen und Zinsen beziehungsweise Dividenden kassieren, ohne allzu große Risiken einzugehen. Hierfür stehen vielfältige Möglichkeiten zur Auswahl: Grundsätzlich lassen sich Geldanlagen ohne jedwedes Verlustrisiko sowie Anlageformen mit attraktiven Renditen und überschaubaren Risiken unterscheiden. Darüber hinaus können Investoren Geld in Aktien anlegen, bei denen die Renditechancen, aber auch die Verlustrisiken deutlich höher liegen.

Anlegen mit maximaler Sicherheit: Konservativ sparen

Geld anlegen mit Zinsen und keinerlei Risiko: Gibt es das? Ja, dank der gesetzlichen Einlagensicherung. Bei Geldanlagen wie Tagesgeld, Festgeld und verzinsten Sparplänen existieren EU-weite Sicherungsmechanismen. Bei einer Bankenpleite erhalten Anleger bis zu 100.000 Euro ihres Sparbetrags zurück. Bis zu dieser Höhe können sie deshalb innerhalb der EU bedenkenlos anlegen. Nur bei umfangreicheren Summen sollten sie Vorsicht walten lassen: Entweder verteilen sie das Geld auf mehrere Banken oder sie suchen gezielt nach Instituten, die durch zusätzliche Sicherungsmaßnahmen weitaus höhere Beträge absichern. Viele Banken in Deutschland organisieren diesen extra Schutz mit Einlagensicherungsfonds.

Bei allen genannten Anlageformen besteht derselbe Schutz, die Zinsen unterscheiden sich aber erheblich. Deshalb empfiehlt sich stets ein Anbietervergleich. Wer beispielsweise 10.000 auf einem Festgeldkonto anlegen möchte, sollte diese Summe plus die gewünschte Laufzeit in einen Festgeldrechner eingeben. Dieser zeigt anschließend die Angebote mit den höchsten Zinssätzen an. Wichtig: Die Rendite sollte die aktuelle und künftige Inflation übertreffen, ansonsten verlieren Sparer an Kaufkraft. Mit Top-Anbietern stellt das aber kein Problem dar. Eine Kontoeröffnung können Sparer sofort online in die Wege leiten, zusätzlich müssen sie nur noch auf einer Postfiliale oder per Video-Identifizierung ihre Identität prüfen lassen.

Vor jedem Abschluss einer Geldanlage sollten Sparer überlegen, inwieweit sie sich binden möchten. Legen sie zum Beispiel Geld zehn Jahre lang auf einem Festgeldkonto an, können sie erst nach Ablauf dieser Zeitspanne wieder darüber verfügen. Grundsätzlich sollten Anleger immer eine Reserve auf einem Tagesgeldkonto parken, sie können flexibel darauf zugreifen. Kurzfristige und überraschende Rechnungen wie eine Autoreparatur lassen sich dank dieses Puffers problemlos begleichen. Speziell bei Festgeldern sollten Sparer eher kürzere Laufzeiten wählen, wenn sie nicht wissen, ob in den nächsten Jahren ein größerer Finanzbedarf entsteht.

Interessante Alternativen

Zu den vergleichsweise sicheren und renditeträchtigen Alternativen zählen Investitionen in Windkraft und Solarenergie. Mittels Genussscheinen ermöglichen Investoren den Bau großer Windkraft- und Solarparks, dafür erhalten sie jährlich eine Beteiligung an den Erträgen. Dank guter gesetzlicher Rahmenbedingungen für erneuerbare Energien zeichnen sich diese Geldanlagen meist durch stabile und hohe Renditen aus. Auch Mischfonds mit Aktien-, Renten- und Immobilienanteil eignen sich: Da nur ein Teil des Gelds in Aktien fließt, sind die Risiken überschaubar. Zugleich sichern sich Anleger höhere Renditechancen als bei Tages- und Festgeld.

DER SCHÖNE SCHEIN BEIM STAFFELZINS

Neben Festgeldkonten, Sparbriefen und Sparverträgen bieten viele Banken auch das Zuwachssparen als Möglichkeit zur mittelfristigen Geldanlage an. Häufig wird dafür auch der Begriff Wachstumssparen verwendet. Dabei wird eine bestimmte Summe für einen Zeitraum von drei bis sieben Jahren fest angelegt. Die Verzinsung ist von Anfang an festgeschrieben. Während bei einem Sparbrief oder einem Festgeldkonto die Zinsen, über die ganze Laufzeit hinweg, gleich bleiben, wird beim Zuwachssparen aber ein Staffelzins vereinbart. Der Zinssatz liegt im ersten Jahr relativ niedrig, um sich dann Jahr für Jahr zu erhöhen. Im Unterschied zu den anderen Produkten zum Sparen, besteht hier auch nach Ablauf einer bestimmten Frist, die Möglichkeit den Vertrag vorzeitig zu kündigen.

Mindestanlagen und Verfügungsmöglichkeiten

Für Wachstumssparverträge wird in der Regel eine Mindestanlage in der Größenordnung zwischen 500 und 10.000 Euro vorausgesetzt. Bei einem Anbietervergleich stellt man fest, dass gerade Angebote mit besonders attraktiver Verzinsung auch besonders hohe Mindestbeträge erwarten. Auch nach oben ist die Höhe der Geldanlage bei einigen Instituten gedeckt. Die Spanne reicht von 50.000 bis 1.000.000 Euro. Nur ganz wenige Anbieter erlauben nachträgliche Zuzahlungen auf die angelegte Summe. Bei den meisten muss dafür ein neuer Vertrag abgeschlossen werden.

Im Gegensatz zu Sparbriefen oder Festgeldkonten kann man bei vielen Wachstumssparverträgen auch vor Laufzeitende über sein Geld verfügen. Bei den meisten Angeboten gilt eine Sperrfrist von 1 Jahr. Danach kann man über Beträge in Höhe von 2.000 Euro pro Monat verfügen. Der verbleibende Betrag darf aber nicht unter die Mindestanlagesumme fallen, da in diesem Falle der Vertrag aufgelöst und in eine normale Spareinlage umgewandelt würde. Für höhere Beträge muss man den Vertrag vorzeitig kündigen, wofür eine Frist von drei Monaten üblich ist.

Die Fallstricke des Staffelzinses

Die Zinsstaffelungen bei den Angeboten zum Wachstumssparen sind je nach Anbieter unterschiedlich gestaltet und erschweren einen direkten Angebotsvergleich. Nur bei wenigen erfolgt die Steigerung der Zinssätze linear, also in gleichgroßen Schritten. Bei der Mehrzahl der Angebote ist die Erhöhung in den ersten Jahren eher mäßig, um sich dann zum Ende hin deutlich zu steigern. Mit diesen Werten, die erst am Ende gültig sind, bewerben viele Banken ihre Angebote. Aber ein Blick auf die Zahlen für die Jahre davor offenbart, dass die Offerte möglicherweise gar nicht so rentabel ist, wie es auf den ersten Blick scheint. Bevor man einen Vertrag abschließt, sollte man sich also von seinem Berater bei der Bank die durchschnittliche jährliche Rendite genau berechnen lassen. Um Angebote zu vergleichen, kann man allerdings auch einen Zinsrechner für Staffelzinsen im Internet nutzen.

Wenn man sich verschiedene Angebote zum Zuwachssparen genau durchrechnet, kann man bezüglich der Rendite beträchtliche Unterschiede erkennen. Bei den besten Angeboten bekommt man mehr als das Doppelte an Zinsen als bei den schlechtesten. Genaues Vergleichen lohnt sich also auf jeden Fall. Unterschiede gibt es auch in Bezug auf den Zinszahlungsmodus. Bei thesaurierenden Verträgen werden die Zinsen jährlich der Anlagesumme gut geschrieben, und am Ende zusammen mit dem angelegten Kapital ausbezahlt. In dem Falle profitiert man auch von Zinseszinsen. Bei ausschüttenden Verträgen werden die Erträge jährlich auf ein Referenzkonto gezahlt.

Flexibilität hat ihren Preis

Wenn man die tatsächliche durchschnittliche Rendite eines Zuwachssparangebotes mit einem Festgeldkonto oder Sparbrief bei der selben Bank, und mit gleicher Laufzeit, vergleicht, schneidet das Festgeld immer etwas besser ab. Die Differenzen sind mal mehr und mal weniger groß, gehen aber immer zuungunsten der Wachstumssparprodukte. Das ist der Preis, den man für die größere Flexibilität zahlen muss. Wenn man diese tatsächlich in Anspruch nimmt, und den Vertrag vorzeitig kündigt, bezahlt man ebenfalls einen hohen Preis. Denn die guten Zinserträge am Ende der Laufzeit, gehen einem dadurch verloren. Das Ganze wird dadurch eher unrentabel.

Zuwachssparen ist sehr sicher, da in Deutschland hierfür die gesetzliche Einlagensicherung voll greift. Um am Ende der Laufzeit über sein Geld, frei verfügen zu können, muss man den Vertrag rechtzeitig kündigen. Die Frist beträgt üblicherweise drei Monate. Ansonsten wird der Anlagebetrag in eine einfache Spareinlage oder Sparbuch überführt, wofür dann wieder eine dreimonatige Kündigungsfrist gilt.

GELD VERDOPPELN: SO KANN ES GEHEN

Jeder Anleger möchte sicher gerne so schnell wie möglich sein Geld verdoppeln. Mit häufigen An- und Verkäufen von Börsenpapieren lässt sich dies innerhalb eines kurzen Zeitraums realisieren, sofern die Investoren geschickt handeln. Die Möglichkeit hoher Gewinne birgt aber auch immer Gefahren, deshalb sollten vor allem Laien vorsichtig agieren. Wer sich mit dem kurzfristigen Börsenhandel nicht auskennt, sollte lieber auf eine langfristige Strategie setzen.

Kursschwankungen ausnutzen

Die Börsen folgen meist keinem durchgehenden Trend. Es lassen sich immer Schwankungen beobachten. Verliert ein Markt über einen Monat lang insgesamt 5 %, gab es in der Regel zwischendurch Auf und Abs. Das Gleiche gilt für Aufwärts- oder Seitwärtsbewegungen. Kurzfristige Anleger verdienen damit Geld, indem sie zu einem bestimmten Kurs Aktien kaufen und schon bei kleineren Gewinnen wieder verkaufen. Sogenannte Day-Trader stoßen Papiere oftmals schon nach wenigen Stunden wieder ab, sofern sich damit ein Gewinn erzielen lässt. Mit dieser Strategie lässt sich das Guthaben in kurzen Zeitspannen deutlich vermehren. Das setzt aber ein glückliches Händchen und Kenntnisse über die Mechanismen des Börsenhandels voraus.

Interessierte sollten sich vor einem Engagement ausgiebig informieren, indem sie etwa spezielle Ratgeber für diese kurzfristige Strategie lesen. Sie sollten sich unter anderem über die Gründe informieren, warum sich Kurse nach oben oder unten bewegen. Bei Aktien können sich beispielsweise bei der Vorstellung von Geschäftsdaten größere Kursbewegungen ergeben. Auch allgemeine Trends verdienen Aufmerksamkeit, etwa Faktoren wie Notenbankentscheidungen, Konjunkturdaten oder die Tatsache, dass viele professionelle Händler in bestimmten Situationen Gewinne realisieren und es damit zu zwischenzeitlichen Verlusten kommt.

Längerfristige Strategien zur Vermögensvermehrung

Die Finanzmärkte ermöglichen es, rasch Geld zu verdoppeln. Allerdings dürfen Anleger die andere Seite der Medaille nicht vergessen: Sie können Kapital auch in wenigen Monaten halbieren. Besonders hohe Renditechancen gehen immer mit besonders hohen Risiken einher. Wer diese Gefahren meiden will, sollte lieber auf weniger riskante Finanzstrategien setzen. So können Anleger Aktien mit einem längeren Anlagehorizont erwerben. Steigen sie zum richtigen Zeitpunkt ein und bewegt sich der gesamte Aktienmarkt oder ein einzelner Aktienkurs nach oben, lassen sich ebenfalls ansprechende Renditen erzielen. Wer etwa 2011 ein Indexzertifikat auf den deutschen Leitindex DAX kaufte, konnte bis 2014 fast sein Geld verdoppeln.

Einzelne Aktien weisen sogar noch höhere Kurspotenziale auf. Bei ihnen kann es innerhalb weniger Jahre auch zu Kursgewinnen von deutlich über 100 % kommen. Um so sein Geld zu verdoppeln oder noch mehr Rendite zu erreichen, bedarf es aber der Analyse der Märkte und einzelner Unternehmen. Interessierte sollten zu einem attraktiven Kursniveau einsteigen und nicht erst, wenn die Kurse bereits Höchststände markieren. Es empfiehlt sich ein antizyklisches Handeln: Befinden sich Aktien momentan im Tief, weisen aber Entwicklungspotenzial auf, sollten Anleger zuschlagen.

SO INVESTIEREN UND SPAREN SIE RICHTIG

Viele träumen davon, irgendwann ein kleines Vermögen zu besitzen. Doch gezielt dafür sparen wollen nur wenige. Dabei ist es mit den richtigen Strategien nicht schwierig, monatlich etwas Geld beiseitezulegen. Auch kleine Beträge führen langfristig zum Erfolg.

Fangen Sie heute an

Egal ob man für die Kinder anlegen möchte, oder sich in einigen Jahren einen Traum erfüllen möchte; wer spart sorgt für die Zukunft vor und sichert sich gegen finanzielle Dürreperioden ab. Wichtigster Punkt in dem persönlichen Sparplan ist der Start. Je früher man anfängt, desto mehr springt später heraus. Der erste Euro ist der wichtigste, er arbeitet am längsten für das Kapital und Zinseszinsen sind ein nicht zu unterschätzender Aspekt. Fange Sie also heute an, richtig zu sparen. Außerdem empfehlen Experten, sich einen Tag Zeit zu nehmen, um die eigene finanzielle Situation zu beurteilen. Bestehende Verträge, Versicherungen und natürlich Schulden sollten unter die Lupe genommen werden. Ein Prozess, der vielen schwer fällt, aber nötig ist, um optimal Anlegen zu können.

Spare in der Zeit...

..so hast du in der Not. Nach der finanziellen Inventur sollten einige Punkte beachtet werden. Jeder Haushalt sollte über einen sogenannten Notgroschen verfügen, ist dieser nicht vorhanden, sollten zunächst ca. zwei Monatsgehälter angespart werden. Legen Sie diese auf ein immer verfügbares Konto an, zum Beispiel ein Tagesgeldkonto. Dies bleibt die eiserne Reserve, die nur in wirklichen Engpässen angegriffen wird. Nebenbei erwirtschaftet man noch Zinsen.

Richtig investieren mit Streuung

Die Entscheidung zum Sparen sollte nach Einrichtung einer kleinen Reserve, abhängig von der finanziellen Situation fallen. Möchte man kleine Beträge regelmäßig sparen, ist für den Anfang ein Banksparplan das Richtige. Zwar fallen die Zinsen oft nicht sehr hoch aus, dafür aber hat man eine sichere Anlage mit mittelfristiger Verfügbarkeit von oft 1 -3 Jahren. Außerdem werden bei Banksparplänen die Zinsen oft jährlich ausgezahlt. So hat man etwas Zusatz-Einkommen, welches man wieder investieren oder für eine ungeplante Ausgabe nutzen kann. Hat man einen größeren Betrag von mindestens 5.000 Euro zur Verfügung, ist die sicherste Alternative aktuell das Festgeld oder auch deutsche Staatsanleihen. Richtig Investieren bedeutet auch eine gewisse Risikostreuung. So sollte man nie auf nur eine Kapitalanlage setzen, sondern das Kapital in einem Portfolio anlegen, welches verschiedene Anlageformen beinhaltet.

GÜNSTIGE SPARVERTRÄGE IM VERGLEICH

Ein Sparvertrag Vergleich ist immer nützlich, denn Sparverträge werden meist über einen längeren Zeitraum abgeschlossen. Sparer können so viele Jahre von besseren Konditionen profitieren. Zunächst muss jeder Anleger für sich das Ziel definieren, dem die angesparten Mittel dienen sollen. Das kann die Altersvorsorge oder ein festgelegter Verwendungszweck sein, beispielsweise ein Auto- oder Möbelkauf oder das Sparen für die Enkel. Danach richtet sich die Auswahl des geeigneten Sparvertrages. Anlegern stehen grundsätzlich zwei Möglichkeiten offen, das Sparen mit festen und variablen Zinsen oder mit schwankenden Erträgen. Man unterscheidet zwischen regelmäßigem Ratensparen und einmaligen Sparanlageverträgen.

Je nach Zielsetzung sollte sich der Sparer fragen, wie er sein Geld sicher vermehren kann. Für mittelfristige Sparziele und Verträge, bei denen der Anleger auf das Geld zwingend angewiesen ist, sollten Vereinbarungen mit Festzinskonditionen bevorzugt werden. Bei Banksparplänen und Bankeinlagen weiß der Sparer, über welchen Betrag er am Ende des Sparzeitraumes verfügen kann. Die lukrativsten Konditionen im Vergleich für Sparbriefe und Festgelder kann er über Finanzportale im Internet herausfiltern, der Zinseszinseffekt sollte dabei nicht unberücksichtigt bleiben.

Worauf sollten Verbraucher beim Sparvertrag Vergleich achten?

Wesentlich sind die Kosten des Sparvertrages, denn diese schmälern die Rendite, insbesondere langfristiger Sparverträge, beträchtlich. Alle Banksparpläne und Bankeinlagen sind in der Regel kostenlos. Sparer sollten auf versteckte Zusatzkosten wie Kontoführungs-, Auflösungs- oder Portogebühren achten. Komplizierter ist das Vergleichen von Investmentfonds, die bei langfristigen Ratensparverträgen mit hohen Gewinnchancen erste Wahl sind. Die Ergebnisse des Investmentsparens sind nicht exakt planbar, weil Fondspreise Kursschwankungen unterliegen. Fonds eignen sich deshalb für risikobewusste Sparer.

Um Investmentfonds gegenüberzustellen, sollten Fondsrankings und Performanceranglisten herangezogen werden. Sparer müssen die TER vergleichen. Hierbei handelt es sich um die Gesamtkostenquote des Investmentfonds, die keine Ausgabeaufschläge und Transaktionskosten enthält. Da die TER die laufenden Kosten des Fonds ausweist, kann der Anleger die Fonds aussortieren, deren hohe Gesamtkosten ihre Performancechancen von vornherein begrenzen. Die Wertentwicklung der Fonds über die vergangenen fünf bis zehn Jahre bildet einen guten Anhaltspunkt für den Vergleich. Je länger die Historie der Fondsentwicklung, desto nachhaltiger sind die erzielten Fondsrenditen.

Fazit

Sparanlagen sind hinsichtlich ihrer Sicherheit, Konditionen, Kosten und Verfügungsmöglichkeiten zu beurteilen. Kürzere Sparverträge haben den Vorteil der Flexibilität gegenüber den zumeist günstigeren Konditionen langfristiger Sparanlagen. Riskantere Sparformen wie Fonds sind für lange Laufzeiten vorzuziehen. Damit sich Sparen auf Dauer lohnt, sind Disziplin, niedrige Gebühren und objektive Informationen notwendig. Die Zeit, die Sie vor Vertragsabschluss in das Vergleichen der Sparverträge investieren, zahlt sich am Ende in Euro und Cent auf Ihrem Sparkonto aus.

IN DER GRUPPE INVESTIEREN: ANLEGERCLUBS

Bei einem Investment Club handelt es sich um einen Zusammenschluss von Anlegern, die ihr Geld gemeinsam investieren. Meist findet sich diese Form im regionalen Rahmen. Bis zu 50 Gesellschafter sammeln Kapital bis zur Höhe von 500.000 Euro ein und verwalten dieses zusammen, gegebenenfalls trifft eine gewählte Clubführung alltägliche

Entscheidungen und die anderen bestimmen nur die Grundlinien. Als Rechtsform wählen diese Clubs gewöhnlich die GbR. Übersteigt die Anzahl der Gesellschafter die Marke von 50 oder das Gesamtkapital die Grenze von 500.000 Euro, muss sich eine Organisation in einem aufwendigen Verfahren als Finanzdienstleister registrieren. Darin liegt der Grund, warum sich fast alle Clubs auf eine überschaubare Personenzahl beschränken.

Die Vorzüge von Anlegerclubs

Zahlreiche Gründe sprechen für einen Investment Club. So verteilen die Mitglieder dank des gemeinsamen Kapitals die Risiken besser. Clubs investieren zum Beispiel in verschiedene Aktien, Anleihen und andere Wertpapiere. Alleine lässt sich das oft mangels ausreichender Geldsumme nicht bewerkstelligen. Zusammen können die Mitglieder auch hohe Mindestanlagesummen stemmen. Bei unterschiedlichen Anlageformen wie geschlossenen Immobilienfonds liegt dieser Betrag häufig im fünfstelligen Bereich. Ein weiterer Vorteil besteht in der Gebührenminimierung. Für den Handel an der Börse verlangen Banken prozentual berechnete Transaktionsgebühren, die sie aber gewöhnlich deckeln. Investiert ein Club eine hohe Summe, sinkt der Gebührenanteil. Einsparpotenzial gibt es auch, wenn die Organisation Edelmetalle kauft. Diese können sie gesammelt in einem Banktresor lagern, nicht jedes einzelne Mitglied muss selbst ein Tresorfach anmieten.

Zugleich profitieren alle vom Wissens- und Erfahrungsaustausch innerhalb des Clubs. Die Teilnehmer erhöhen ihre Expertise und diskutieren kritisch Anlageentscheidungen. Auf diese Weise lassen sich Fehler vermeiden, gemeinsam entwickeln die Mitglieder professionelle Strategien und wählen auf fundierter Basis Investitionsprojekte aus. Alleine können das Einzelne meist nicht leisten, sofern sie sich nicht ständig mit dieser Thematik beschäftigen. Dazu sind Herausforderungen wie die

Beobachtung vieler Märkte, die Aktienanalyse oder die Prognose künftiger Entwicklungen bei den Wechselkursen zu komplex. Last, not least: Der gesellige Aspekt verdient ebenfalls Erwähnung. Viele Clubs treffen sich regelmäßig. Diese Zusammenkünfte dienen nicht nur der sachlichen Auseinandersetzung mit der Kapitalanlage, sondern auch dem Pflegen von Freundschaften und Bekanntschaften.

NACHHALTIGE GELDANLAGE: VIELE OPTIONEN

Zunehmend mehr Anleger wollen nachhaltig investieren. Sie wünschen sich nicht nur eine möglichst hohe Rendite, sie möchten mit ihrer Geldanlage auch die Welt zum Positiven verändern. Vor allem ökologische Investments gewinnen an Bedeutung. Der Anspruch der Nachhaltigkeit kann sich aber auch auf weitere Ziele beziehen. Dazu zählen die Arbeitsbedingungen in Unternehmen und die Bekämpfung von Korruption.

Vielfältige Anlagebereiche

Im Zuge der Energiewende spielt das Segment der regenerativen Energien eine herausragende Rolle. Wer nachhaltig investieren will, kann sich zum Beispiel am Bau von Wind- und Solarparks beteiligen. Vielfach genügen geringe vierstellige Beträge, mit denen Anleger Genussscheine erwerben. Bei diesen Wertpapieren erhalten Investoren eine jährliche Zinszahlung, die vom Erfolg des Vorhabens abhängt. Teilweise realisieren Verantwortliche solche Projekte auch als Genossenschaft, in diesem Fall kaufen Interessierte Genossenschaftsanteile und haben auf Versammlungen ein Stimmrecht. Umweltbewusste können auch Aktien von Firmen, die entsprechende Technologien produzieren, in ihr Depot aufnehmen.

Nachhaltiges Wirtschaften beschränkt sich nicht auf den Energiesektor. In vielen Branchen haben sich ökologische Geschäftsmodelle etabliert. So gibt es grüne Banken und

Versicherer. Diese investieren das Geld der Anleger ausschließlich in umweltpolitisch korrekte Firmen und Projekte. Anleger stehen zwei Möglichkeiten offen: Erstens können sie die Dienstleistungen dieser Anbieter nutzen, indem sie zum Beispiel bei einer Öko-Bank ein Festgeldkonto eröffnen. Zweitens können sie von börsennotierten Unternehmen Aktien kaufen.

Auch viele andere Wirtschaftssektoren verdienen Aufmerksamkeit. So konzentrieren sich manche Auto-Hersteller auf Elektro-Modelle. Andere produzieren unterschiedliche Waren, bei denen sie auf den Einsatz gefährlicher Zusatzstoffe verzichten und zugleich besonders ressourcenschonend vorgehen. Es muss sich nicht unbedingt um typische Umwelt-Produkte handeln: Diese Unternehmen leisten ebenfalls wertvolle Dienste für mehr Nachhaltigkeit. Sie schützen natürliche Ressourcen, sie minimieren den Energiebedarf und vermeiden schwer zu entsorgenden Müll.

Grüne Fonds als interessantes Anlageprodukt

Nachhaltige Aktienfonds haben sich als besonders beliebte Anlageform etabliert. Die grundsätzlichen Vorteile von Fonds gehen mit der Förderung des Gemeinwohls Hand in Hand einher. Mit grünen Fonds realisieren Anleger Risikostreuung, das empfiehlt sich bei jeder Kapitalanlage an der Börse. Sie setzen nicht nur auf eine Aktie oder wenige Aktien, sie verteilen die Risiken mittels Fonds breit auf viele Wertpapiere. So fällt kaum ins Gewicht, wenn sich eine Aktiengesellschaft im Kurs negativ entwickelt. Grundsätzlich sollten Investoren bei dieser Variante stets längere Zeiträume anvisieren und nicht auf kurzfristige Spekulation setzen, bestenfalls 5 Jahre oder mehr. Zudem sollten sie nicht zu einem bestimmten Zeitpunkt verkaufen müssen, sondern über Flexibilität verfügen. Es kann immer zu zwischenzeitlichen Börsentiefs kommen, später erreichen die Märkte aber wieder neue Höchststände.

Bevor Anleger mit Öko-Fonds nachhaltig investieren, sollten sie sich genau das Profil der unterschiedlichen Angebote ansehen. Es fragt sich, welche Segmente ein Fonds umfasst. Manche erwerben nur Aktien von Unternehmen im Bereich der erneuerbaren Energien, andere nehmen viele ökologisch handelnde Konzerne aus zahlreichen Branchen auf. Hinsichtlich der optimalen Risikostreuung spricht viel für die zweite Variante, da sich Anleger unabhängiger von der Entwicklung eines Wirtschaftssektors machen. Zusätzlich interessiert, welche konkreten Kriterien Fondsmanager bei der Auswahl der Aktien anlegen. Vereinzelt betrachten Fonds zum Beispiel die Atomkraft als umweltfreundliche Technologie, viele Umweltbewusste vertreten eine andere Auffassung. Es kommt auch darauf an, ob die Gesellschaften nur auf ökologische Kriterien achten oder auch soziale Maßstäbe berücksichtigen.

ATTRAKTIVE GELDANLAGE FÜR DAS PATENKIND

Sparen für das Patenkind: Viele Patentanten und Patenonkel wollen ihr Patenkind mit Geld beschenken, das später der Ausbildung oder anderem dienen soll. Dafür empfiehlt sich eine sichere und denn dennoch renditeträchtige Kapitalanlage auf den Namen des Beschenkten. Dann verfügt es am Ende nicht nur über die eingezahlten Beträge, sondern auch über Zinsen und Zinseszinsen. Insbesondere Tagesgeld und Festgeld sowie verzinste Sparverträge kommen für diese Zwecke infrage. Vom klassischen Sparbuch raten Verbraucherschützer dagegen ab, da die Banken nur Mini-Zinsen bieten. Auch von Ausbildungsversicherungen sollten Paten die Finger lassen, die meisten lohnen sich finanziell nicht.

Einmalanlage und dauerhafte Sparbeträge

Zuerst fragt sich, ob Paten nur ein Mal einen größeren Betrag oder über eine längere Zeit kleinere Summen schenken wollen. Im ersten Fall eignen sich Festgeldkonten mit

Laufzeiten zwischen wenigen Monaten und zehn Jahren. Grundsätzlich gilt: je länger, desto höher der Zinssatz. Wer das Geld richtig anlegen will, sollte sich aber auch mit der aktuellen Zinssituation beschäftigen. Banken zahlen über die komplette Zeitspanne den ursprünglich vereinbarten Zinssatz. Steigt der Zins während der Laufzeit deutlich an, entgehen Sparern beträchtliche Erträge. Bei einem aktuell niedrigen Zinsniveau und wahrscheinlichen Zinssteigerungen sollten Paten deshalb eine kurze Laufzeit bevorzugen. Danach können sie das Geld zu einem dann höheren Zinssatz erneut anlegen. Offerieren die Institute dagegen momentan hohe Zinsen und sinken diese bald wieder, sollten sich Paten für ein langfristiges Festgeldkonto entscheiden.

Beim regelmäßigen Sparen für das Patenkind verdienen verzinste Sparverträge Beachtung. Gewöhnlich können Anleger bereits ab einem Monatsbetrag von rund 25 Euro einen solchen Sparplan eröffnen. Sie bezahlen über die komplette Laufzeit diesen Betrag ein und erhalten dafür festgelegte Zinsen. Vielfach arbeiten Banken mit Zinsstaffeln, in späteren Jahren gewähren sie höhere Zinssätze oder Bonuszinsen. Insgesamt überzeugen diese Sparpläne mit einem ansprechenden Zinseszinseffekt, Paten können ihr eingezahltes Geld nach und nach stark vermehren.

Eine weitere Möglichkeit besteht in Tagesgeldkonten. Der Vorteil liegt in der großen Flexibilität. Paten steht es frei, wann, wie häufig und wie viel sie auf das Konto einzahlen. Allerdings erhalten Sparer beim Tagesgeld geringere Zinsen als bei einem Festgeldkonto oder einem Sparplan. Deshalb sollten sie immer gewisse Summen ansparen und diese dann auf einem Festgeldkonto mit ansprechenderen Zinsen anlegen.

Angebote vergleichen: Möglichst hohe Zinsen

Bei allen diesen drei Varianten sollten Paten attraktive Angebote recherchieren, damit sie das Beste aus den

Anlagebeträgen herausholen. Beim Tages- und Festgeld fällt das denkbar leicht, die Konditionen lassen sich auf einem Vergleichsportal rasch ermitteln. User müssen nur die Höhe der Zinssätze begutachten, wenn sie ein renditeträchtiges Sparen für das Patenkind realisieren wollen. Speziell beim Tagesgeld sollten sie aber darauf achten, ob es sich um eine Sonderaktion handelt. Viele Banken offerieren Neukunden für eine bestimmte Zeit einen erhöhten Zinssatz, später liegt er teilweise deutlich niedriger. Zudem interessiert, wie häufig Institute Zinsen ausschütten. Geschieht dies mehrmals im Jahr, entsteht unterjährig ein Zinseszinseffekt. Attraktive Sparpläne zu vergleichen, stellt eine größere Herausforderung dar, insbesondere bei gestaffelten Zinssätzen. Hier empfiehlt sich die Nutzung extra dafür konzipierter Vergleichsportale, welche die Zinszahlungen über die gesamte Laufzeit ausrechnen.

GELD IN DEUTSCHLAND ANLEGEN: TIPPS

Für eine Geldanlage in Deutschland existieren zahlreiche Möglichkeiten. Doch worin sollen Sparer tatsächlich investieren? Was bringt eine attraktive Rendite und bietet dennoch ausreichend Sicherheit? Die Balance zwischen Renditechancen und Sicherheit realisieren Anleger am besten mit Risikostreuung. Sie sollten erstens einen Teil ihres Gelds für sichere Anlageformen aufwenden. Zweitens empfehlen sich kluge Investments in den Aktienmarkt.

Vermögen sichern und mehren

Für Finanzprodukte wie Tagesgeld und Festgeld gilt in Deutschland die gesetzliche Einlagensicherung. Selbst wenn eine Bank Insolvenz anmeldet, verlieren Sparer bis zu einem Guthaben von 100.000 Euro kein Geld. Diese maximale Sicherheit sollten Verbraucher nutzen und zumindest einen Teil ihres Kapitals entsprechend anlegen. Das dient der Vermögensabsicherung. Zugleich sollten Anleger aber darauf achten, dass sie die bestmögliche Rendite herausholen. Das bewerkstelligen sie mit einem Vergleich vieler Anbieter, Vergleichsportale leisten hierfür wertvolle Dienste. Beispiel Tagesgeld: Ein gewisser Grundstock gehört auf ein Tagesgeldkonto, über das Guthaben können Besitzer flexibel verfügen. Zwischen den Banken finden sich erhebliche Zinsunterschiede, mittels Vergleich sollten Interessierte das Konto mit den höchsten Zinsen ermitteln. Ansonsten verschenken sie Geld.

Auch Sachanlagen eignen sich für die Vermögenssicherung. Dazu gehören Immobilien. Immobilien zeichnen sich gewöhnlich durch eine beeindruckende Wertbeständigkeit aus. Auf den deutschen Markt trifft das zu, da es hierzulande keine Spekulationsblasen wie in Spanien oder den USA gibt. Deshalb lohnt die Investition in ein Eigenheim, zumal dieses auch eine optimale Altersvorsorge darstellt. Als Alternative oder als Ergänzung eignet sich die Kapitalanlage in einen deutschen Immobilienfonds. Diese Fonds zeichnen sich in der Regel durch eine breite Risikoverteilung auf mehrere Objekte aus, sodass zum Beispiel einzelne Mietausfälle nicht ins Gewicht fallen.

Deutsche Aktien erwerben

Eine perfekte Geldanlage in Deutschland umfasst auch die Aktien etablierter Unternehmen. Viele Deutsche zeigen sich nach dem Zusammenbruch des Neuen Markts Anfang der 2000er zurückhaltend. Die Erfahrung zeigt aber, dass sich mit Aktien dauerhaft überdurchschnittliche Renditen erzielen lassen. Wichtig ist nur, keine spekulativen Aktien zu kaufen. Stattdessen sollten Investoren ihre Aufmerksamkeit auf renommierte Großkonzerne unterschiedlicher Branchen lenken. Diese haben sich im Gegensatz zu Start-up-Unternehmen wie beim Neuen Markt längst in der Wirtschaft behauptet, sie überzeugen mit einer deutlich größeren Wertstabilität.

10 MILLIONEN INVESTIEREN: BREIT ANLEGEN

Nach einer umfangreichen Erbschaft oder einem hohen Lottogewinn fragen sich manche, wie sie 10 Millionen anlegen sollen. Auch Vermögende, bei denen aufgrund eines Immobilien- beziehungsweise Firmenverkaufs eine entsprechende Summe frei wird, stehen vor dieser Frage. Der wichtigste Tipp: Investoren sollten auf mehrere Anlageformen setzen. Einen Teil des Gelds sollten sie in sichere Kapitalanlagen wie Festgeldkonten stecken. Den anderen Teil sollten sie an den Börsen mit deutlich höheren Renditechancen investieren. Wie hoch die Anteile genau sein sollen, hängt vom Anlegertyp ab: Manche zeigen sich konservativ und legen auf Sicherheit oberste Priorität, andere sind etwas risikofreudiger.

Absicherung des Vermögens

Als sichere Geldanlagen kommen alle Produkte infrage, die unter die gesetzliche Einlagensicherung fallen. Dazu zählen Tagesgeld- und Festgeldkonten. Bei einem so großen Vermögen sollten Anleger vor allem auf die besser verzinsten Festgelder setzen, bei denen sie sich zwischen wenigen Monaten und mehreren Jahren binden. Grundsätzlich gilt: je länger die Laufzeit, desto höher die Rendite. Angesichts enormer Zinsdifferenzen am Markt sollten Sparer stets einen Vergleich der Angebote durchführen, ein Festgeldrechner im Internet leistet wertvolle Dienste. Bei hohen Summen führt bereits ein Zinsunterschied von 1 % zu massiven Differenzen beim jährlichen Ertrag. Bei einer Kapitalanlage von einer Million Euro bedeutet ein Unterschied von 1 % zum Beispiel 10.000 Euro im Jahr mehr oder weniger.

Wer insgesamt 10 Millionen anlegen will, sollte bedenken, dass der Staat die gesetzliche Einlagensicherung auf 100.000 Euro pro Bank begrenzt. Bis zu dieser Summe greift der Sicherungsmechanismus, wenn ein Institut Insolvenz anmeldet. Vermögende sollten darauf achten, dass Banken mit zusätzlichen Maßnahmen noch deutlich höhere Beträge absichern. Das realisieren sie beispielsweise mit

Sicherungsfonds. Anleger stehen zudem weitere sichere Anlageformen zur Auswahl, unter anderem Anleihen von wirtschaftsstarken Staaten wie Deutschland. Einen Teil des Kapitals können Investoren darüber hinaus in Edelmetalle wie Gold und Silber anlegen, diese eignen sich für den Inflationsschutz.

Mit Aktien Geld verdienen

Sicherheit geht stets mit begrenzten Renditen einher. Vermögende sollten deshalb nicht das komplette Kapital für diese Anlageformen aufwenden, sie sollten auch die Renditechancen der Aktienmärkte nutzen. Auf Dauer werden sie an den Börsen hohe Renditen erzielen, sofern sie zwei Tipps ernst nehmen: Erstens sollten sie ihre Investments auf verschiedene Unternehmen, Branchen und Weltregionen streuen. Einzelne Aktien und Marktsegmente können sich immer entgegen des allgemeinen Markttrends negativ entwickeln. Nur mit einer breiten Risikostreuung entgehen Anleger dieser Gefahr. Zweitens sollten Investoren genau den Markt beobachten, bevor sie einen Teil der 10 Millionen anlegen. Markieren die Börsen momentan neue Höchststände und drohen bald Rückschläge durch eine Krise oder andere Umstände, ist der falsche Zeitpunkt zum Anlegen. Vielfach empfiehlt es sich, das Geld nach und nach zu investieren.

MIT FONDS LANGFRISTIG ERTRÄGE ERZIELEN

Eine Geldanlage über 10 Jahre gilt bereits als langfristig. Wertschwankungen von Aktien und Aktienfonds gleichen sich in der Regel über lange Zeiträume aus, so dass der Anleger durchaus ein gewisses Risiko eingehen darf, ohne leichtsinnig zu handeln. Grundsätzlich zu unterscheiden ist zwischen der Einmalanlage eines verfügbaren Kapitals und der Absicht, regelmäßig zu sparen.

Geschlossene Fonds sind unternehmerische Beteiligungen an Sachwerten wie Immobilien, Schiffen, Flugzeugen, Windkraftanlagen oder Wäldern, manchmal auch Finanzierungen von Projekten wie Film- und Fernsehproduktionen. Die Fonds sammeln Geld bei den Anlegern und werden geschlossen, sobald das benötigte Kapital gezeichnet ist. Meist gibt es hohe Mindestbeteiligungen, zum Beispiel 10.000 EUR. Die Laufzeit der Anlagen ist abhängig vom finanzierten Objekt. Eine Geldanlage über 10 Jahre ist eher die Untergrenze, viele Fonds laufen deutlich länger und sind in dieser Zeit nur eingeschränkt über einen Zweitmarkt handelbar.

Geschlossene Fonds eignen sich also nur, wenn auf einen Schlag viel Geld angelegt werden soll. Außerdem stellen sie ein erhebliches Risiko dar. Geht das finanzierte Projekt schief, ist das Geld verloren. Nach geschlossenen Fonds sollten Sie sich deshalb nur umsehen, wenn Sie zum Beispiel aus einer besonderen steuerlichen Konstruktion Vorteile ziehen und Sie einen Totalverlust gegebenenfalls wegstecken können. Als Sparstrumpf für das Alter sind geschlossene Fonds denkbar ungeeignet.

Offene Fonds mit Vorteilen durch Cost-Average-Effekt

Offene Fonds stellen zwar keineswegs eine sichere Anlage dar, sind aber höchst selten von einem Totalverlust betroffen und zudem deutlich flexibler. Fondsanteile werden an der Börse gehandelt und dort im Normalfall jederzeit zu kaufen oder zu verkaufen. Es gibt verschiedene Arten offener Fonds, neben Aktienfonds auch Immobilien-, Renten- und Geldmarktfonds. Für eine Geldanlage über 10 Jahre sind Aktienfonds eine gute Wahl. In der Vergangenheit brachten sie im langjährigen Mittel hohe Renditen. Eine Garantie für die Zukunft ist das nicht, und es hat auch schon einmal mehr als 10 Jahre gedauert, bis ein Verlust wieder aufgeholt war. Aber die Chancen stehen nicht schlecht.

Da Auswahl und Kauf von Wertpapieren nicht jedermanns Sache sind, überlässt man dieses Geschäft einem Fondsmanager. Mit der Auswahl des Fonds trifft man lediglich eine Entscheidung für ein bestimmtes Land, eine bestimmte Branche oder eine bestimmte Anlagepolitik. Besonders stabil sind breit gestreute Fonds ohne spezifische Ausrichtung. Welche Aktien genau ausgewählt werden, entscheidet der Experte. Sein Ziel ist, besser zu sein als die Indizes der Börse. Dafür wird er bezahlt, und diese Kosten schmälern die Rendite des Fonds. Eine Alternative sind Indexfonds, sogenannte ETF. Die Erfahrung zeigt, dass die Indizes langfristig nicht besser oder schlechter abschneiden als gemanagte Fonds, aber deutlich günstiger auf der Kostenseite sind.

Beim regelmäßigen Fondssparen sind Anleger gut beraten, wenn sie monatlich denselben Betrag anlegen. Sind die Kurse hoch, kaufen sie für zum Beispiel 100 EUR nur wenige Anteile. Bei niedrigen Kursen gibt es für dasselbe Geld mehr Anteile. Der sogenannte Cost-Average-Effekt oder Durchschnittskosteneffekt verspricht zwar nicht unbedingt eine höhere Rendite, stabilisiert aber das Ergebnis.

SINNVOLLE GELDANLAGEN UND INVESTITIONEN

Über die Frage: Welche Geldanlage ist sinnvoll?, entscheiden mehrere Faktoren. Das hängt zum einen davon ab, wie lange Interessenten ihr Geld anlegen möchten und andererseits wie risikobereit sie in diesem Zusammenhang sind. Vor der Auswahl konkreter Anlageprodukte steht daher immer, sich genau zu informieren und einen Vergleich zu starten.

Konservative Anlageformen

Zu den klassischen Geldanlagen gehören zweifelsohne Sparpläne sowie Bausparverträge. Nicht wenige Menschen, die monatlich einen festen Betrag zurücklegen, deponieren diesen beispielsweise auf einem Sparkonto bei der Bank. Der Vorteil dieser Anlagen liegt in der vergleichsweise hohen Sicherheit. Im Gegenzug erhalten die Kunden relativ niedrige Zinserträge. Ebenso beliebt ist die Investition in ein eigenes Haus oder eine Wohnung. Beim Kauf ist jedoch erhöhte Aufmerksamkeit geboten, um Mängel jeglicher Art ausschließen zu können.

Gleichfalls zählen Tagesgeld- und Festgeldkonten zu den bewährten und häufig verlangten Produkten. Die Zinsen variieren bei den einzelnen Anbietern, die Anlage lohnt sich jedoch für Kunden, die in erster Linie auf Sicherheit setzen. Wie der Name es andeutet, sind die Einlagen beim Tagesgeld kurzfristig verfügbar, unterliegen aber auch täglichen Zinsschwankungen. Beim Festgeldkonto wird der jeweilige Betrag über einen gewissen Zeitraum fest angelegt und kann erst nach Ablauf der Dauer erneut abgerufen werden. Aus diesem Unterschied resultieren die meist höher ausfallenden Zinsen.

Anlagen mit erhöhtem Risiko

Wer sich mehr Rendite wünscht, sich aber gleichzeitig den damit verbundenen Risiken bewusst ist, für den empfehlen sich verschiedene zusätzliche Kapitalanlagenprodukte. Als risikoreich gelten Aktien einzelner Unternehmen. Erfahrungen und Vorkenntnisse vor dem Kauf sind unentbehrlich. Bei Aktienfonds, die im Allgemeinen verwaltet werden, streut sich das Verlustrisiko deutlich. Sinnvolle Konzepte mischen klassische Anlageformen mit einem Teil Aktienfonds.

Eine weitere Möglichkeit zu investieren, ist der Erwerb von Edelmetallen wie Gold oder Silber. Neben Aktien werden diese auch in Fonds angeboten. Bei Anleihen und Zertifikaten sollte stets ein Kapitalschutz vorhanden sein. Welche Geldanlage ist sinnvoll und vertretbar, darüber entscheidet der Anleger letztendlich selbst. Hohe Renditen lassen sich nur mit einer gewissen Risikobereitschaft erzielen.

WIE KANN MAN GELD BESSER ANLEGEN?

Viele Deutsche bilden finanzielle Rücklagen, indem sie regelmäßig Geld sparen. Nur in wenigen anderen großen Volkswirtschaften liegt die Sparquote so hoch wie hierzulande. Laut Experten könnten die meisten aber weitaus bessere Ergebnisse erzielen, wenn sie beim Anlegen etwas mehr Risiko wagen und konsequent Finanzprodukte vergleichen würden. Zu viele begnügen sich mit mickrigen Zinsen.

Renditechancen nutzen: Nicht nur sichere Anlageformen wählen

Die meisten Deutschen legen oberste Priorität auf die Sicherheit einer Geldanlage. Sie bevorzugen alle Typen, die unter die gesetzliche Einlagensicherung fallen. Dazu zählen Tagesgeldkonten und Sparbriefe. Zudem entscheiden sie sich für Bundeswertpapiere, weil sich der deutsche Staat durch eine hohe Bonität auszeichnet. Bei all diesen Anlageformen können sich Sparer darauf verlassen, dass sie ihr Geld wieder zurückbekommen. Doch diese Sicherheit hat einen Nachteil, sie erhalten nur geringe Zinsen. Insbesondere in der Krise reduziert die Europäische Zentralbank die Leitzinsen auf ein minimales Niveau, in der Folge werfen solche Kapitalanlagen kaum mehr Rendite ab. Teilweise untertreffen die Zinssätze die aktuelle Inflation, Sparer büßen dann an Kaufkraft ein anstatt ihr Vermögen zu mehren.

Deswegen raten Fachleute dazu, auch andere Investments in Betracht zu ziehen. Vor allem Aktien versprechen deutlich höhere Renditen. Bessere Chancen gehen zwar immer mit größeren Risiken einher, diese lassen sich aber minimieren. So sollten Anleger Geduld walten lassen und bei fallenden Kursen nicht sofort verkaufen. Verluste realisieren sie erst beim Abstoßen, bis dato stehen sie nur auf dem Papier. Die Erfahrung beweist, dass sich Börsen auch nach schweren Krisen auf Dauer wieder erholen und auf die Jagd nach neuen Höchstständen gehen. Um ein eventuelles Zwischentief auszusitzen, dürfen Anleger deshalb auch keinen finanziellen Druck verspüren. Sie sollten das Geld nicht zu einem bestimmten Zeitpunkt benötigen, Reserven sollten sie lieber auf einem flexiblen Tagesgeldkonto parken. Zudem sollten sie sich für eher wertstabile Aktien entscheiden. Solche Aktiengesellschaften haben sich bereits am Markt etabliert und verfügen über bestimmte Werte. Bei spekulativen Wertpapieren setzen die Aktionäre meist auf eine Geschäftsidee, welche ein Unternehmen noch nicht erfolgreich realisiert hat. Bei solchen Aktien bestehen weitaus höhere Kursrisiken als bei konservativen Papieren.

Renditeträchtigere Anlagen: Auf die Mischung achten

Zusätzlich sollten alle, die mit risikoreicheren Anlageformen Geld sparen, auf unterschiedliche Wertpapiere setzen. Einzelne Unternehmen und Branchen können sich immer deutlich schlechter als der Markt entwickeln, auch dauerhafte Kurstiefs kann niemand ausschließen. Diesen Gefahren entgehen Anleger mit Risikostreuung. Sie kaufen Aktien von verschiedenen Gesellschaften und aus diversen Branchen. Zudem meiden sie es, ihr gesamtes Kapital in unsichere Märkte wie von Entwicklungsländern investieren. Sie konzentrieren sich stattdessen auf die stabilen Volkswirtschaften und legen höchstens einen kleinen Teil in riskanteren Staaten an.

Risikostreuung können Sparer auch mit Investmentfonds verwirklichen. Bereits mit kleinen Beträgen können sie bei entsprechenden Fonds in zahlreiche Aktien investieren. Sie sollten aber darauf achten, welche Anlagestrategie eine

Fondsgesellschaft mit ihrem Produkt verfolgt. Mittlerweile finden sich viele Fonds, welche den Anlagehorizont sehr eng setzen. Sie beschränken sich auf einzelne Branchen oder risikoreichere Länder. Allein mit solch einer Geldanlage lässt sich eine kluge Risikoverteilung nicht realisieren. Anleger sollten entweder breitere Investmentfonds mit sichererem Schwerpunkt wie Deutschland, Europa oder weltweite Industriestaaten kaufen oder zum Beispiel verschiedene Branchenfonds erwerben.

Darüber hinaus sollten Anleger nicht nur innerhalb einer Anlageform Geld sparen. Sie sollten ihr Portfolio besser mischen. Infrage kommen etwa Anleihen und Rentenfonds. Einen Teil des Vermögens können sie auch in Edelmetalle wie Gold als krisenfeste Kapitalanlage investieren. Ökologische Investments eignen sich ebenfalls, so können sich Interessierte beispielsweise an Wind- und Solarparks beteiligen. Mit Immobilienfonds partizipieren an diesem interessanten Markt, ohne selbst kostspielige, aufwändige und risikoreiche Direkt-Investitionen tätigen zu müssen. Es gibt noch viele weitere Ideen, die zur eigenen Finanzstrategie passen können: Mit Rohstofffonds können Sparer von einer Verteuerung bei Öl und Co. profitieren. Mit einem Währungskonto können sie sich höhere Zinsen in anderen Staaten sichern und zugleich auf eine positive Änderung der Wechselkurse hoffen. Ein Fondssparplan ermöglicht es, regelmäßig kleine Beträge Geld zu sparen. Im Wert steigende Sachgegenstände wie Kunstwerke und Schmuck können sich ebenfalls für die Kapitalanlage empfehlen.

Tages- und Festgeld, Sparpläne: Anbieter vergleichen

Selbstverständlich können auch die beliebten, sicheren Geldanlagen wie Festgeld der Vermögensmehrung dienen. Sparer sollten sich erstens nur fragen, ob sie ihr gesamtes Kapital so investieren möchten. Zweitens sollten sie darauf Acht geben, dass sie solche Finanzprodukte bei einem der besten Anbieter abschließen. Zwischen den Banken bestehen enorme Zinsdifferenzen, oftmals schneiden Direktbanken wesentlich besser als Filialbanken ab. Bevor Interessierte ein Tages- oder Festgeldkonto eröffnen oder einen Sparplan mit monatlichen Einzahlungen vereinbaren, sollten sie deshalb ausführlich die Angebote vergleichen. Zinsrechner im Internet ermöglichen das in effizienter Weise, mit der einmaligen Angabe der jeweiligen Eckdaten sehen Nutzer die aktuellen Konditionen zahlreicher Institute. Sie erkennen damit sofort, wo sich die Anlage am meisten lohnt.

Zudem sollten sie sich fragen, welche Anlageform sich bezüglich der Laufzeit empfiehlt. Tagesgeldkonten bestechen etwa durch Flexibilität, Anleger können jederzeit auf ihr Kapital zugreifen. Bei Festgeldkonten binden sich Kunden dagegen für eine längere Laufzeit, die zwischen wenigen Monaten und mehreren Jahren betragen kann. Dafür erhalten sie höhere Zinsen. Sie sollten sich aber sicher sein, dass sie das Geld in diesem Zeitraum nicht benötigen. Die gleiche Frage sollte man sich bei Sparplänen stellen. Bei Produkten ohne Flexibilität sollten sich Anleger vorab vergewissern, ob sie das angesparte Kapital irgendwann vor dem Ende brauchen und ob sie zusätzlich die Einzahlungen über die gesamte Laufzeit leisten können. Am Markt finden sich aber auch Produkte, mit denen sich flexibler Geld sparen lässt. Bei ihnen können Sparer einzelne Raten aussetzen oder den Vertrag vorzeitig kündigen, ohne dass zu große Zinseinbußen entstehen.

GELDANLAGEN PRÜFEN UND BEIM TESTSIEGER ANLEGEN

Bevor man sich entscheidet, Geld anzulegen, ist es unbedingt notwendig, jede infrage kommende Geldanlage einem Test zu unterziehen. Welche Eigenschaften einer Anlageform beim Test besonders wichtig und welche weniger interessant sind, darüber entscheidet der Anleger mit seinen Anlagezielen. Die Faktoren Rendite, Sicherheit und Verfügbarkeit bilden das magische Dreieck bei jeder Geldanlage. Beim Punkt Rendite steht die Frage nach dem möglichen Wertzuwachs im

Mittelpunkt. Fragen nach der Sicherheit haben vor allem den Aspekt mehr oder minder hoher Risiken im Blick. Bei der Verfügbarkeit geht es darum, wie schnell man eine Geldanlage im Fall der Fälle wieder zu Bargeld machen kann.

Anforderungen an die Geldanlage

Wenn man für eine Geldanlage den Test macht, sollte man sich zuvor aber darüber klar werden, dass keine Anlageform alle drei Kriterien gleich gut erfüllt. So hilft es nicht, dass Sparer ihr Geld bei einem Testsieger anlegen. Erfüllt er ihre Vorstellungen nicht, was etwa Sicherheit oder Flexibilität angeht, nutzt auch das beste Testsiegel nichts. Viele Anlageprodukte versprechen zum Beispiel eine lukrative Rendite, einige sogar innerhalb einer kurzen Anlagefrist. Das Problem dabei ist, dass hoher Wertzuwachs mit begrenztem Anlagehorizont in den meisten Fällen mit Risiken verbunden ist. Anlageformen mit dem Versprechen einer hohen Sicherheit dagegen zielen auf den vorsichtigen Anleger. Sichere Anlageformen können aber nur selten eine hohe Rendite vorweisen. Das macht sie für viele Sparer weniger interessant.

Eine gute Chance, als Geldanlage den Test zu bestehen, bieten Produkte, die man im Ernstfall schnell wieder zu Geld machen kann. Aber auch diese Eigenschaft kann nicht jede Kapitalanlage vorweisen. Im Gegenteil. Legen Kreditinstitute spezielle Produkte auf, die eine gute Rendite versprechen, dann muss der Sparer diese Zusage oft mit einer festen Bindung für längere Zeit zahlen. Will er dennoch vor dem Ende der Laufzeit aussteigen, kostet das Strafzinsen und somit Rendite. Ein gutes Beispiel dafür sind lang laufende Sparverträge, die am Laufzeitende einen Bonus versprechen.

Ertragsstarke Anlageformen

Ertragreicher als andere Anlagen sind Aktien und Wertpapiere. Durch Kurssteigerungen bieten sie Anlegern eine gute Aussicht auf Gewinne. Voraussetzung ist meist aber eine längere Anlagedauer. Wertpapiere und Aktien bestehen als Geldanlage den Test immer dann, wenn man sie unter dem Blickwinkel eines langen Anlagehorizonts betrachtet. Zu den Kursgewinnen können im Jahr auch noch Gewinnausschüttungen hinzukommen. Das sind so genannte Dividenden, die Aktiengesellschaften an Aktionäre ausgeben. Auch Investmentfonds bergen ein bestimmtes Risiko, bieten jedoch ebenfalls hohe Renditen. Aktiv gemanagte Investmentfonds sind als Geldanlage im Test besonders erfolgreich. Verwaltet werden sie von Kapitalanlagegesellschaften. Sie streuen das Geld der Anleger breit, etwa in Aktien, Wertpapiere oder in Anleihen. Dafür zahlt der Anleger jedoch Gebühren.

Auch an der Börse gehandelte ETFs (Exchange Traded Funds) sind bei einer langen Anlagedauer oft erfolgreich und erwirtschaften attraktive Renditen. Bei diesen, auf deutsch gesagt, Indexfonds, setzt der Anleger auf einen vollständigen Aktienindex, wie etwa den DAX. Das ist der deutsche Aktienindex. Wegen des Risikos durch Schwankungen an der Börse sollten Sparer nur einen Teil ihres Geldes in Wertpapiere und Aktien investieren.

Sichere Geldanlagen

Zu den sichersten Geldanlagen überhaupt gehören deutsche Staatspapiere. Kein Wunder, ist der Schuldner bei diesen Anleihen doch der deutsche Staat. Allerdings sind die Renditen, zum Beispiel bei Bundesanleihen, zur Zeit auf einem sehr niedrigen Niveau. Bei Jumbo-Pfandbriefen bekommen Anleger zwar etwas mehr Rendite. Als renditestark kann man diese Pfandbriefe jedoch nicht bezeichnen. Auch Festgeld gilt als eine relativ sichere Geldanlage, das es keinerlei Zinsschwankungen unterworfen ist. Innerhalb des vereinbarten Zeitraums wird es zu einem festen Zinssatz angelegt, der sich in etwa auf dem Niveau von Bundeswertpapieren bewegt. Dafür muss der Sparer für einen vorher mit dem Anbieter ausgemachten Zeitraum auf sein Geld verzichten. Über die gesamte Laufzeit kann er in der Regel also nicht auf seine Geldanlage zugreifen. Oder er schmälert die ohnehin schon nicht sehr üppige Rendite noch zusätzlich.

Anlagen mit hoher Verfügbarkeit

Eine kurzfristige und sichere Geldanlage ist das Tagesgeldkonto. Es wird sowohl von Filialbanken als auch von Direktbanken angeboten. Der Sparer kann jederzeit über sein Geld verfügen, das macht Tagesgeld zu einer sehr flexiblen Form der Geldanlage. Eine Kündigungsfrist gibt es nicht. In Zeiten von mageren Zinsen sind jedoch die Renditen nicht ganz so gut wie etwa beim Festgeld. Allerdings sind Zinserträge auf einem Tagesgeldkonto allemal besser als bei einem Sparbuch oder einem Girokonto.

WIE LEGT MAN SEIN GELD RICHTIG AN?

Egal ob monatlicher Banksparplan oder das Investment einer größeren Summe, wie man sein Geld anlegt ist eine sehr persönliche und individuelle Sache. Viele Menschen vertrauen blind ihrem Bankberater oder lassen das Geld ungenutzt auf dem Girokonto oder Sparbuch liegen, weil sie eine Kapitalanlage generell mit einem hohen Risiko verbinden. Dabei gibt es sinnvolle Geldanlagen mit guter Rendite für jedermann, wenn man einige wichtige Geldanlage Tipps beachtet.

Inventur

Bevor man sich an die richtige Geldanlage machen kann, muss man erst einmal überprüfen, wie es um die persönliche finanzielle Situation steht. Schulden hindern prinzipiell an einer Anlage, sie sollten abgezahlt werden. Ausnahmen sind länger laufende Verbindlichkeiten wie BAföG oder eine Hypothek. Solange nach Ratenzahlung im Monat noch genügend Geld für eine Kapitalanlage übrig bleibt, dürfen diese Schulden bestehen. Auch bestehende Verträge, Versicherungen und Sparpläne sollte man einer kurzen Prüfung unterziehen. Was ist noch wirklich sinnvoll und was kann gekündigt werden ? Im Idealfall kann man hier noch ein paar Euro einsparen.

Richtig Sparen

Wer für den Anfang eine kleine Rücklage bilden möchte, der sollte zunächst Geld einsparen. Dabei haben Anleger zwei Vorteile auf ihrer Seite: Den Zins und die Zeit. Je früher man anfängt, desto besser steht man später da. Das gilt auch für eher bescheidene Beträge unter 50 Euro monatlich, der erste eingezahlte Euro ist der wichtigste, da er am längsten arbeitet. Geld zurücklegen sollte man nicht nur, wenn es finanziell gerade gut läuft. Viele Menschen schieben das Thema immer weit vor sich her, später wird man schon mehr Geld dafür haben. Auch in finanziell schwierigen Phasen sollte man weiter in seinen Sparplan oder das Sparbuch einzahlen - nur in Notfällen wirklich aussetzen. Nur wer immer am Ball bleibt, freut sich später über ein kleines Vermögen. Achten sollte man außerdem auf einen guten Mix zwischen langfristigen und kurzfristigen Produkten. In finanziellen Engpässen kann man so auf etwas Sparvermögen zurückgreifen.

Versprechen immer hinterfragen

Egal ob Steuerversprechen, eine immense Rendite oder ein Angebot, dass nur speziell auf Sie gewartet hat: Man sollte Versprechungen und Geldanlage Tipps immer kritisch gegenüberstehen. Immobilien in Ostdeutschland oder falsche Steuerversprechen haben in der Vergangenheit vielen Anlegern hohe Verluste beschert. Ist eine Anlage nicht sehr aussichtsreich und die Rendite nur mäßig, nutzt auch die höchste Steuerersparnis nichts. Wenn eine Anlage Ihnen ohne den Steuervorteil nicht zusagt, lassen Sie die Finger davon.

Geldanlage Tipps zur Strategie

Das magische Dreieck der Geldanlage besteht aus dem Ertrag, der Sicherheit und der Liquidität, d. h. wie schnell das Geld wieder verfügbar ist. Es ist ein magisches Dreieck, da alle drei Kriterien nie zusammen auftreten, jeder Anleger aber nach möglichst viel davon strebt. Man sollte vor der Geldanlage seine Prioritäten festlegen. Ist es wichtig, dass ich das Geld schnell zur Verfügung habe, sollte ein Notfall eintreten? Oder bin ich in der Lage Verluste zu verkraften, weil ich eine höhere Rendite möchte? Wer Geld investieren möchte, der muss sich entscheiden und für sich feststellen, was am besten zu ihm und seiner Anlegermentalität passt. Auch die Risikobereitschaft muss überprüft werden.

Die richtige Mischung machts

Wer eine bestimmte Summe angespart hat, und diese nun investieren möchte, der sollte das Portfolio nach seiner Mentalität anlegen. Dabei ist es ungünstig, sich zu sehr auf eine Anlageform einzuschießen; zu schnell steht man dann mit hohen Verlusten da. Es sollte außerdem vermieden werden, alles in langfristigen Verträgen anzulegen, Lebensumstände verändern sich schnell und dann müssen Verträge aufgelöst und Verluste verkraftet werden. Das Portfolio sollte die Risikobereitschaft des Anlegers wiederspiegeln. Sicherheitsorientierte Anleger sollten die Hälfte ihres Portfolios auf sicheren Anleihen aufbauen. Das Ausfallrisiko ist niedrig und ein Mix aus Staatsanleihen und Schwellenländeranleihen versprechen eine gute Rendite. 20 bis 30 Prozent sollten in Aktien angelegt werden. Hier ist das Risiko zwar hoch, aber die Rendite zu gut, um ein Portfolio gänzlich ohne Aktien aufzubauen. Wählen Sie Indexfonds und keine hochspekulativen Papiere. Den Rest der Anlagesumme kann man in liquidem Tagesgeld, Immobilien oder Rohstoffen anlegen. Wer mehr Risiko eingehen möchte, der investiert wesentlich mehr an der Börse. Bis zu 80 Prozent können in Aktien angelegt werden, solange man sie nicht zu schnell verkauft, sondern Kursschwankungen auch einmal aussitzen kann. Der Rest sollte in sichere Staatsanleihen oder Rohstoffe investiert werden.

An den Auftraggeber: Das KW ""Tips"" ist in richtiger Rechtschreibung im Text vorhanden. Liebe Grüße

GELDANLAGEN MIT BEDACHT AUSWÄHLEN

Mit einer Top-Geldanlage mehren Sparer ihr Vermögen, ohne zu große Risiken einzugehen. In der Praxis bedeutet das: Sie sollten erstens ihr Kaptal auf verschiedene Anlageformen streuen, nur so realisieren sie einen optimalen Mix aus Absicherung des Vermögens und Renditechancen. Zweitens sollten sie Finanzprodukte gründlich vergleichen und sich umfassend informieren.

Klug investieren: Zwischen Sicherheit und Renditechancen

Bevor Sparer eine konkrete Kapitalanlage abschließen, sollten sie sich grundsätzliche Fragen stellen: Wie viel Geld habe ich insgesamt zur Verfügung? Brauche ich einen Teil davon bald? Möchte ich eher konservativ oder eher risikofreudig anlegen? Auf Basis der Antworten können Anleger eine professionelle Anlagestrategie entwickeln. Hierbei empfiehlt sich immer eine wohlüberlegte Diversifikation: Investoren sollten sowohl sichere als auch renditeträchtige Anlageformen wählen. Bei den grundlegenden Überlegungen kommt es darauf an, konkrete Anteile zu bestimmen. Neben individuellen Ansprüchen spielt die aktuelle Lage an der Börse eine bedeutende Rolle. Gibt es an den Aktienmärkten momentan Turbulenzen oder drohen diese, sollten sich Anleger in Zurückhaltung üben und erst später den Anteil an Aktieninvestments erhöhen.

Zu den sicheren Kapitalanlagen zählen alle Finanzprodukte, die unter die gesetzliche Einlagensicherung fallen. Bei einem Tagesgeldkonto, einem Festgeldkonto und einem verzinsten Sparplan schützt der Staat bei einer Bankenpleite bis zu 100.000 Euro Einlage, es bestehen somit keine Verlustrisiken. Ein Teil des Vermögens sollten Sparer auf diese Weise absichern. Zudem eignen sich Edelmetalle wie Gold und Silber zur Vermögensabsicherung und speziell zum Inflationsschutz. Als sichere Top-Geldanlage haben sich auch viele grüne Investments etabliert, zum Beispiel Genussscheine für Wind- und Solarparks. Dank der attraktiven gesetzlichen Rahmenbedingungen für erneuerbare Energien können Anleger auf stabile und hohe Renditen hoffen. Sie sollten sich jedoch versichern, ob es sich um eine seriöse Investmentgesellschaft handelt.

Rendite maximieren

Bei sämtlichen Anlagearten können Investoren die Rendite erhöhen, indem sie einzelne Produkte miteinander vergleichen und sich ausreichend Informationen einholen. Das beweisen Festgeldkonten. Die Zinsunterschiede zwischen den Banken sind enorm: Die einen Institute bieten eine Top-Geldanlage, die anderen speisen Kunden mit mickrigen Zinsen ab. Sparer sollten deshalb einen umfassenden Vergleich der Konditionen durchführen, auf einem Vergleichsportal erledigen sie das in wenigen Minuten. Vor der Eröffnung eines Kontos bei einer neuen Bank sollten sie sich nicht scheuen, der Aufwand hält sich in überschaubaren Grenzen.

Top-Geldanlagen an den Aktienmärkten bedürfen einer noch gründlicheren Recherche. Grundsätzlich empfiehlt sich Risikostreuung, also das Investieren in verschiedene Unternehmen unterschiedlicher Branchen. Entweder ermitteln Anleger selbst vielversprechende Aktien und erwerben sie zu einem günstigen Zeitpunkt. Oder sie kaufen Investmentfonds, welche sich durch einen breiten Anlagehorizont auszeichnen.

GELDANLAGEN IMMER MITEINANDER VERGLEICHEN

Vor jeder Anlageentscheidung sollten Sparer einen Geldanlage Vergleich durchführen. Ein solcher Vergleich dient im ersten Schritt dazu, den geeigneten Anlagetypus herauszufinden. Im zweiten Schritt recherchieren Anleger, welcher Anbieter bei einem bestimmten Produkt die besten Konditionen gewährt. Nur mit einem solchen systematischen Vorgehen, optimieren Sparer ihre Kapitalanlagen.

Welche Anlageform kommt infrage?

Um einen perfekten Anlagetyp ins Visier zu nehmen, sollten sich Sparer zuerst den Zweck eines Investments überlegen. So sollten sie prüfen, ob sie lieber flexibel bleiben wollen oder sich länger binden möchten. Im ersten Fall empfiehlt sich ein Tagesgeldkonto, von dem sie jederzeit wieder Geld abheben können. Im zweiten Fall können sie auch ein besser verzinstes Festgeldkonto abschließen, bei dem sie erst am Laufzeitende wieder über ihr Kapital verfügen können. Eventuell wollen Sparer auch Vermögen anhäufen, mit dem sie später einen Immobilienerwerb teilweise finanziellen wollen. Für dieses Ziel können sie sich für das Bausparen entscheiden. In der Ansparphase bauen sie ein kleines Vermögen auf, für welches sie Zinsen erhalten. Ab einer vereinbarten Sparsumme und einem festgelegten Zeitpunkten können sie sich den Bausparvertrag zuteilen lassen, zu günstigen Zinsen zahlt die Bausparkasse einen Kreditbetrag aus. Dessen Höhe steht ebenfalls bereits beim Vertragsabschluss fest.

Zudem interessieren die persönlichen und finanziellen Umstände. Bei einer Altersvorsorge entscheidet zum Beispiel das Alter über eine empfehlenswerte Rentenversicherung. Jüngere sollten die höhere Renditechancen von einer fondsbasierten Versicherung nutzen. Ältere sollten mehr Wert auf die Sicherheit legen, da sich Börsen bis zur nahenden Rente eventuell nicht von zwischenzeitlichen Kurstiefs erholen. Auch das Einkommen und die Höhe des Vermögens spielen bei Geldanlagen eine Rolle. Geringverdiener mit wenig Kapital sollten eher sichere Anlageformen vorziehen. Wer über mehr Geld verfügt, sollte auch risikoreichere und zugleich renditeträchtigere Wertpapiere wie Aktien in seine Finanzstrategie einbeziehen.

Bei einem Geldanlage Vergleich sollten Interessierte ebenfalls die Höhe des Anlagebetrags berücksichtigen. Möchte jemand 500 Euro anlegen, eignet sich der Aktienerwerb eher nicht. Hierfür verlangen Banken bestimmte Mindestgebühren für den Kauf und den Verkauf, bei einer solch geringen Summe machen sie das Investment unattraktiv. Sparer sollten lieber einen Investmentfonds bevorzugen. Die meisten Gesellschaften und Institute ermöglichen den Erwerb bereits bei solch kleinen Beträgen, statt einer Mindestgebühr fordern sie nur eine prozentuale Kaufgebühr. Bei Festgeldanlagen sollten Anleger darauf achten, welche Mindestanlagensummen Geldhäuser festlegen. Manche Banken könnten bei 500 Euro aus dem Raster fallen.

Chancen und Risiken abwägen, Konditionen recherchieren

Bei einem Geldanlage Vergleich sollten sich Interessierte grundsätzlich mit dem Verhältnis von Chancen und Risiken beschäftigen. Wer sicher sparen will, sollte auf Produkte wie Tagesgeld, Festgeld oder einen Sparplan setzen. Bei diesen greift die gesetzliche Einlagensicherung, bei einer Bankenpleite ersetzt der Staat das Geld bis zu 100.000 Euro in voller Höhe. Diese Sicherheit bieten etwa Aktien oder Unternehmensanleihen nicht, hier müssen Anleger im schlimmsten Fall einen Totalverlust hinnehmen. Allerdings finden sich innerhalb dieser Anlageklassen große Unterschiede: Manche Aktien zeichnen sich durch geringe Kursschwankungen aus, zum Beispiel dividendenstarke Wertpapiere von großen Konzernen. Bei spekulativen Wertpapieren müssen Investoren mit größeren Ausschlägen nach oben und unten rechnen.

Bei Börsen-Investments müssen Anleger die Marktsituation einschätzen und zu einem attraktiven Kursniveau zuschlagen. Feste Konditionen gibt es nicht, es bedarf gewisser Kenntnisse über die Börse. Anders sieht es bei Tagesgeld, Festgeld, Sparbriefen und beim Bausparen aus. Bei diesen Anlageformen können Sparer die aktuellen Zinssätze miteinander vergleichen und so das attraktivste Angebot recherchieren. Eine solche Recherche zahlt sich angesichts hoher Zinsdifferenzen zwischen den Banken aus. Mit einem Online-Zinsrechner lässt sich das Vergleichen leicht erledigen, da diese die aktuelle Konditionen vieler Geldhäuser einbeziehen.

Komplizierte Anlagen: Experten zu Rate ziehen

Schwieriger gestaltet sich der Geldanlage Vergleich bei komplexen Anlageformen. Das trifft zum Beispiel bei Versicherungen zu, die der Altersvorsorge dienen. Bei diesen lässt sich die Rendite nicht so einfach ausrechnen. Anleger können höchstens begutachten, wie viel Mindestrente eine Versicherung bei gleicher Laufzeit und gleichen Einzahlungen garantiert. Allerdings handelt es sich dabei nur um die Absicherung, bestenfalls zahlt ein Anbieter später deutlich mehr. Experten können Hinweise darauf geben, welche Renten- oder Lebensversicherungen in der Vergangenheit bisher durch hohe Auszahlungen positiv auffielen.

Solche Tipps erhalten Interessierte von einem kompetenten, am besten unabhängig arbeitenden Finanzberater. Auch in Fachzeitschriften und Verbrauchermagazinen finden sich wertvolle Informationen. So führen die renommierte Stiftung Warentest sowie die Zeitschrift Finanztest regelmäßig Vergleiche von Versicherungen durch. Sie schlüsseln unter anderem die anfallenden Gebühren auf und bewerten Chancen und Risiken. Auf dieser Basis können sich Sparer besser für das individuell optimale Produkt entscheiden.

SO GELINGT DER VERMÖGENSAUFBAU

Anleger, die kontinuierlich ihr Geld vermehren und so ein Vermögen aufbauen möchten, müssen verschiedene Regeln und Gesetzmäßigkeiten beachten. Am Anfang von jeder systematischen, langfristigen Finanzplanung steht die Festlegung der Sparziele und der eigenen Risikobereitschaft. Daraus entwickeln Sparer Strategien für das Investment in verschiedene Anlageformen, die unterschiedlichen Risikoklassen angehören und verschiedene Bindungsfristen aufweisen. Eine kontinuierliche Überprüfung aller Engagements erweist sich ebenfalls als unentbehrlich, um das eigene Vermögen sicher zu verwalten und dessen Wert kontinuierlich zu steigern. Ohne ein fundiertes Fachwissen ist es kaum möglich, sinnvoll Geld zu investieren und zu vermehren. Heute können sich alle Anleger die erforderlichen Kenntnisse ohne allzu großen Aufwand mit Hilfe von Fachliteratur oder auf einschlägigen Internet-Portalen selbst aneignen. Wenn dies aus Zeitgründen nicht möglich ist, sollte man bei der Vermögensplanung unbedingt auf die Hilfe von Experten zurückgreifen.

Üblicherweise sind die Anlageziele stark von der jeweiligen Lebensphase abhängig, in der sich ein Sparer befindet. In der Regel beginnen junge, alleinstehende Berufsanfänger mit dem Sparen für ihr Alter, weil die gesetzliche Rente kaum ausreichen wird, um später einmal den Ruhestand frei von finanziellen Sorgen genießen zu können. Darüber hinaus ist es sinnvoll, gegebenenfalls für den Erwerb einer Immobilie zu sparen. Familien mit kleinen Kindern, die sich den Traum vom Eigenheim erfüllt haben, besitzen in der Regel wenig Spielraum, um ihr Sparvermögen weiter aufzubauen, da sie vorrangig den Kredit für ihre Immobilie abzahlen. In mittleren Jahren verfügen die meisten Berufstätigen dann wieder über größere finanziellen Mittel, die sie nutzen, um ihr Geld zu vermehren, sei es für größere Anschaffungen, Konsumausgaben oder Reisen, sei es für den weiteren Ausbau ihrer Altersvorsorge.

Unter der Risikoneigung eines Anlegers versteht man dessen Bereitschaft, Verlustgefahren zu akzeptieren, um höhere Ertragschancen wahrzunehmen. Diese Risikoeinstellung ist nicht nur von der Persönlichkeit des Investors abhängig, sondern sollte auch vom Lebensalter und der Höhe des Gesamtvermögens bestimmt werden. Grundsätzlich gilt, dass Risiken umso eher eingegangen werden können, je größer das Vermögen und je jünger das Alter des Anlegers ist. Damit man zuverlässig Geld vermehren kann, muss vor jeder Anlageentscheidung genau geprüft werden, welche Chancen und Risiken mit einem bestimmten Investment verbunden sind und ob diese Merkmale zur eigenen Risikoeinstellung passen. Nur so verhindert man, dass man durch zu riskante Anlagen den Vermögensaufbau gefährdet. Auf der anderen Seite sollte auch kein übertriebenes Sicherheitsdenken die Geldanlage beherrschen, weil sich auf diese Weise kaum ausreichende Renditen erzielen lassen.

Sparer, die sichere Anlagen bevorzugen, investieren in Deutschland, insbesondere in Bundesanleihen und andere vom Deutschen Staat emittierte Wertpapiere sowie in festverzinsliche Sparformen bei Banken und Sparkassen. Bei diesen Geldanlagen ist kein Ausfallrisiko zu befürchten, weil sie durch staatliche Garantien beziehungsweise den Schutzmechanismus des Sicherungsfonds des Bundesverbandes Deutscher Banken abgesichert sind. Allerdings ist es auf diese Weise in Niedrigzinsphasen nicht immer möglich, Gelder inflationssicher anlegen zu lassen. Sobald die allgemeine Teuerungsrate über dem Sparzins liegt, kommt es vielmehr zu realen Verlusten, so dass Sparer ihr Geld nicht vermehren, sondern vielmehr verringern.

Höhere Renditen lassen sich dagegen mit Aktien und Fondsanteile realisieren. Allerdings besteht hier auch ein erhebliches Verlustrisiko, wenn die Wertentwicklung anders verläuft, als der Anleger dies erwartet. Aus Gründen der

Risikostreuung ist der Kauf von Aktienfonds dem Erwerb von einzelnen Aktien stets vorzuziehen. Fonds halten Anteile an zahlreichen verschiedenen Aktiengesellschaften, so dass die negative Performance von bestimmten Werten mit der positiven Entwicklung anderer Aktien ohne Weiteres kompensiert werden kann. Beim Kauf von Wertpapieren sollten Anleger nach Möglichkeit immer ein langfristiges Engagement anstreben, weil jede Transaktion mit hohen Kosten verbunden ist, die zu Lasten der Rendite gehen. Dennoch ist es sinnvoll, sowohl bei Aktien als auch bei Fonds mit Stopp-Loss-Limits zu arbeiten, die Verluste rechtzeitig begrenzen. Mit Hilfe der von Online Diensten zur Verfügung gestellten Informationen ist es heute ohne großen Aufwand möglich, mit Wertpapieren Geld zu vermehren, wenn man systematisch und rational bei der Auswahl von Aktien und Fondsanteilen vorgeht.

WALD ALS INVESTMENTALTERNATIVE

Es ist nicht unbedingt das schnelle Geld ausschlaggebend, um bei der Geldanlage über Wald als Alternative nachzudenken. Waldbesitz gilt als Generationenprojekt. Von der Pflanzung bis zur Ernte eines Baumes vergehen Jahrzehnte. Viel Zeit, in der Schädlinge, Erdbeben, Feuer oder Sturm Defizite verursachen können. Ein Totalverlust ist nicht auszuschließen und die Prognose der Wertentwicklung über einen so langen Zeitraum naturgemäß unsicher. Gerade bei internationalen Engagements begründet die in Sachen Forst notwendige Langfrist-Perspektive die besondere Relevanz von Faktoren wie politischer Stabilität und Währungseffekten.

Heimischer Wald als Geldanlage

Die beiden letzten Argumente fallen kaum ins Gewicht, geht es um hiesige Waldgebiete. Insbesondere für Kaminbesitzer ist selbstgeschlagenes Brennholz angesichts stetig gestiegener Holzpreise eine naheliegende Überlegung, auch im Hinblick auf Inflation. Allerdings sind die Kaufnebenkosten des Grunderwerbs in Deutschland nicht zu vernachlässigen. Obendrein haben die Preise landwirtschaftlicher Nutzflächen seit der Weltwirtschaftskrise angezogen und es ist nicht leicht, verfügbare Gebiete in geeigneter Lage zu finden. Bedacht werden sollte, dass Waldflächen als schwer handelbar und illiquide einzustufen sind.

Wer über eine Selbstnutzung nachdenkt, sollte das Thema der Holzernte bedenken. Schließlich bedeutet es neben körperlicher Anstrengung auch die Beachtung von Vorschriften wie beispielsweise das Erfordernis eines Motorsägescheins, Schutzkleidung und stets eine zweite Person. Weiter als 50 Kilometer entfernt sollte das eigene Waldstück für Selbstversorger nicht liegen - sonst geht die Rechnung aufgrund der Transportkosten nicht mehr auf. Verpachten ist eine Option, ab einer Fläche von 75 Hektar lockt Interessierte auch Jagdrecht.

Sonstige Investitionsmöglichkeiten

Alternativen zum eigenen Gehölz werden als oftmals als krisenfest beworben. Insbesondere Direktinvestitionen versprechen hohe, teils gar zweistellige Renditen. Von Verbraucherschutzorganisationen und in Tests werden diese Varianten jedoch als hochspekulativ und intransparent eingestuft. Zu unterscheiden sind Angebote dahingehend, ob auch Grundbesitz beziehungsweise Pacht oder ausschließlich die Bäume und deren Pflege Teil des Angebotsumfangs sind. Weitere Merkmale sind, ob ein Flächenpool zur Risikoverteilung sowie Haftpflicht- und Feuerschutzversicherung enthalten sind. Ferner ist die Rechtssicherheit global sehr unterschiedlich zu bewerten. Beachtenswert sind die negativen Erfahrungen von Investoren, die in Südamerika und dem osteuropäischen Raum engagiert waren.

Geschlossene Waldfonds erfordern einen Anlagehorizont von mehr als zehn Jahren. Zusätzliche Erträge neben der

Abschlussverwertung können aus zwischenzeitlicher Durchforstung und dem Handel mit CO2-Zertifikaten generiert werden. Schließlich kommen Aktien der holzverarbeitenden Industrie als flexible Variante infrage, um von steigenden Holzpreisen zu profitieren. Gerade in den USA und in Skandinavien bieten sich Zellstoffverarbeitung oder Sägewerke an. Hier sollte das Währungsrisiko jedoch im Blick behalten werden. Ob eine Geldanlage dem Wald aus ökologischer Perspektive nutzt, ist jedoch im Einzelfall sehr unterschiedlich. Ökosiegel und die Verpflichtung zur Einhaltung sozialer Standards bieten eine erste Orientierung für eine kritische Prüfung.

KAPITAL IM WINDPARK: VOM WINDE VERWEHT?

Einer Geldanlage in Windenergie stehen stürmische Zeiten bevor. Glaubt man den Renditeversprechen der Fondsgesellschaften, hat Windkraft gehörigen Rückenwind, der die Verzinsung hochschnellen lässt. Der beabsichtigte Ausstieg aus der Kernenergie begünstigt die Situation für regenerative Energiequellen. Auf der anderen Seite fegen spektakuläre Pleiten wie die von Prokon das Geld der Anleger weg wie der Herbststurm das Laub von den Bäumen.

Im Windpark lauern unternehmerische Risiken

Eine Geldanlage in Windenergie erfolgt meist in Form eines geschlossenen Fonds. Der Kapitalgeber wird üblicherweise Gesellschafter einer Kommanditgesellschaft, zeichnet also eine unternehmerische Beteiligung mit allen dazu gehörenden Chancen und Risiken. Die Beteiligung kann sich auf eine einzelne Anlage, einen oder mehrere Windparks beziehen. Auch sogenannte Bürgerwindparks sind rechtlich gesehen nichts anderes als Gesellschaften, die Windkraftanlagen betreiben.

Wer sich für einen geschlossenen Windenergie-Fonds entscheidet, muss zunächst einiges Startkapital mitbringen.

Die Mindesteinlage beträgt selten unter 5.000 EUR, meist ist es mehr. Ein Ausgabeaufschlag kommt hinzu. Interessant ist zu erfahren, wie viel von dem gezeichneten Kapital tatsächlich in die Windenergie-Anlage gelangt und was für die Kosten der Fondsgesellschaft, also insbesondere Konzeption, Werbung und Provisionen verwendet wird. Werte bis 15 % gelten als gerade noch angemessen, aber im ungünstigen Fall können es auch 30 % sein, die erst einmal verdient sein wollen. Von solchen Angeboten sollte man die Finger lassen.

Zudem ist jeder geschlossene Fonds langfristig angelegt, auf zehn oder zwanzig Jahre. Das kann steuerliche Vorteile haben, zum Beispiel wenn der Fonds mit Verlusten startet, die die Einkommensteuer mindern. Als Rentner kann man die Erträge dann mit weit geringeren Steuersätzen einstreichen. Die Kehrseite ist, dass ein vorzeitiger Ausstieg meist erhebliche Verlusten bedeutet, wenn die Geldanlage in Windenergie über einen Zweitmarkt verkauft werden muss.

Abhängigkeit von staatlicher Förderung

Neben den generellen Minuspunkten geschlossener Fonds wie langfristige Kapitalbindung und oft intransparente Kosten sollte der Renditeprognose ein besonders kritischer Blick gelten. Der Ertrag der Anlage hängt stark von staatlichen Subventionen ab, und die können von heute auf morgen ausfallen. Außerdem sind die Windprognosen, die den in der Vergangenheit aufgelegten Windfonds zugrunde lagen, aus heutiger Sicht durchweg zu optimistisch gewesen. Das Argument, mit Windkraft inflationssicher anzulegen in Sachwerte, geht ins Leere, denn ein Windrad, das reparaturbedürftig und nur unwirtschaftlich zu betreiben ist, ist wertlos. Oft gehört dem Betreiber nicht einmal der Boden, auf dem die Anlage steht. Der Ersatz durch eine effizientere Anlage erfordert neues Kapital, aber die Fondsgesellschaft hat daran wenig Interesse, solange kein Druck von Anlegerseite entsteht.

Genussscheine als Alternative zu geschlossenen Fonds sind auch nicht besser, im Gegenteil. Hier drohen die Risiken eines Schneeballsystems, wenn immer neue Anleger gewonnen werden müssen, um die versprochenen Verzinsungen zahlen zu können. Zusammenfassend bleibt festzuhalten: Geldanlage in Windenergie kann ein gutes und nachhaltiges Investment sein, wenn eine seriöse Prognose zugrunde liegt. Zweistellige Renditeversprechen sollten aber misstrauisch machen.

SICHER INVESTIEREN IN WINDKRAFTANLAGEN

Der Ausstieg aus der Atomenergie macht eine Geldanlage in Windkraft zu einer erfolgversprechenden Investition. Inzwischen gibt es mehr als 17 000 Windkraftanlagen im Land und viele weitere werden noch folgen. Das liegt nicht zuletzt an der Politik der Bundesregierung, die diese umweltfreundliche Energieproduktion stark fördert. In ihrem Erneuerbare-Energien-Gesetz garantiert sie den Lieferanten einen Festpreis für ihren Strom, ganz unabhängig von der Marktsituation. Auch wenn diese Förderung im Laufe der Jahre zurückgefahren werden wird, bleibt die Investition in Windkraft interessant. Doch sollte sie nur in politisch stabilen Ländern erfolgen. Eine Empfehlung sind dabei europäische Länder, bevorzugt Deutschland und Skandinavien, sowie die Beneluxstaaten und die USA.

Hohe Rendite-Versprechungen sind wenig verlässlich

Geldanlagen in Windkraft werden mit sehr viel Aufwand und hohen Renditen beworben. Doch unkompliziert ist diese Investitionsart nicht, da sich die Anlageformen inhaltlich stark voneinander unterscheiden. Konservative Anlagen sind dabei ebenso vertreten wie spekulative Investitionen. Hauptsächlich werden zwei Investitionsarten angeboten: Windkraftbeteiligungen oder Anleihen beziehungsweise Genussscheine. Bei einer Beteiligung an einer Winkraftanlage erwirbt der Anleger einen realen Wert, der ihm auch durch Währungs- und Finanzkrisen nicht verloren gehen kann.

Zudem hat er ein Mitspracherecht und kann darüber Einfluss auf Geschäftsentscheidungen nehmen. Anders ist die Situation bei Genussrechten. Hier sammelt das Windkraft-Unternehmen Geld von Investoren, das in Bau und Betrieb einer Anlage investiert wird. Bei diesem Modell hat der Anleger keinen Einfluss auf die Geschäftspolitik. Das Geld ist über viele Jahre festgelegt, ein vorzeitiger Ausstieg ist ausgeschlossen. Beste Rendite im zweistelligen Prozentbereich ist bei diesem Modell ebenso möglich wie ein Totalausfall.

Angebote genau prüfen

Die Wahl der Investitionsform ist auch vom Kapital des Anlegers abhängig. Für Windkraftbeteiligungen werden üblicherweise hohe, fünfstellige Summen gefordert, die als Sofort-Einlage fällig sind. Eine Mindestlaufzeit von zehn Jahren ist realistisch. Diese Investitionsmöglichkeit wird auch von kleinen, regionalen Windparks angeboten und sind eine sichere Anlage mit guten Konditionen. Hier ist die Situation auch für den Laien überschaubar, was bei Großprojekten, wie beispielsweise milliardenschweren Off-Shore-Anlagen nicht gegeben ist. Eine Geldanlage in Windkraft ist zukunftsträchtig und sicher, wenn es sich um seriöse Anbieter handelt. Jeder Interessent sollte sich vor der Entscheidung umfassend informieren und online Vergleich Rechner nutzen. Als alleinige Geldanlage ist Windkraft ungeeignet. Sicher investieren heißt immer, das vorhandene Kapital möglichst breit zu streuen.

GOLD ALS KAPITALANLAGE

In unsicheren Zeiten ist Gold als Anlageinstrument begehrt. Das seltene Edelmetall gilt vielen Investoren als inflationssichere Anlage und Garant für Wertbeständigkeit. Doch wer in der Vergangenheit in Gold investiert hat, wurde nicht selten enttäuscht. Denn ebenso wie der Goldpreis in Krisenzeiten nach oben schoss, gab er auch nach, wenn sich die Lage wieder beruhigte.

Viele Faktoren bestimmen Goldpreis

Was Gold für Anleger so wertvoll macht, ist die Eigenschaft des knappen Gutes. Sie sorgt für tendenziell hohe Goldpreise. Davon abgesehen werden Angebot und Nachfrage aber von einer Vielzahl an Faktoren bestimmt. Die Goldpolitik der Zentralbanken, die Goldförderung der Produzentenländer und das Verhalten großer Goldspekulanten spielen ebenso eine Rolle wie Krisenängste oder die Nachfrage nach Goldschmuck. Diese Einflüsse machen es außerordentlich schwierig, den Goldpreis zu prognostizieren. Auch ein Währungsrisiko besteht, denn Gold wird üblicherweise in US-Dollar notiert.

Keine laufenden Erträge

Gold-Investments erzielen keine laufenden Erträge wie festverzinsliche Wertpapiere oder Dividendenwerte. Der Anleger profitiert alleine von Kursgewinnen, die nicht ohne Risiko sind. Nach einer jahrelangen Aufwärtsbewegung im Zuge von Finanz- und Eurokrise gaben die Goldpreise 2013 erstmals wieder deutlich nach, die Verluste konnten danach nur teilweise wieder wettgemacht werden. Wie die Entwicklung weitergehen wird, ist unklar.

Kursrisiko bleibt

Der Ruf des Goldes als sicheres Anlageobjekt wird vor allem dadurch bestimmt, dass es als Sachwert vor Geldentwertung und Inflation geschützt ist. Auch ein Emittentenrisiko wie bei anderen Wertpapieren gibt es hier nicht. Was bleibt, ist das nicht unerhebliche Kursrisiko. Trotz dieser Unsicherheit kann es durchaus Sinn machen, in Gold zu investieren. Dabei sollten aber nicht spekulative Überlegungen im Vordergrund stehen, sondern dauerhafte Vermögensbildung.

Langfristig in Gold investieren

Sie gelingt meist dann am besten, wenn langfristig und unabhängig von Markt- der Kursschwankungen in unterschiedlichen Anlagekategorien investiert wird. Dabei haben auch Edelmetalle, zum Beispiel Gold, ihren berechtigten Platz bei der Kapitalanlage. Diese Goldinvestments müssen nicht auf kurzfristige Kursänderungen reagieren.

Papiergold als Alternative

Wer nicht physisch in Gold, das heißt Barren oder Münzen, investieren will, kann alternativ Wertpapiere mit Goldbezug kaufen. Es gibt grundsätzlich zwei Möglichkeiten für das sogenannte 'Papiergold': Gold-ETF und Goldzertifikate.

Gold-ETF (ETF steht dabei für Exchange Traded Funds) sind börsengehandelte Investmentfonds, die sich auf bestimmte Goldindizes, Goldminenwerte oder Goldbestände beziehen. Als Sondervermögen sind sie vor Insolvenz der jeweiligen Investmentgesellschaft geschützt. Goldzertifikate stellen dagegen rechtlich gesehen Schuldverschreibungen dar. Sie unterliegen einem Emittentenrisiko, das man versucht, über eine physische Goldabsicherung und die Emission über Zweckgesellschaften zu reduzieren. Papiergold muss sich nicht zwangsläufig parallel zum Goldpreis entwickeln.

WISSEN IST MACHT

Jeder, der schon einmal nach einer Kapitalanlage gesucht hat, kennt die Frage: Wo gibt es gute Zinsen?

Diese Frage ist nicht so leicht zu beantworten, sonst gäbe es nicht Heerscharen von Beratern, die genau mit der Beantwortung dieser Frage ihr Geld verdienen.

Bevor sie in Details wie Verzinsung gehen, muss natürlich erst einmal geklärt werden, wie viel Geld angelegt werden soll. Dann stellt sich die Frage, wie kurzfristig das Geld eventuell verfügbar sein soll. Erst dann kann nach einer Verzinsung gefragt werden. Je länger das Geld angelegt werden kann, umso besser ist die Verzinsung. Als Faustregel ist das bekannt. Aber auch die Höhe der Einlage bestimmt den Zinssatz. Dabei ist nicht immer gesagt, dass höhere Einlagen auch gute Zinsen bringen.

Es gibt durchaus Produkte, bei denen ein garantierter Zinssatz nur bis zu einer gewissen Einlagehöhe garantiert werden kann. Ein gutes Beispiel für eine solche Limitierung ist das Tagesgeld. Hier werden oft über einen bestimmten Zeitraum Zinserträge garantiert, die deutlich über dem Ertrag eines Sparbuchs liegen. Diese Verzinsung kann aber nur für einen ebenfalls limitierten Betrag garantiert werden. Der Hintergrund ist simpel. Die Banken und Finanzinstitute wollen den Anleger bei höheren Summen oft zu langfristigeren Anlagen oder risikoreicheren Produkten lotsen. Aus diesem Grund werden einfache Anlageprodukte oft limitiert.

Wissen ist das Fundament

Wer Geld anlegt braucht vor allen Dingen Wissen über das Thema Geldanlage. Leider holen sich viele Verbraucher ihre Informationen immer noch gerne bei ihrer Hausbank. Das ist aber die völlig falsche Adresse für eine solche Beratung, die dem Anleger den besten Weg aufzeigen soll. Die Bank hat natürlich ein Interesse daran, selber den größten Profit zu machen. Dem Kunden die beste Anlage zu verkaufen ist also hier nicht Priorität. Aus diesem Grund sind Kunden bei unabhängigen Anlageberatern immer noch in den besten Händen. Denn hier entstehen zwar Kosten für die Beratung, im Gegensatz dazu gewinnt der Kunde wichtige Erkenntnisse für seine Geldanlage und kann dann die eigene

Vermögensplanung auch eigenverantwortlich in die Hand nehmen, und dabei gute Zinsen einbringen.

EDELHOLZ INVESTMENT VERSPRICHT HOHE RENDITE

Auf der Suche nach sicheren Anlageprodukten sind Rohstoffe, und damit auch das Investieren in Holz, in den Fokus des Interesses gerückt. Es wird mit der Aussicht auf eine hohe Rendite beworben. Die Argumente sind überzeugend. Der Wert von Waldflächen steigt ebenso an wie der weltweite Bedarf an Holz, was gute Gewinne verspricht. Doch auch bei dieser Geldanlage gibt es Unwägbarkeiten, die das auf den ersten Blick überzeugende Geschäft negativ beeinflussen können. Grundsätzlich brauchen Anleger in Holzfonds oder Waldfonds einen langen Atem. In der Regel handelt es sich dabei nämlich um geschlossene Fonds, die ein hohes Kapital über zehn bis zwanzig Jahre binden.

Seit Mitte der Neunziger Jahre erwerben finanzstarke Investoren große Fläche in Mittel- und Südamerika und forsten sie auf. Hier sind Waldflächen noch preisgünstiger zu haben als in Nordamerika und Europa. Zudem wachsen in den dortigen klimatischen Verhältnissen Bäume schneller als in gemäßigten Klimazonen. Ein weiterer Aspekt spricht für Forstwirtschaft in diesen Regionen: Hier lässt sich in großem Stil Edelholz wie Teak produzieren. Es ist besonders gewinnträchtig, denn Nachfrage-Einbußen sind nicht zu befürchten. Doch die Standorte bergen auch hohe Risiken, die diese Investitionen so spekulativ machen. Feuer, Schädlinge und Unwetter könnten die Anpflanzungen zerstören. Zudem ist die politische Situation in diesen Regionen instabil, was möglicherweise zu Enteignungen führen könnte. Doch gelingt das Investment, ist der Gewinn beträchtlich. In den letzten 50 Jahren hat sich der Holzverbrauch weltweit verdreifacht und er steigt immer noch an.

In den Zeiten der Nachhaltigkeit hat das Investieren in Holz auch eine ethische Komponente. Umweltschützer weltweit fürchten, dass eine forcierte Produktion dieses Rohstoffes zu bleibenden Schäden in der Natur führt und Lebensräume zerstört. Im großen Angebot der Waldfonds gibt es deshalb immer mehr, die mit Umwelt-Zertifikaten ausgezeichnet sind. PEFC (Programme for the Endorsement of Forest Certification Schemes)ist das Siegel der weltweit größten Zertifizierungsstelle. Die Auszeichnung FSC (Forest Stewardship Council) wird von einem Gremium vergeben, dass von Umweltschützern dominiert wird. Einige Fonds bieten potenziellen Kunden an, sich vor Ort über ihre verantwortungsvollen Produktionsstandards zu informieren. Der wichtigste Aspekt für den Anleger ist jedoch die Rendite, die zwischen acht und zwölf Prozent betragen kann. Höhere Prognosen sind unrealistisch. Möglich ist bei dieser Investition allerdings immer auch ein Totalausfall. Konservativ ist diese Anlageform also nicht. Deshalb raten Experten in ihren Tipps dazu, nur maximal zehn Prozent des vorhandenen Vermögens in Holzfonds zu investieren.

EMPFEHLENSWERTE INVESTMENTS FÜR PRIVATE ANLEGER

Heute stehen privaten Sparern sehr viele unterschiedliche Alternativen zur Auswahl, um ihr Vermögen zu investieren. Allerdings erweist sich nicht jede Anlageform als sinnvoll. Damit die Geldanlage tatsächlich die in sie gesetzten Erwartungen erfüllen kann, kommt es entscheidend auf eine gründliche Analyse der Chancen und Risiken des Investments an. Sie stellt die Basis für eine fundierte Anlageentscheidung dar, die stets unter Berücksichtigung des persönlichen Anlagehorizonts und der individuellen Risikoneigung getroffen werden sollte. Darüber hinaus ist das Investieren in bestimmte Anlageformen keine statische Entscheidung, die einmal getroffen und anschließend über Jahre und Jahrzehnte

beibehalten wird. Vielmehr setzt Anlageerfolg die ständige
Überprüfung der Performance von Investments voraus, die
bei länger andauernden Schwächephasen eine Umschichtung
des Portfolios nach sich ziehen sollte.

Jeder private Investor muss sich bei allen
Anlageentscheidungen über den Zielkonflikt zwischen Risiko
und Rentabilität bewusst sein. Eine hohe Verzinsung des
angelegten Gelds ist bei rationaler Betrachtung nur möglich,
wenn dafür hohe Risiken in Kauf genommen werden. So
besteht bei sehr rentablen Investments regelmäßig sogar die
Gefahr des Totalverlusts des eingesetzten Kapitals. Wer
dieses Risiko nicht eingehen möchte, muss deutliche
Abstriche bei der Verzinsung seines Sparvermögens
hinnehmen. Anbieter, die sehr hohe Erträge für Anlagen
versprechen, ohne dass sie auf die erhöhte Verlustgefahr
hinweisen, sind in aller Regel nicht seriös. Spekulative
Anlagen mit erhöhtem Risiko kommen grundsätzlich nur für
Sparer mit großem Vermögen in Frage, die den Verlust eines
Teils ihrer Anlagen notfalls verschmerzen können. So kann
man zum Beispiel bis zu zwanzig Prozent spekulativ bei einem
Lottogewinn anlegen.

Investments für risikoaverse und risikofreudige Anleger

Die Risikobereitschaft von privaten Sparern wird entscheidend
auch von deren Lebensalter beeinflusst. Junge Leute können
ohne Probleme auch einen Teil ihrer Ersparnisse in riskantere
Anlagen investieren, weil ihr Zeithorizont so lang ist, dass sie
bei vorübergehenden negativen Entwicklungen an den
Kapitalmärkten einfach in aller Ruhe abwarten können, bis es
zu einer Trendumkehr kommt. Bei älteren Sparern, die ihr
angespartes Kapital in den meisten Fällen für den Ruhestand
benötigen, um ihren gewohnten Lebensstandard als Rentner
weiterhin aufrecht erhalten zu können, stellt sich die Situation
vollkommen anders dar. Sie dürfen keine riskanten
Investments mehr tätigen, wenn sie ausschließen möchten,
dass sie bei der Auflösung ihrer Anlagen größere Verluste

realisieren. Diese Anlegegruppe sollte vielmehr sukzessiv riskantere Geldanlage bei günstigen Gelegenheiten verkaufen und ihr Vermögen in sichere Investments umschichten.

Wer absolut sicher investieren möchte, ist mit dem Kauf von deutschen Staatsanleihen gut beraten. Die dabei erzielbaren Zinsen halten sich zwar in Grenzen, doch aufgrund der hervorragenden Bonität des Emittenten besteht bei dieser Anlageform so gut wie gar kein Verlustrisiko. Das Gleiche trifft auf Spareinlagen bei deutschen Banken und Sparkassen zu, die durch den Einlagensicherungsfonds des Bundesverbandes Deutscher Banken umfassend geschützt sind. Auch hier müssen sich Sparer mit eher bescheidenen Zinssätzen begnügen. Allerdings kann ein aussagekräftiger Vergleich der Konditionen, wie er auf zahlreichen Finanzportalen im Internet präsentiert wird, helfen die günstigsten Sparalternativen zu identifizieren.

Investmentfonds bieten dagegen wesentlich höhere Renditechance, aber auch gesteigerte Verlustrisiken. Sie sind heute in großer Vielfalt verfügbar. So können sich Anleger entscheiden, wo auf der Welt sie ihren Anlageschwerpunkt setzen möchten und welche Branchen sie für besonders aussichtsreich halten. Viele private Sparer setzen verstärkt auf ökologisch orientierte Fonds, die als Green Investment einzustufen sind. Sie punkten mit hoher Verzinsung des Fondskapitals und leisten darüber hinaus durch die Förderung von verschiedenen Projekten, insbesondere auf dem Gebiet der Nutzung regenerierbarer Energien, einen wichtigen Beitrag zum Schutz der Umwelt. Auch sogenannte Passiv- oder Indexfonds überzeugen mit attraktiver Performance. Sie bilden mit ihrer Zusammensetzung und Gewichtung präzise einen wichtigen Aktienindex, wie zum Beispiel den DAX, nach und kommen aus diesem Grund ohne aufwändiges und kostspieliges Fondsmanagement aus. Darüber hinaus erfordern sie wenig spezifische Fachkenntnisse einzelner Wirtschaftszweige, um als Privatanleger erfolgreich zu investieren.

NACHHALTIGES INVESTMENT MIT GUTEM GEWISSEN

Bei dem Begriff Green Investment oder Eco-Investing denken die meisten Menschen wohl an Holzfonds, Windkraft und Solarparks. Das ist aber nur ein kleiner Ausschnitt dessen, was unter dem Label nachhaltige Investition von den Fondsgesellschaften verkauft wird. Green Investments sind längst nicht mehr nur Nischenprodukte. Der Marktdruck führt zudem dazu, dass grüne Geldanlage nicht nur mit reinem Gewissen erfolgt, sondern auch die Rendite stimmt.

Auswahl der Titel höchst unterschiedlich

Geschlossene Fonds mit Wäldern, Windparks und Solaranlagen als Zielobjekten sind für Anleger interessant, die einmalig eine größere Summe investieren möchten und dabei bereit sind, ein unternehmerisches Risiko bis hin zum Totalverlust einzugehen. Offene Fonds bieten dagegen die Möglichkeit, regelmäßig zu sparen mit wenig Kapitaleinsatz und begrenztem Risiko. Eine ganze Reihe offener Fonds bieten Green Investment an, verfolgen dabei aber sehr verschiedene Konzepte.

Würden Sie Hersteller alkoholischer Getränke oder die höchst profitable Porno-Industrie als Green Investment betrachten? Sicher schädigen sie die Umwelt weniger, als das ein Unternehmen der Holzwirtschaft tut, das Land rücksichtslos enteignet und den Boden mit Monokulturen ausbeutet. Sie sehen, es ist gar nicht so einfach, die richtigen Aktien in das Portfolio des Öko-Fonds zu legen. Manche Fonds schließen bestimmte Wirtschaftszweige nicht komplett aus, wählen aber aus jeder Branche nur die aus ihrer subjektiven Sicht fortschrittlichsten Unternehmen. Sind ethische Grundsätze der Hauptantrieb für Ihr Investment, setzen Sie sich ausführlich mit der Anlagepolitik der Fonds auseinander. Sie laufen sonst Gefahr, unwissend Ihr Geld an der falschen Stelle zu platzieren.

Interessanterweise hat die Finanzkrise den nachhaltig orientierten Fonds starken Aufwind verschafft. Der Grund ist vermutlich, dass Investoren Risiken für ihre Anlagen so weit wie möglich ausschließen wollen. Umweltschäden, ungebremster Klimawandel und schlechte Presse wegen menschenunwürdiger Arbeitsbedingungen sind zweifellos solche Risiken. Werden Anteile fair und nachhaltig wirtschaftender Unternehmen nachgefragt, steigen deren Kurse. Um mit diesen Aktien zu verdienen, müssen auch die nicht als grün ausgewiesenen Fonds diese Papiere in ihr Portfolio aufnehmen. Im Gegenzug werden bedenkliche, mit Risiken behaftete Aktien verkauft, was deren Kurs drückt.

Der im November 2015 bekannt gewordene Ausstieg der Allianz Versicherung aus der Kohlefinanzierung könnte ein erstes, aber bedeutendes Signal aus der deutschen Finanzbranche gewesen sein. Auch wenn Allianz-Vorstand Oliver Bäte den Schritt mit Klimaschutzzielen begründet, dürften handfeste finanzielle Interessen den Ausschlag gegeben haben. Große Energieversorger mussten wegen des Atomausstiegs schon herbe Kursverluste hinnehmen, nun geraten auch die fossilen Energien unter Druck, und zwar nicht nur durch Umweltschützer, sondern auch an den Finanzmärkten. Profiteure der Krise sind Anleger in den Fonds, die das Green Investment von Anfang an forciert haben und die nun von den Wertsteigerungen ihrer Titel zehren.

GELD VERDIENEN MIT KNAPPEN ROHSTOFFEN

Sein Geld in Rohstoffe zu investieren, scheint auf den ersten Blick eine hervorragende Idee zu sein. Der Preis eines Gutes steigt, wenn es knapp wird. Das lernt man im ersten Semester Volkswirtschaftslehre. Aber wie funktioniert eine solche Investition in der Praxis, wenn man als Kleinanleger handelt?

Edelmetalle wie Gold, Silber oder Platin mag auch der Privatmann direkt kaufen und sich als Barren oder Münzen ins Bankschließfach oder zu Hause unter das Kopfkissen legen können. Ob das empfehlenswert ist, steht auf einem anderen Blatt. Bei anderen Bodenschätzen wie Kupfer, Zink und Öl, aber auch bei Nahrungsmitteln wie Weizen, Mais oder Kakao scheidet der physische Kauf als Geldanlage faktisch aus. Auch eine Präsenz an den entsprechenden Warenterminbörsen ist wegen der umfangreichen Zugangsvoraussetzungen nicht realistisch. Außerdem müsste man hier ständig präsent sein, um gewinnbringend anlegen zu können. Wer privat in Rohstoffe investieren will, geht besser den indirekten Weg über Zertifikate oder Rohstoff-Fonds.

Rohstoff-Zertifikate sind von ihrer rechtlichen Konstruktion her Inhaberschuldverschreibungen. Sie werden in der der Regel von Banken ausgegeben. Ihre Wertentwicklung ist an den Preisindex eines Rohstoffes oder eines Warenkorbes aus verschiedenen Rohstoffen geknüpft. Zertifikate mit fester Laufzeit haben Nachteile, wenn der Ablaufzeitpunkt in eine schwache Marktphase fällt. Flexibler ist man mit Open-end-Zertifikaten. Sie sind an der Börse handelbar und können zu einem beliebigen Zeitpunkt verkauft werden.

Offene und geschlossene Rohstoff-Fonds

Anteile an offenen Fonds auf Rohstoffe sind können jederzeit gekauft und verkauft werden. Deshalb eignen sie sich auch für regelmäßiges Sparen. Achten Sie aber darauf, nicht zu große Anteile Ihres Vermögens in Rohstoffe zu investieren. Setzen Sie vor allem nicht alles auf eine Karte, und variieren Sie zwischen verschiedenen Rohstoffen. Auch wenn die Aussichten insgesamt gut sein mögen, gibt es erhebliche Abhängigkeiten von Konjunkturzyklen. Für den Aufbau einer Altersvorsorge sind Rohstoffe völlig ungeeignet. Schließen Sie für diesen Zweck lieber eine private Rentenversicherung ab und nehmen Anteile an Rohstoff-Fonds nur als Beimischung in Ihre Vermögensverwaltung.

Besonders für das Investieren in Holz werden auch unternehmerische Beteiligungen an geschlossenen Fonds angeboten. Diese sind auf eine sehr lange Laufzeit von zwanzig oder mehr Jahren angelegt und in dieser Zeit kaum flexibel. Interessant können sie sein, um in der Anlaufzeit steuerlich relevante Verluste zu generieren und die Erträge in das Rentenalter bei geringerer Steuerlast zu verschieben. Sie bergen aber erhebliche Risiken, und man sollte Versprechungen in den Prospekten kritisch hinterfragen.

Der Vollständigkeit halber sei noch die Möglichkeit erwähnt, über Contracts for Difference oder kurz CFD in Rohstoffe zu investieren. Hier wettet der Anleger auf steigende oder fallende Preise. Durch eine Hebelwirkung sind erhebliche Gewinne möglich. Allerdings wird auch ein Verlust vervielfacht, er kann sogar das eingebrachte Kapital übersteigen und muss dann durch Nachzahlungen ausgeglichen werden. Für Kleinanleger bedeutet das eindeutig: Finger weg.

RENTABLE GELDANLAGE IN SACHWERTEN

In Sachwerte zu investieren, ist der gängige Rat des Anlageberaters an Kunden, die ein auch in Krisenzeiten sicheres Engagement suchen. Die meisten Menschen denken spontan an Immobilien, die deshalb auch gern als Betongold bezeichnet werden. Sichere Anlagen sind aber meist wenig rentabel. Welche Geldanlage in Sachwerten trotzdem lohnt, erfahren Sie hier.

Immobilien sind nicht für jeden geeignet

Der Erwerb einer Immobilie als Kapitalanlage kann eine gute Investition sein, wenn die Rahmenbedingungen stimmen. Zunächst einmal muss ein gewisser Anteil an Eigenkapital vorhanden sein, damit die Finanzierung mit überschaubaren Raten und zu günstigen Konditionen möglich ist. Dann sollte der Anleger gute Kenntnisse über den regionalen Immobilienmarkt haben. Ansonsten besteht die Gefahr, das Objekt viel zu teuer einzukaufen oder an einem Ort zu investieren, an dem die Preise in absehbarer Zeit wegen rückläufiger Bevölkerungszahlen fallen werden. Auch die steuerliche Situation des Investors ist von Bedeutung. Eine Wohnung oder ein Haus erzeugt in den ersten Jahren Verluste durch Abschreibungen und die Kosten der Finanzierung. Diese Verluste können mit anderen Einkommensarten verrechnet werden, so dass die Steuerlast insgesamt sinkt. Die Immobilie ist deshalb finanziell vielleicht sogar dann interessant, wenn die Kosten die Mieteinnahmen übersteigen.

Reicht das Kapital nicht für eine eigene Immobilie, kommt die Beteiligung an einem offenen oder geschlossenen Immobilienfonds in Betracht. Geschlossene Fonds sind eine unternehmerische Beteiligung einer begrenzten Zahl von Investoren an einem einzelnen Objekt, zum Beispiel einem Hotel oder einem Bürohaus. Meist wird eine Mindestbeteiligung im fünfstelligen Bereich gefordert. Fällt ein Hauptmieter aus, besteht das Risiko eines Totalverlustes dieser Summe. Geschlossene Fonds eignen also nur als Beimischung in großen Vermögen. Offene Fonds beteiligen sich an vielen Gebäuden, die Anteile sind relativ flexibel handelbar und bei Bedarf problemlos wieder zu verkaufen. Nach einigen spektakulären Schließungen und der Abwicklung großer Immobilienfonds ist dank gesetzlicher Neuregelungen eine gewisse Ruhe in den Mark eingekehrt, so dass Privatanleger wieder recht beruhigt in solche Sachwerte investieren können.

Aktien sind auch Sachwerte

Bei der Frage nach einer Investition in Sachwerte übersehen Anleger häufig, dass Aktien und Fonds auch Sachwerte repräsentieren, zumindest, wenn man die Anlageschwerpunkte entsprechend auswählt. Industrieunternehmen verkörpern ganz erhebliche Sachwerte. Das Argument der Konjunkturabhängigkeit mit starken und schwachen Marktphasen gilt für Gewerbeimmobilien gleichermaßen. Wer also einen Immobilienfonds statt eines Aktienfonds auswählt, handelt keineswegs antizyklisch und schafft für sich auch keine größere Sicherheit.

Aktien und Aktienfonds sind für Menschen, die langfristig in Sachwerte investieren möchten, eine sehr gute Option. Über einen langen Zeitraum betrachtet, haben Aktien weltweit im Schnitt um fast 7 % zugelegt. Wer den zweifellos möglichen Wertverlust für einige Jahre aussitzen kann, erreicht mit hoher Wahrscheinlichkeit eine beachtliche Rendite, die auch den Vergleich mit sicheren Sachwerten wie Gold oder anderen Edelmetalle nicht scheuen muss. Fonds eignen sich hervorragend für monatliches Sparen mit hohen Zinsen. Der Anleger profitiert bei gleichbleibenden Sparraten davon, bei hohem Kurs nur wenige Anteile und bei niedrigem Kurs viele Anteile zu erwerben. Wertschwankungen werden dadurch reduziert.

EMPFEHLENSWERTE GELDANLAGEN FÜR PRIVATE SPARER

Eine Kapitalanlage erweist sich dann als sinnvoll, wenn sie ein ausgewogenes Chancen-Risiko-Verhältnis aufweist und zu den individuellen Anlagezielen des Sparers passt. Statt ausschließlich auf Bankberater, Versicherungsvertreter oder andere Finanzexperten zu vertrauen, sollten sich Anleger stets selbst ein Bild von den zur Auswahl stehenden Alternativen machen und sich bewusst für ein Investment entscheiden, das ihren Anforderungen gerecht wird. Dabei muss immer eine Abwägung zwischen Renditechancen und Verlustgefahren vorgenommen werden, die durch die persönliche Lebenssituation und Risikoneigung bestimmt wird. Darüber hinaus schützt die Beachtung der Grundregel, dass seriöse Anlagen niemals sehr hohe Ertragserwartungen ohne Verlustgefahren aufweisen, vor verhängnisvollen Fehlentscheidungen. Ebenso ist das Prinzip zu beachten, dass das Konzept einer guten Kapitalanlage stets leicht zu verstehen sein sollte.

Die Auswahl an Kapitalanlagen präsentiert sich heute überwältigend groß. Um die Entscheidung für sinnvolle Anlagealternativen zu erleichtern, können Sparer von vorneherein exotische Investments ausschließen. Die meisten Finanzinnovationen, wie zum Beispiel Zertifikate oder Hedge-Fonds, erfordern zum einen Spezialwissen, über das die meisten Privatleute kaum verfügen dürften, zum anderen sind sie hoch spekulativ, so dass sie die Gefahr eines Totalverlustes bergen. Auch eine Kapitalanlage in fernen Ländern oder ausgefallenen Branchen ist aus den gleichen Gründen wenig empfehlenswert. Ebenso kritisch ist das Investment in Rohstoffe zu sehen. Allenfalls die Anlage eines geringen Teils des Gesamtvermögens in Gold wird heute als vertretbar angesehen, um sich gegen die Risiken der Inflation und anderer krisenhafter Entwicklungen abzusichern.

Anlagemöglichkeiten für konservative und risikofreudige Investoren

Wer auf der Suche nach einer Anlagemöglichkeit ist, die maximale Sicherheit bietet, ist mit deutschen Staatsanleihen und anderen Wertpapieren, die von der Öffentlichen Hand herausgegeben werden, gut beraten. International gilt die Bundesrepublik Deutschland als ein Schuldner von hervorragender Bonität. Diese Tatsache spiegelt sich unter anderem auch in den besten Noten wider, die der deutsche Staat von den bedeutenden Rating-Agenturen mit großer Regelmäßigkeit erhält. Ebenso sicher sind Spareinlagen bei deutschen Sparkassen und Banken, die durch das Sicherungssystem des Sparkassenverbundes beziehungsweise den Einlagensicherungsfonds des Bundesverbands Deutscher Banken perfekt geschützt sind. Wer sich für eine dieser Anlagemöglichkeiten entscheidet, sollte sich allerdings bewusst sein, dass die erzielbaren Zinsen sich auf einem sehr niedrigen Niveau bewegen. Dieses kann sogar die allgemeine Teuerungsrate unterschreiten, so dass es zu realen Vermögenseinbußen kommt. Dennoch sind diese sicheren Anlagen für Rentner, die ihre Altersvorsorge nicht gefährden dürfen, ohne Alternative.

Jüngere Sparer mit einem ausreichend großen Gesamtvermögen sollten zumindest einen Teil ihrer Anlagen in Investments tätigen, die ein größeres Chancenpotential aufweisen. Ihnen ist weniger zu einzelnen Aktien zu raten, weil diese aufgrund der fehlenden Risikostreuung stets die Gefahr großer Verluste bergen. Dagegen eignen sich verschiedene Investmentfonds hervorragend für diese Anlegergruppe. Sie haben die Wahl zwischen aktiv gemanagten Fonds, die sich in der Regel auf bestimmte Wirtschaftszweige und Regionen konzentrieren, sowie Index-Fonds. Diese modernen Aktienfonds, die auch als Passivfonds bezeichnet werden, besitzen den großen Vorteil, dass sie mit sehr geringen Ausgabeaufschlägen und Verwaltungsgebühren auskommen. Außerdem erfordern sie wenig Hintergrundwissen, weil sie lediglich einen wichtigen internationalen Index nachbilden. Aus diesem Grund sind Passivfonds sehr gut als Kapitalanlage geeignet, wenn man von einer breit angelegten Wertsteigerung eines Aktienmarkts profitieren möchte.

Anleger, die sich gerne intensiv mit den Entwicklungen an den Kapitalmärkten und allgemeinen wirtschaftlichen Trends beschäftigen, kann auch zu einer Kapitalanlage geraten werden, die auf besondere Branchen setzt. So werden zum Beispiel Spezialfonds im Bereich der alternativen Energieerzeugung angeboten, mit denen sich nicht nur hohe Renditen erzielen lassen, sondern die auch viel zum Umweltschutz beitragen. Allerdings sollten sich Anleger bevorzugt für offene Publikumsfonds entscheiden, die ein Höchstmaß an Flexibilität aufweisen. Dagegen bindet man sich bei geschlossenen Fonds über eine sehr lange Laufzeit und zahlt in der Regel viel zu hohe Provisionen und

Gebühren. Außerdem erfordern geschlossene Fonds regelmäßig einen hohen Anlagebetrag, der eine ausreichende Risikostreuung im Gesamtvermögen meist verhindert.

FÜR DIE AUSBILDUNG: GELD FÜRS KIND ANLEGEN

Eltern sollten schon kurz nach der Geburt an die finanzielle Zukunft ihres Nachwuchses denken und deshalb anfangen, für die Kinder zu sparen. Spätestens nach der Schule brauchen sie das Geld, um beispielsweise ein Studium oder ein Auslandspraktikum finanzieren zu können. Auch größere Anschaffungen wie ein Auto können sie sich dank solcher Ersparnisse leisten. Zugleich empfiehlt sich ein Sparkonto bereits für Babys, um dort die Geldgeschenke von Verwandten anzulegen.

Welche Finanzprodukte infrage kommen

Das Geld fürs Kind sollten Eltern nicht irgendwie, sondern richtig anlegen. Oberste Priorität genießt die Sicherheit. Die Kinder sollten sich darauf verlassen können, dass sie später über einen bestimmten Betrag verfügen. Deswegen sollten Eltern planbare, sichere Kapitalanlagen bevorzugen. Dazu zählen Tages- und Festgeldkonten sowie Sparpläne. Bei diesen greift die gesetzliche Einlagensicherung, selbst bei einer Bankenpleite verlieren die Anleger kein Geld. Aktien und andere an der Börse gehandelten Wertpapiere eignen sich dagegen nicht, da das Vermögen zum Teil enormen Kursschwankungen unterliegt.

Zugleich sollten Eltern das Geld clever anlegen: Bei maximaler Sicherheit sollten sie ihren Kindern eine möglichst hohe Rendite sichern. Das weiterhin beliebte Sparbuch empfiehlt sich dafür meist nicht. Vor allem kleine Kinder freuen sich zwar, wenn sie ein Sparbuch in der Hand halten und bei der Bank ihre Spardose leeren können. Die meisten Institute zahlen auf diese Sparkonten allerdings nur mickrige Zinsen von 0,25 % bis höchstens 1 %. Bei solch niedrigen

Zinssätzen lohnt sich das Anlegen kaum. Stattdessen sollten Eltern ein Tagesgeldkonto eröffnen, vor allem Direktbanken bieten dafür meist deutlich mehr Zinsen. Wie bei Sparbüchern können die Kontoberechtigten auch bei dieser Form täglich über das Geld verfügen. Einen Teil des Kapitals sollten die Eltern zudem in Festgeldern anlegen, zum Beispiel für 1, 3 oder 5 Jahre. Bei diesen binden sie das Geld für diese Zeit, profitieren aber zugleich von höheren Zinssätzen.

Monatliche Raten sparen

Ergänzend zu einmaligen Sparbeträgen können Erziehungsberechtigte einen Sparvertrag abschließen. Bei einem solchen Angebot überweisen sie monatlich einen bestimmten Betrag, die meisten Banken ermöglichen diese Form ab einer Summe von 20 oder 25 Euro im Monat. Das hört sich nach wenig an, über viele Jahre summieren sich diese Beträge zusammen mit den Zinsen aber zu einem ansehnlichen Vermögen.

Wer für die Kinder sparen will, sollte bei all diesen Anlagetypen immer einen Bankenvergleich durchführen. Nur auf diese Weise stoßen Eltern auf die attraktivsten Angebote. Sie sollten die Sparanlagen nicht einfach bei der Hausbank führen und so eventuell viel Geld verschenken. Bei einem Festgeldkonto mit 1.000 Euro Einlage und zehnjähriger Laufzeit mit jährlicher Zinsauszahlung macht ein Zinsunterschied von einem Prozentpunkt immerhin 100 Euro aus. Häufig liegen die Zinsdifferenzen zwischen guten und schlechten Banken sogar noch weitaus höher.

MEHR ZINSEN ALS AUF DEM SPARBUCH

Geld richtig anlegen bedeutet, den goldenen Mittelweg zwischen hoher Rendite und Sicherheit der Investition zu finden. Diese gegensätzlichen Ziele sind schwer miteinander vereinbar, denn hoch verzinste Anlagen bergen in aller Regel

auch ein Verlustrisiko. Der hohe Zins soll sie dennoch
attraktiv machen.

Sparbücher sind von gestern

Die meisten Deutschen vertrauen immer noch dem guten
alten Sparbuch, obwohl die Zinsen dort seit Jahren kaum
über der Marke von 0,1 % liegen. Selbst für Tagesgeld gibt
es oft mehr als das Fünffache, und das bei besserer
Verfügbarkeit. Auch das Sparen auf dem Girokonto erfreut
sich großer Beliebtheit. Meist wird Guthaben dort gar nicht
verzinst, und dank Inflation kann man zusehen, wie das Geld
dort an Kaufkraft verliert. Rational sind diese
Anlageentscheidungen nicht. Wer Geld richtig anlegen
möchte, darf sich nicht mit der bequemsten Möglichkeit
zufrieden geben.

Die erste Frage vor der Auswahl einer Investition muss
lauten: wann benötige ich das Geld? Wer für seine
Altersvorsorge noch dreißig oder vierzig Jahre lang sparen
kann, entscheidet anders als derjenige, der Geld für ein
neues Auto fünf Jahre lang beiseitelegt und das Kapital dann
auch zwingend benötigt.

Wertschwankungen gleichen sich über lange Zeit aus

Mit Aktien ließen sich in der Vergangenheit über längere Zeit
hohe Renditen erzielen. Aber der Aktienmarkt ist nichts für
Anfänger. Besser ist es für Laien, auf Aktienfonds zu setzen.
Indexfonds sind dabei besonders kostengünstig, weil sie nicht
aktiv gemanagt werden, sondern nur bestimmte Indizes
nachbilden. Aber Achtung: eine Rendite über die letzten vier
Jahrzehnte von rund 7 % im Jahresschnitt bedeutet nicht,
dass das auch in Zukunft so weitergeht. Zudem sind zeitweise
auch deutliche Wertverluste möglich, zwischen 2000 und
2003 zum Beispiel mehr als 50 %. Es dauerte über zehn
Jahre, bis die großen Indizes das wieder aufgeholt hatten.

Wer Geld über lange Zeit entbehren kann, darf auch heute getrost auf Aktienfonds setzen. Speziell für die Altersvorsorge sind die Leistungen der Rentenversicherung interessant. In fondsgebundenen Versicherungen lässt sich die lebenslange Absicherung durch die Versicherung mit den Renditechancen der Aktienfonds kombinieren. Je näher der Renteneintritt rückt, desto mehr Geld sollte aber in sichere Anlagen, also entweder eine konventionelle Rentenversicherung oder zum Beispiel einen Garantiefonds, umgeschichtet werden.

Mittelfristig auf Festgeld setzen

Für mittelfristige Laufzeiten zwischen drei und fünf Jahren Laufzeit sollten Sie das Kapital in Festgeld richtig anlegen. Die Konditionen unterscheiden sich, Vergleichsrechner im Internet helfen bei der Auswahl. Spareinlagen, zu denen auch Tages- und Festgelder gehören, sind in der Europäischen Union bis 100.000 EUR über die gesetzliche Einlagensicherung geschützt. In Deutschland und einigen anderen Staaten kommen ergänzende Sicherungssysteme der Bankenverbände hinzu.

Ob unter diesen Voraussetzungen der höhere Zins einer ausländischen Bank die richtige Entscheidung ist, muss jeder für sich selbst entscheiden. Theoretisch besteht zwar die Einlagensicherung, ob sie aber bei einer großen Krise funktioniert und wie schnell ausländische Sparer dann an ihr Geld kommen, bleibt ungewiss und stellt ein Risiko dar. Gute Vergleichsportale nennen nicht nur den Zinssatz, sondern geben auch eine Risikoeinschätzung für den Staat allgemein und die jeweilige Bank im Speziellen ab.

VERMÖGEN SICHER UND RENDITETRÄCHTIG ANLEGEN

Viele setzen beim Sparen auf eine sichere Anlage: Sie wollen jedes Risiko eines Vermögensverlustes ausschließen. Diese Sicherheit bieten alle Geldanlagen, die unter die gesetzliche Einlagensicherung fallen. Sparer sollten aber nicht nur auf diesen Aspekt achten, sie sollten ihr Geld auch möglichst renditeträchtig anlegen. Eines ist klar: Wer Priorität auf die Sicherheit legt, kann keine Top-Renditen wie bei deutschen Aktien oder Staatsanleihen aus Brasilien erwarten. Sicherheit hat ihren Preis. Mit einem ausführlichen Vergleich der Angebote lassen sich die Erträge aber maximieren.

Maximale Sicherheit dank Einlagensicherung

In Deutschland und in allen anderen Staaten der EU gilt die gesetzliche Einlagensicherung, welche bei einer Bankenpleite Anlagebeträge bis zur Höhe von 100.000 Euro schützt. Dieser Sicherungsmechanismus greift jeweils pro Person und pro Bank. Beispiele: Ein Ehepaar hat bei einer Bank auf zwei separaten Konten jeweils 100.000 Euro angelegt, sie erhalten bei einer Insolvenz die Summen komplett erstattet. Hat ein Einzelner bei zwei Banken jeweils 100.000 Euro in eine sichere Anlage investiert und beide Institute gehen pleite, sind die gesamten 200.000 Euro Vermögen garantiert. Viele Banken bieten mit zusätzlichen Einlagensicherungsfonds auch für deutlich höhere Beträge Sicherheit.

Im Zuge der Euro-Krise hat die EU die Einlagensicherung standardisiert. Das liegt im Interesse der Sparer, sie können nun auch in anderen EU-Ländern eine sichere Anlage abschließen. Vielfach lohnt sich dies, da in einigen Staaten das Zinsniveau deutlich höher als in Deutschland liegt. Vorsicht sollten sie aber walten lassen, wenn sie bei einer Bank mehr als 100.000 Euro investieren wollen. Unter anderem in südeuropäischen Staaten zeichnen sich die Bankensysteme durch eine Anfälligkeit für Krisen aus, oftmals fehlen zusätzliche Sicherungsmaßnahmen. Für Beträge über 100.000 Euro bestehen deshalb Verlustrisiken.

Sicher und dennoch gut verzinst sparen

Die Einlagensicherung umfasst mehrere Anlagearten. So verdienen flexible Tagesgeldkonten Erwähnung. Kunden können jederzeit ihr Guthaben erhöhen oder sich die Gesamtsumme beziehungsweise Teilbeträge auf ihr Girokonto auszahlen lassen. Höhere Zinsen winken, wenn sich Sparer länger binden. Das realisieren sie mit Festgeldkonten, die sich mit einer Laufzeit zwischen wenigen Monaten und zehn Jahren abschließen lassen. Auch bei einem verzinsten Sparplan greift die gesetzliche Einlagensicherung, dieser eignet sich zum langfristigen Vermögensaufbau mit monatlichen Sparraten.

Bei allen Anlagetypen empfiehlt es sich, die Angebote möglichst vieler Banken miteinander zu vergleichen. Am Markt finden sich erhebliche Zinsunterschiede. Bestenfalls nutzen Sparer hierfür ein Vergleichsportal im Internet. Bei einem Festgeldrechner müssen sie beispielsweise nur die Sparsumme und die Laufzeit eingeben, das Portal zeigt daraufhin die besten Konten an. Anschließend können Anleger sofort online ein Konto eröffnen.

GELDANLAGEN OPTIMAL GESTALTEN

Beim Sparen und Anlegen von Geldvermögen gilt es, das richtige Maß zwischen Risiko und Rendite zu finden. Die erste Frage sollte dem Zweck dienen, für den Sie Ihr Geld anlegen und sparen möchten. Es ist ein großer Unterschied, ob Sie das Kapital erst in dreißig Jahren zur Aufbesserung Ihrer Rente benötigen oder in drei Jahren ein neues Auto kaufen möchten.

Altersvorsorge in drei Schichten

Die Rente ist sicher. Nur ihre Höhe leider nicht. Wenn die geburtenstarken Jahrgänge in Rente gehen, muss zwangsläufig das Niveau der gesetzlichen Rente sinken. Diese Versorgung der ersten Schicht muss durch die zweite Schicht, die staatlich geförderte private Altersvorsorge, aufgebessert werden. Für Arbeitnehmer bietet sich hier neben der Betriebsrente besonders eine Riester-Versicherung an.

Vorteile der Riester-Rente sind nicht nur die direkten Zulagen, sondern auch die steuerliche Förderung. Das Finanzamt prüft im Rahmen der Steuererklärung, welche Möglichkeit günstiger ist, und berechnet automatisch die bessere Variante.

Die dritte Schicht umfasst alles, was Sie ohne staatliche Vergünstigung selbst für Ihr Einkommen im Alter tun. Empfehlenswert ist, in den Beitrag zu einer Rentenversicherung zu investieren. Sie ist das einzige Produkt, das das biometrische Risiko der Langlebigkeit absichert, also garantiert bis an ihr Lebensende zahlt. Rendite-Überlegungen, die über einen Zeitraum mehrerer Jahrzehnte ohnehin spekulativ sein müssen, sind dagegen zweitrangig.

Mischung und Streuung mindert das Risiko

Eine hohe Rendite ist immer auch mit Risiko verbunden. Für sichere Anlagen gibt es keine guten Zinsen. Setzen Sie beim Sparen und Anlegen nicht alles auf eine Karte. Mischung zwischen verschiedenen Anlageformen und eine Streuung auf mehrere Länder, Branchen und Laufzeiten verringert das Risiko eines Kapitalverlusts und verschafft Ihnen größere Flexibilität, wenn Sie das Geld brauchen.

Für Bankguthaben gilt in Europa eine recht umfassende Einlagensicherung mindestens bis 100.000 EUR. Dafür sind aber auch die Zinssätze sehr gering. Bessere Renditen erzielen Sie auf lange Sicht mit Aktien. Einzelaktien sind nur für vermögende Anleger interessant, denn sie sind starken Kursschwankungen unterworfen und bergen das Risiko eines Totalverlusts. Aktienfonds kosten zwar Gebühren, sind aber für Privatleute besser geeignet, weil sie viele verschiedene Werte beinhalten. Eine beliebte Faustregel für den Aktienanteil beim Sparen und Anlegen von Geld ist 100 minus Lebensalter. Ein Dreißigjähriger kann also 70 % seines Vermögens in Aktien anlegen, denn Kursschwankungen werden sich voraussichtlich im Laufe der Jahre ausgleichen. Je älter der Sparer wird, desto mehr Geld sollte er in festverzinsliche Werte transferieren. Ansonsten besteht die Gefahr, dass die Kurse ausgerechnet dann niedrig sind, wenn er das Geld benötigt. Und in so einer Marktphase verkauft man Aktien nicht ohne Not.

Die Investition in Gold und geschlossene Fonds wie Windkraft-Anlagen, Waldfonds oder Schiffe will gut überlegt sein. Sie eignen sich nur als kleine Beimischung, denn sie sind wenig flexibel und die Wertentwicklungen kaum vorhersehbar.

WIE GROßELTERN GUT FÜR ENKEL SPAREN KÖNNEN

Beim Sparen für Enkel wollen Großeltern vor allem hohe Zinsen erwirtschaften. Außerdem sollte das Sparen für Enkel bequem und sicher sein. Doch alles unter einen Hut zu bekommen, ist nicht so einfach. Je mehr Sicherheit eine Geldanlage bietet, desto niedriger ist auch die Rendite. Umgekehrt gilt: Je höher das Risiko beim Sparen ist, desto besser ist die Aussicht auf hohen Zins. Fangen Großeltern sehr früh mit dem Sparen für die Enkelkinder an, haben sie allerdings einen Vorteil, den relativ langen Zeitraum. Heute steht der Nachwuchs spät finanziell auf eigenen Beinen. Und das teure Studium, für das viele Großeltern vorsorgen wollen, muss zwischen dem 20. und dem 25. Lebensjahr finanziert werden.

Aktien und Fonds nutzen

Bei einem Sparhorizont von 20 Jahren bieten die Aktienmärkte gute Chancen für Renditen. Zwar bewegen sich die Kurse auf und ab, auf lange Sicht sind aber Gefahren für Verluste etwas geringer. Wer nicht auf renditestarke Aktien setzen will, weil ihm das zu riskant erscheint, kann auf gute Zinsen durch Fonds setzen. Diese Fonds bündeln Aktien aus bestimmten Regionen oder verschiedenen Unternehmen.

Viele Kreditinstitute bieten auch beim Enkel-Sparen Fondssparpläne an. Wichtig ist allerdings, den richtigen Zeitpunkt für den Ausstieg zu finden, damit die Sparphase nicht in einem Börsentief endet. Für den Rest der Laufzeit können Großeltern das Geld dann auf einem Sparbuch oder Tagesgeldkonto parken.

Sparen mit Banksparplänen

Banksparpläne sind auch beim längerfristigen Sparen für Enkel sehr beliebt. Sie sind sicher und einfach und rutschen nie in ein Minus. Es gibt flexible Angebote mit einer so genannten Zinstreppe. Sie beginnen bei einem relativ niedrigen Zins, der aber dann Jahr für Jahr ansteigt. Weil Sparer aus einem Banksparplan meist nach einer Wartezeit von zwei bis drei Jahren aussteigen können, lohnt sich ein solcher Sparplan. Gibt es später ein besseres Angebot, kann das Geld umgeschichtet werden.

Sparpläne mit einem variablen Zins folgen der Entwicklung an den Kapitalmärkten. Steigen dort die Zinsen, wirkt sich das auch positiv auf den Sparplan aus. Auch hier ist ein Ausstieg möglich. Viele Sparpläne locken mit einem Bonus, mancher sogar von bis zu 100 Prozent. Die Wahrheit dahinter ist, dass es den Bonus lediglich auf die Sparleistung des jeweils vergangenen Jahres gibt. Besser ist es also, auf eine gute Grundverzinsung zu achten. Nicht ganz so hohe Renditen bieten derzeit Sparpläne mit einem festen Zins, bei denen auch die Laufzeit festgeschrieben ist. Großeltern, die für ihre Enkel Geld anlegen, gehen bei diesen Sparplänen ein Risiko ein. Denn aus den Sparverträgen können sie nicht einfach aussteigen. Bei einer frühzeitigen Kündigung drohen Verluste.

Versicherung für die Ausbildung

Eine Ausbildungsversicherung ist auf den ersten Blick genau das, was sich Großeltern wünschen. Zu einem bestimmten Zeitpunkt, etwa zu Beginn einer Ausbildung, werden die

Verträge fällig, es fließt Geld. Es wird sogar weiter gespart, wenn die Großeltern als Einzahler vor dem Erlebensfall sterben. Doch die Ausbildungsversicherungen bergen viele Risiken. Es sind Kapitallebensversicherungen. Die Policen sind immer dann teuer, wenn der Kunde älter ist. Ein großer Teil der Sparrate geht in den Todesfallschutz, ein weiterer Teil in die Abschlusskosten. Bezahlt wird damit zum Beispiel die Provision für Vermittler. Nach dem Abzug der Verwaltungskosten wird der Rest angespart. Großeltern sollten sich also genau überlegen, ob sie diese Art der Vorsorge für den Enkel wählen. Infrage kommt das, wenn sie fast sicher gehen, das Ende der Laufzeit nicht mehr zu erleben.

REGELMÄßIGES SPAREN SCHAFFT VERMÖGEN

Wenn Anleger regelmäßig sparen, können sie einen beachtlichen Kapitalstock aufbauen. Viele Banken ermöglichen Sparpläne bereits ab einem monatlichen Betrag von 20 bis 30 Euro, auch Geringverdiener können sich das leisten. Alternativ können Sparer flexibel Geld von ihrem Girokonto auf Tagesgeldkonto überweisen, das erfordert aber in zweifacher Hinsicht Selbstdisziplin. Erstens müssen sie jeden Monat daran denken, tatsächlich eine bestimmte Summe zur Seite zu legen. Zweitens dürfen sie nicht in Versuchung geraten, das Geld wieder vom Tagesgeldkonto zurückzuüberweisen und zu verbrauchen. Die Erfahrung zeigt, dass Sparpläne meist die bessere Lösung darstellen.

Zins-Sparpläne: Hohe Sicherheit

Möchten Anleger regelmäßiges Sparen mit einer größtmöglichen Sicherheit verbinden, empfehlen sich klassische Sparpläne. Diese fallen unter die gesetzliche Einlagensicherung, bei einer Bankenpleite ersetzt der Staat einen Schaden von bis zu 100.000 Euro. Meist handelt es sich um Sparpläne mit einem längeren, fixen Zeitraum von etwa 10 bis 25 Jahre. Die Zinsmodelle differieren: Manche Banken offerieren gestaffelte Zinssätze, die Zinsen steigen in bestimmten Intervallen. Andere Institute zahlen am Ende der Laufzeit zusätzliche Prämien, zum Beispiel einen gewissen Prozentsatz auf die Jahressparbeiträge. Bei weiteren Anbietern variieren die Zinsen, sie orientieren sich an der allgemeinen Zinsentwicklung. Dann verändern sich die Zinssätze gleich wie eine Bezugsgröße, unter anderem wie ein EZB-Leitzinssatz.

Zwei Tipps kommt eine Bedeutung zu: Wollen Verbraucher auf diese Weise regelmäßig sparen, sollten sie unbedingt die Zinssätze unterschiedlicher Banken miteinander vergleichen. Bei langfristigen Sparplänen sind gute Zinsen noch wichtiger als bei Tagesgeldkonten und kurzfristige Festgelder. Zweitens sollten Sparer das momentane Zinsniveau beachten, sofern sie sich für ein Modell mit zuvor vereinbarten Festzinsen entscheiden. Liegen die Zinsen momentan sehr tief, ist von einem solchen Sparplan abzuraten. Andernfalls binden sich Sparer lange an einen unattraktiven Vertrag und kommen später nicht in den Genuss steigender Zinsen.

Hohe Renditen mit Fondssparplänen

Fondssparpläne fungieren als attraktive Alternative, das gilt vor allem für Sparpläne mit Aktienfonds. Zwar gibt es hier keine Sicherheiten, dafür können Sparer von deutlich höheren Renditechancen profitieren. Auf längere Zeit erweist es sich stets am renditeträchtigsten, wenn Sparer in Aktien anlegen. Sie sollten hierbei nur diese Tipps beherzigen: So sollten sie die Risiken verteilen. Sie sollten weder auf einzelne Branchen noch auf exotische Länder setzen. Stattdessen eignen sich Fonds mit einem breiteren Anlagehorizont, der zugleich in viele etablierte Unternehmen am Markt investiert. Infrage kommen beispielsweise Fonds mit deutschen und europäischen Standwerten. Zudem sollten Sparer über einen längeren Zeitraum regelmäßig sparen und das Geld nicht zu einem bestimmten Zeitpunkt benötigen. Aktienmärkte schwanken, zwischendurch sehen sich Anleger mit Kurstiefs konfrontiert: In diesem Fall sollten sie nicht zu einem Verkauf gezwungen sein und sich in Geduld üben. Die Geschichte beweist, dass sich die Märkte auch nach heftigen Verlusten immer erholt haben.

KAPITALANLAGEN INDIVIDUELL VERGLEICHEN

Welche Kapitalanlage ist im Vergleich für mich die richtige? Die Antwort auf diese Frage ist von vielen persönlichen Faktoren abhängig. Vergleichsportale im Internet sagen Ihnen, wo es beste Zinsen auf Festgeld gibt und in welche lukrativen Aktien man investieren sollte. Aber welche Anlageformen für Ihre Lebenssituation geeignet ist und welche Finanzinstrumente Ihrer Risikoneigung entsprechen, müssen Sie für sich selbst entscheiden.

Sparen für das Alter

Je früher Sie mit dem Sparen für ein zusätzliches Alterseinkommen beginnen, desto leichter fällt es Ihnen, die Versorgungslücke beim Eintritt in das Rentenalter zu schließen. Durch den relativ langen Anlagehorizont können Sie Wertschwankungen aussitzen und Ihr Vermögen nach und nach, in jeweils günstigen Marktphasen, In sichere Papiere umschichten.

Der Staat fördert die Bildung von Altersvermögen in Produkten der sogenannten zweiten Schicht, die Schicht nach der gesetzlichen Rente. Am meisten verbreitet ist neben der betrieblichen Altersvorsorge die Riester-Rente. Für diese private Rentenversicherung gibt es attraktive Zulagen, neben der Grundzulage insbesondere die hohe Riester Kinderzulage. Aber auch für gut verdienende Singles oder Paare ohne Kinder ist die Riester-Versicherung attraktiv, da die Beiträge die Steuerlast deutlich vermindern. Mit der Steuererklärung prüft das Finanzamt automatisch, ob die Zulagen oder die Steuerermäßigung günstiger für Sie sind.

Riestern kann man bei den Versicherern sowohl mit einer konventionellen Kapitalanlage als auch mit einer fondsgebundenen Rentenversicherung. Positiv für Sie ist, dass der Gesetzgeber mindestens den Kapitalerhalt vorschreibt. Sie verbessern also die Rendite bei überschaubarem Risiko. Auch Banken bieten Riester-Sparpläne auf Basis von Fonds an. Mit kostengünstigen Indexfonds, sogenannten Exchange Traded Funds oder kurz ETF, lassen sich Gebühren sparen.

Mittel- und kurzfristige Geldanlagen

Drei- bis fünfjährige Kapitalanlagen sind im Vergleich zu langfristigen Anlageformen eher schwach in ihrer Rendite. Das kommt daher, dass für einen Anlagehorizont über wenige Jahre Produkte mit starken Wertschwankungen ungeeignet sind. Das betrifft aktuelle Aktien ebenso wie Fonds. Benötigt der Anleger das Geld in einer schwachen Phase des Marktes, muss er hohe Kursverluste, die bis dahin nur auf dem Papier existierten, realisieren.

Für einen Zeitraum bis fünf Jahre sind derzeit nur Festgeldkonten oder Termingelder wirklich empfehlenswert. Sie sind zwar weniger flexibel als Tagesgeld, bringen aber eine etwas bessere Verzinsung. Hinsichtlich der Sicherheit ist diese Kapitalanlage im Vergleich mit Aktien und Fonds klar überlegen. Festgelder unterliegen keinen Wertschwankungen, und innerhalb der Europäischen Union sind Einlagen bei Banken bis mindestens 100.000 EUR je Kunde abgesichert. Freiwillige Einlagensicherungen der Bankenverbände sehen über den gesetzlichen Mindeststandard noch deutlich höhere Beträge vor.

Legen Sie aber nicht alles Geld über längere Zeit fest. Es ist sinnlos, wenige Zehntel Prozent Zinsen am Festgeld gegenüber dem Tagesgeld zu verdienen, wenn bei jeder unvorhergesehenen Ausgabe das Girokonto ins Minus rutscht und Sie teure Dispozinsen zahlen müssen. Ein nicht genommener oder früh zurückgezahlter Kredit ist die beste Kapitalanlage, die einem Vergleich mit Sparzinsen jederzeit standhält.

EINE SICHERE SACHE - DER SPARBRIEF

Ein Sparbrief ist eine sichere Anlageform. Es handelt sich hierbei um ein Wertpapier, das von einer Bank in unterschiedlich langen Laufzeiten ausgegeben wird. Die Laufzeiten sind manchmal frei wählbar, manchmal eher in Intervallen von 12 Monaten erhältlich. Als Faustregel beim Sparbrief gilt: Je länger die Laufzeit, umso höher die Verzinsung.

Aufgrund der Variabilität eines solchen Papieres sind die Angebote auch eher unüberschaubar. Es gibt aber mehr als einen Sparbrief Vergleich im Internet. In diesen Portalen werden die unterschiedlichen Produkte angeboten. Oft wird hier vor allen Dingen nach Laufzeit und Anlagehöhe sortiert. Es gibt aber noch weitere Kriterien in solch einem Sparbrief Vergleich, die nicht ausser Acht gelassen werden sollten.

Sicherheit vor Rendite

So könnte eigentlich der Grundsatz eines Sparbriefs laufen, aber bei einem weiterem Detail dieser eigentlich sehr sicheren Anlageform muss auf die Sicherheit geachtet werden. In diesem Fall betrifft das vor allen Dingen die Höhe der Einlagensicherung. Per Gesetz müssen alle Banken ihre Sparbriefe bis zu einer Höhe von 100.000 Euro sichern. Einige der Institute unterlaufen diesen Schutz aber, in dem sie in den Verträgen eine sog. nachrangige Einlagensicherung festlegen. Damit erfüllen sie auf dem Papier den geforderten gesetzlichen Schutz, de Facto werden aber bei einer Insolvenz erst alle anderen Gläubiger bedient, so dass die Einlage dann komplett verloren sein kann.

Auf dieses Detail sollte beim Erwerb eines Sparbriefs geachtet werden. Bei einer Einlage über 100.000 Euro sollte man ausserdem nur solche Institute in Betracht ziehen, die dem europäischen Einlagensicherungsfonds angeschlossen sind. Damit wären dann auch Beträge über dem gesetzlich verankerten Betrag gesichert.

Variantenreiche Anlage

Der Sparbrief ist eine variantenreiche Anlageform. Bei einem Sparbrief Vergleich werden zwei unterschiedliche Varianten abgefragt. Der volle Nennwert und die abgezinste Variante. Beim vollen Nennwert zahlt man den kompletten Betrag und jedes Jahr stehen die Zinsen zur Auszahlung bereit. Über diese kann dann frei verfügt werden. Die abgezinste Variante hingegen hat einen Nennwert, der den Kaufpreis und die Verzinsung und den Zinseszins über die komplette Laufzeit hinweg erfasst. Hier ist also eine deutlich höhere Rendite zu erwarten, da hier der Zinseszinseffekt genutzt wird.

Vergleichen lohnt sich

Ein Sparbrief gehören wie das Sparbuch zu den klassischen Anlagen. Sie werden empfohlen für Anleger mit einem hohen Sicherheitsbedürfnis. Außerdem werden sie gerne für ältere Anleger empfohlen, der sein Geld so anlegen möchte, dass er garantiert in gewissen Zeiträumen eine Auszahlung zu erwarten hat. Ein Sparbrief Vergleich sollte immer durchgeführt werden, bevor es daran geht Geld in dieser Form anzulegen. So hat beim Gespräch mit dem Anlageberater der Bank die beste Vorbereitung und kann auch selber sicher sein, dass die Beratung gut war.

ERSPARTES SINNVOLL UND LUKRATIV ANLEGEN

Für Kunden, die ihre Ersparnisse zu attraktiven Bedingungen investieren möchten, sollten Anlageprodukte zum Sparen im Vergleich zueinander testen. Dabei lohnt sich ein Blick in die zahlreichen Anlageplattformen im Internet, da dies einen Überblick über die Offerten der zahlreichen Anbieter und deren Produkte ermöglicht. Wer sein Erspartes solide und sicher investieren möchte, trifft auf eine Vielzahl von Sparformen, die je nach Anlagesumme und -zeitraum unterschiedliche Renditen generieren. Während das klassische Kontosparen auf einem Sparbuch angesichts niedriger Verzinsung nur noch für wenige Anleger attraktiv ist, sind mit Tagesgeldern (Sichteinlagen) und Festgeldanlagen erheblich höhere Renditen zu erzielen. Für Tagesgelder spricht deren jederzeitige Verfügbarkeit, während Feldgelder für Kunden attraktiv sind, die ihre Gelder mittelfristig oder länger entbehren können. Häufig sind Termineinlagen mit einer Bindungsfrist von sechs Monaten bis zu zwei Jahren. Auch langfristige Festgelder mit Laufzeiten bis zu sieben Jahren sind im Angebot.

Bei Bankprodukten zum Sparen ist ein Vergleich auch auf Sonderformen dieser Geldanlage zu erstrecken. So existieren bei vielen Kreditinstituten unterschiedliche Gestaltungen des Kontosparens mit Einmalbeträgen oder in Ratenform mit regelmäßigen Einzahlungen. Manche Banken und Sparkassen gewähren beim Bonus- oder Prämiensparen eine Zusatzvergütung bei Ablauf der vertraglichen Bindungsfrist. Dies gilt insbesondere bei längerfristigen Sparverträgen, die dem Anleger für eine vereinbarte Laufzeit einen Festzins garantieren. Daneben existieren auch Vertragsgestaltungen, bei denen sich die Spareinlage variabel entsprechend der Entwicklung eines bestimmten Referenzzinses (etwa LIBOR oder EURIBOR) rentiert.

Die wichtigsten Kriterien beim Vergleich

Wer bei Bankprodukten zum Sparen einen Vergleich vornimmt, wird bei seiner Kalkulation die Höhe der Anlagesumme, die Laufzeit der Anlage und die erzielbare Verzinsung als maßgebliche Kriterien berücksichtigen. Für alle Sparprodukte gilt die Regel, dass die erzielbare Verzinsung umso höher ausfällt, je länger der Sparer bereit ist, sein Kapital festzulegen. Wer längerfristig nicht über sein Erspartes verfügen muss, findet im Rahmen der Vergleichsberechnungen im Internet zahlreiche Produkte, deren Rendite jedenfalls einen Inflationsausgleich ermöglicht. Bei kurzfristigen Sparanlagen, namentlich beim Tagesgeld, reicht die Verzinsung hierzu bei vielen Offerten nicht aus.

Interessenten, die ihr Erspartes clever anlegen möchten, finden bei vielen Kreditinstituten immer eine passende Alternative zum Tagesgeld, das sich eher für Interessenten eignet, die ihr Kapital flexibel kurz- oder mittelfristig sicher investieren möchten, ohne ein Höchstmaß an Rendite anzustreben. Bei der Laufzeit der Sparanlage kommt es darauf an, ob der Investor auf ein steigendes oder fallendes Zinsniveau setzt. Wird eine Zinssteigerung erwartet, wählt der Anleger zumeist ein kurzfristiges Investment. Im umgekehrten Fall wird ein Investor versuchen, sich die aktuelle Verzinsung möglichst langfristig zu sichern.

WINDIGE INVESTITION IN NEUE ENERGIE

In Windenergie zu investieren erfordert Risikobereitschaft und Fachkenntnisse, wenn das Investment nicht in einem Fiasko enden soll. Die meisten Windkraft-Fonds, die in der Zeit zwischen 1997 und 2005 aufgelegt wurden, können ihre Renditeversprechen nicht halten. Genussscheine von Prokon, einst einer der Vorreiter im Bereich Windkraft, sind durch den Zusammenbruch des Anlagesystems heute wertlos. Dennoch bietet nachhaltige Geldanlage in neue Energien wie einen Wind- oder Solarpark auch heute noch Chancen.

Kommanditbeteiligung an einem Windpark

Die gängigste Form, in Windenergie zu investieren, ist die Zeichnung von Anteilen an einem geschlossenen Fonds. Im Gegensatz zu Anteilen an offenen Fonds sind diese nicht an der Börse frei handelbar. Es gibt nur eine begrenzte Zahl von

Anteilseignern. Sobald die Kapitalanlagegesellschaft, die den Fonds konzipiert hat, das benötigte Geld zusammen hat, wird der Fonds geschlossen. Rechtlich bilden die Anleger meist eine Kommanditgesellschaft, jeder Einzelne ist mit seinen Anteilen als Kommanditist beteiligt und damit Unternehmer.

Aus der aufwändigen Konstruktion wird deutlich, dass ein Investieren in Windenergie nichts ist für Kleinsparer, die vielleicht 500 EUR anzulegen haben. Meist werden hohe Mindestbeteiligungen vorausgesetzt, zum Beispiel 5.000 oder sogar 10.000 EUR zuzüglich Ausgabeaufschlag. Die Laufzeit der Fonds beträgt zehn Jahre oder mehr. Die Anlage ist als spekulativ einzustufen, auch wenn die Werbung Gegenteiliges zu suggerieren versucht. Die Gründe, warum rund 60 % der schon lange am Markt aktiven Fonds die prospektierten Renditen nicht erreichen, sind viel zu optimistische Windprognosen und ein deutlich unterschätzter Wartungsaufwand für die Windräder. Neuere Anlagen müssten her, denn technischer Fortschritt hat zu stark gestiegener Effizienz der Windkraftanlagen geführt. Dafür fehlt es aber an frischem Kapital, und die Fondsgesellschaft selbst hat nicht unbedingt Interesse daran, weil ihre Einnahmen auch dann weiter fließen, wenn die Windräder einrosten.

Expertenmeinungen einholen

In Windenergie zu investieren, braucht Geduld und starke Nerven. Wer kurzfristig und sicher investieren will, liegt mit Windkraft daneben und sollte sich eher im Bereich Fest- und Tagesgeld umsehen, denn damit schläft man weit ruhiger. Vor allem ist aber Expertenrat gefragt, wenn es darum geht, die Spreu vom Weizen zu trennen. Wer kann als Laie schon beurteilen, ob der beabsichtigte Standort eines Windparks wirklich geeignet ist, wie realistisch die Prognosen sind? Das schließt aber nicht aus, dass es gute und seriöse Beteiligungsangebote gibt, deren Renditen einer gleich langen Anlage in Aktien voraussichtlich überlegen sein werden.

Über allen Investitionen in erneuerbare Energien hängt das Damoklesschwert der staatlichen Förderung. Die zunehmend kritische Haltung weiter Kreise der Bevölkerung zum Thema Atomenergie und die Proteste gegen die Nutzung fossiler Energieträger lassen zwar erwarten, dass regenerative Energie aus Wasser, Sonne und Wind auch in naher Zukunft noch gefördert werden wird. Über kurz oder lang müssen die Energien aber subventionsfrei kostendeckend angeboten werden, und das bringt die Kalkulation mancher Fonds mit Sicherheit durcheinander.

HOHE RENDITE: INVESTITION IN WINDKRAFT

Das Investieren in Windkraft empfiehlt sich für alle, die Umweltschutz mit einer ansprechenden und stabilen Rendite verbinden wollen. Mehrere Formen der Kapitalanlage stehen hierfür zur Auswahl: Erstens können Anleger mit Genussscheinen und Genossenschaftsanteilen direkt an dem Erfolg von Windkraftanlagen partizipieren. Zweitens können sie Aktien von Unternehmen dieser Branche kaufen.

Mit der Kapitalanlage den Bau von Anlagen finanzieren

Hunderte Millionen Euro haben Sparer in den letzten Jahren in konkrete Windkraft-Projekte fließen lassen. Meist haben sie Genussscheine von Investmentgesellschaften gekauft, die mit dem eingenommenen Geld an Land oder im Meer Windparks errichtet haben. Die große Beliebtheit lässt sich leicht erklären: Mit einer solchen Investition unterstützen die Anleger die Energiewende, zugleich verbuchen sie eine attraktive und vergleichsweise sichere Rendite weit über dem Niveau von Festgeldkonten. Das verdanken sie dem Staat, der den Ausbau der Windenergie mit dem Erneuerbaren-Energien-Gesetz massiv unterstützt. Dieses Gesetz legt für Strom feste Einspeisevergütungen sowie eine

Abnahmegarantie fest, die Betreiber unterliegen somit nicht den Nachfrage- und Kursschwankungen an der Strombörse. Die Windverhältnisse und mögliche technische Probleme sind die einzigen Risiken.

Vielfach können sich Interessierte mit Genussscheinen hohe Einnahmen über lange Zeiträume sichern. Sie erhalten bei dieser Anlageform eine jährliche Zins- beziehungsweise Dividendenzahlung, die Höhe richtet sich nach der Wirtschaftlichkeit der Anlagen. Bei Genussrechten handelt es sich um eine Art Anleihe, Investoren leihen der Investmentgesellschaft Geld. Sie beteiligen sich nicht direkt an der Unternehmung. Bei Energiegenossenschaften, die sich häufig im lokalen Rahmen finden, sieht das anders aus. Mit dem Erwerb eines Genossenschaftsanteils werden Anleger Miteigentümer inklusive Stimmrecht auf der Genossenschaftsversammlung. Genossenschaften zahlen ebenfalls eine jährliche Dividende auf Basis der Gewinnsituation, die Höhe beschließt die Genossenschaftsversammlung. Was alle beim Investieren in Windkraft bedenken sollten: Bei beiden Anlagetypen binden sich Investoren längerfristiger. Genussrechte verfügen oft über eine Laufzeit von 5 bis 15 Jahren. Bei Genossenschaftsanteilen ist zwar jederzeit eine Kündigung möglich, aber bis zur Auszahlung dauert es rund ein bis zwei Jahre.

In Unternehmen investieren

Besitzer von Aktien können flexibler agieren, sie können ihre Wertpapiere an jedem Handelstag verkaufen. Wer auf diese Weise nachhaltig investieren will, sollte sich aber gründlich mit dieser Thematik auseinandersetzen und Risikostreuung praktizieren. Einzelne Aktien von Anlagenherstellern sind trotz der guten Rahmenbedingungen tief abgestürzt, weil sie sich nicht gegen die in- und ausländische Konkurrenz durchsetzen konnten. Deshalb sollten Anleger mehrere Aktien aus diesem Bereich kaufen und sich nicht nur auf ein Land sowie auf die klassischen Anlagenproduzenten konzentrieren. Es gibt zum Beispiel auch Unternehmen, die einzelne Komponenten für die Anlagen herstellen und damit viel Geld verdienen. Die Risikostreuung können Sparer am leichtesten mit einem entsprechenden Investmentfonds verwirklichen, der durch einen breiten Anlagehorizont überzeugt.

CPSIA information can be obtained
at www.ICGtesting.com
Printed in the USA
LVHW050923151220
674217LV00003B/359